O HOMEM SUSSURRO

O HOMEM SUSSURRO

Alex North

Tradução de
José Roberto O'Shea

1ª edição

2019

CIP-BRASIL. CATALOGAÇÃO NA PUBLICAÇÃO
SINDICATO NACIONAL DOS EDITORES DE LIVROS, RJ

North, Alex
N775h O homem-sussurro / Alex North; tradução de José Roberto O'Shea. – 1. ed. – Rio de Janeiro: Record, 2019.
420 p.; 23 cm.

Tradução de: The Whisper Man
ISBN 978-85-01-11702-1

1. Romance inglês. I. O'Shea, José Roberto. II. Título.

19-60168 CDD: 823
CDU: 82-31(410.1)

Meri Gleice Rodrigues de Souza – Bibliotecária CRB-7/6439

TÍTULO ORIGINAL: THE WHISPER MAN

Publicado originalmente em inglês, na Grã-Bretanha, por Clays Ltd, Elcograf S.p.A

Texto revisado segundo o novo Acordo Ortográfico da Língua Portuguesa.

Revisão: Diogo Sinésio

Direitos exclusivos de publicação em língua portuguesa somente para o Brasil
adquiridos pela
EDITORA RECORD LTDA.
Rua Argentina, 171 – Rio de Janeiro, RJ – 20921-380 – Tel.: (21) 2585-2000,
que se reserva a propriedade literária desta tradução.

Impresso no Brasil

ISBN 978-85-01-11702-1

Para Lynn e Zack

Jake.

Eu tenho tanta coisa para te dizer, mas a nossa conversa é sempre difícil, não é?

Então, prefiro escrever.

Eu me lembro do dia em que Rebecca e eu te trouxemos da maternidade para casa. Estava escuro e nevava, e eu nunca dirigi com tanto cuidado. Você estava com dois dias de vida, viajava afivelado numa cadeirinha de bebê no banco traseiro, Rebecca cochilava ao teu lado, e eu, de vez em quando, olhava pelo espelho retrovisor, para ver se você estava bem.

Sabe por quê? Eu estava *morrendo de medo.* Eu tinha crescido como filho único, sem a menor experiência com bebês, e lá estava eu — responsável pelo meu próprio neném. Você era tão pequenininho e vulnerável, e eu, tão despreparado, que pareceu um absurdo eles terem permitido que você deixasse o hospital sob meus cuidados. Desde o início, não nos adaptamos muito bem um ao outro. Rebecca te segurava com facilidade, com naturalidade, como se ela tivesse nascido de você, e não o contrário, enquanto eu sempre me sentia desconfortável, receoso por ter nos braços um peso frágil, e incapaz de saber o que você queria quando chorava. Eu não conseguia te entender, de jeito nenhum.

Isso nunca mudou.

Quando você ficou um pouco mais velho, Rebecca disse que era porque você e eu éramos muito parecidos, mas não sei se isso é verdade. Tomara que não seja. Eu desejaria algo melhor que isso para você.

Mas, seja como for, a gente não consegue conversar direito, o que significa que vou precisar escrever essa coisa toda. A verdade sobre tudo o que aconteceu em Featherbank.

O Senhor da Noite. O menino no chão. As borboletas. A menina com aquele vestido esquisito.

E o Homem-Sussurro, é claro.

Não vai ser fácil, e devo começar com um pedido de desculpas. Ao longo dos anos, eu te falei tantas vezes que não havia motivo para sentir medo. Que monstros não existiam.

Peço desculpas por ter mentido.

PRIMEIRA PARTE

Julho

Um

O sequestro de uma criança por um estranho é o pior pesadelo de qualquer pai ou mãe. Mas, em termos estatísticos, trata-se de um evento bastante raro. Na realidade, as crianças correm mais risco de sofrer danos físicos e abuso por parte de algum integrante da família, dentro de casa, e, embora o mundo exterior possa parecer uma ameaça, a verdade é que a maioria dos desconhecidos é gente honesta, ao passo que o lar, muitas vezes, é o lugar mais perigoso de todos.

O homem que espreitava Neil Spencer, um menino de seis anos de idade, do outro lado do terreno baldio, sabia muito bem disso.

Avançando em silêncio, em paralelo à caminhada de Neil, por trás de uma fileira de arbustos, ele mantinha vigília constante sobre o garoto. Neil andava devagar, alheio ao perigo que corria. Às vezes, chutava o solo, e uma poeira esbranquiçada subia e cobria seus tênis. O homem, caminhando com muito mais cautela, ouvia cada chute. E não fazia o menor ruído.

O fim de tarde estava quente. O sol tinha castigado sem trégua quase o dia todo, mas já eram seis horas e o céu estava mais nebuloso. A temperatura havia caído e a atmosfera exibia uma tonalidade dourada. Era o tipo de fim de tarde propício para alguém se sentar num terraço, bebendo vinho branco gelado e contemplando o pôr do sol, sem pensar em ir buscar um casaco até que já estivesse escuro e tarde demais para fazer isso.

Até o terreno baldio estava bonito, banhado por uma luminosidade âmbar. Ele era um trecho coberto de arbustos, situado entre o limite da pequena cidade de Featherbank e uma pedreira abandonada. O solo irregular era seco e estéril, embora tufos de arbustos crescessem aqui e ali, dando à área um certo aspecto de labirinto. As crianças do vilarejo costumavam brincar ali, mesmo que o local não fosse muito seguro. Ao longo dos anos, muitas crianças tinham cedido à tentação de descer pela pedreira, cujas laterais íngremes eram propensas a desmoronar. A prefeitura tinha construído cercas e pendurado placas, mas era consenso que mais do que isso precisava ser feito. Afinal, as crianças sempre achavam um meio de pular a cerca.

E tinham por hábito ignorar avisos em placas.

O homem sabia muito sobre Neil Spencer. Tinha estudado o menino e sua família detalhadamente, como um projeto acadêmico. O desempenho escolar do garoto era sofrível, tanto em termos de aprendizagem como de sociabilidade, e ele estava mais atrasado que os colegas em leitura, redação e matemática. A maioria das roupas que ele usava era de segunda mão. De uma maneira toda própria, ele parecia mais velho — já demonstrando raiva e rebeldia diante do mundo. Em poucos anos, seria visto como brigão e encrenqueiro, mas, por enquanto, ainda era jovem o bastante para ser perdoado por sua conduta um tanto desregrada. "Ele não faz por mal", diziam as pessoas. "Ele não tem culpa." Ainda não chegara o momento de Neil ser considerado o único responsável por seus atos e, portanto, as pessoas fingiam não enxergar a situação.

O homem enxergava a situação. Era evidente.

Neil tinha passado o dia na casa do pai. Seus pais estavam separados, o que, para o homem, era algo positivo. O pai e a mãe do menino eram alcoólatras, com rotinas de vida irregulares. Cada um funcionava com mais facilidade quando o filho estava na casa do outro, e ambos achavam difícil interagir com ele. De modo geral, Neil tinha que se virar sozinho, fato que, evidentemente, ajudava a explicar a rebeldia que o homem já vislumbrava no garoto. Neil não era prioridade na vida dos pais. Com certeza não era amado.

Aquela noite não tinha sido a primeira vez que o pai de Neil estava tão embriagado que não teve condições de levá-lo de carro até a casa da mãe, e, pelo jeito, a preguiça o impediu de acompanhar o filho a pé. O garoto estava com quase sete anos, foi o que o pai provavelmente pensou, e já havia passado o dia todo sozinho, sem problema nenhum. Portanto, Neil voltava para casa desacompanhado.

Ele não fazia ideia de que estava prestes a ir para uma casa que não era a sua. O homem pensou no quarto que havia preparado e tentou conter a empolgação que sentia.

No meio do terreno baldio, Neil parou.

O homem parou perto, e então espiou através das moitas, para ver o que havia atraído a atenção do garoto.

Um velho aparelho de TV fora descartado ao pé de um arbusto, com a tela verde e protuberante ainda intacta. O homem viu quando Neil cutucou o televisor com o pé, mas o aparelho era pesado demais e não se moveu. Para o menino, aquela coisa parecia algo vindo de outra era, com grades e botões ao lado da tela e uma protuberância do tamanho de um tambor na parte de trás. Havia pedras do outro lado da trilha. O homem observou, fascinado, quando Neil atravessou a trilha, pegou uma pedra e, com toda força, atirou-a no vidro.

Crac!

Um sonoro baque naquele local antes silencioso. O vidro não estourou, mas a pedra abriu um orifício estilhaçado nas bordas, como um tiro. Neil pegou uma segunda pedra e repetiu a ação, dessa vez errando o alvo, e então fez nova tentativa. Outro orifício surgiu na tela.

Ele parecia gostar da brincadeira.

E o homem entendia por quê. Aquela destruição gratuita em muito se assemelhava à crescente agressividade que o menino demonstrava na escola. Era uma tentativa de causar algum impacto em um mundo que parecia ignorar sua existência. Aquilo decorria do desejo de ser visto. Ser notado. Ser amado.

Aquilo era tudo o que qualquer criança desejava, no fundo.

O coração do homem, agora mais acelerado, doeu diante desse pensamento. Ele saiu silenciosamente do meio dos arbustos, por trás do menino, e então sussurrou seu nome.

Dois

Neil. Neil. Neil.

O investigador de polícia Pete Willis avançava lentamente pelo terreno baldio, apurando os ouvidos, enquanto os policiais em volta chamavam sem parar o nome do menino desaparecido. Entre um chamado e outro, o silêncio era absoluto. Pete erguia os olhos, imaginando as palavras batendo asas pela escuridão lá em cima, desaparecendo no céu noturno exatamente como Neil Spencer desaparecera da face da Terra logo abaixo.

Ele varria com o facho da lanterna o solo poeirento, formando um desenho cônico, iluminando os próprios passos e buscando qualquer sinal do menino. Calça de agasalho e cueca azul, camisa de malha com estampa de Minecraft, tênis pretos, mochila no estilo daquelas de exército, garrafinha de água. O alerta havia chegado para ele ao se sentar para comer o jantar que tinha acabado de preparar, e a lembrança do prato sobre a mesa, agora intacto e esfriando, fazia seu estômago roncar.

Mas um menino havia sumido e precisava ser encontrado.

Os outros policiais estavam invisíveis na escuridão, mas Pete enxergava suas lanternas, enquanto eles vasculhavam a área. Pete consultou o relógio: 20:53. O dia chegava ao fim e, embora a tarde tivesse sido quente, a temperatura despencara nas últimas horas, e o ar frio lhe dava arrepios. Na pressa de sair de casa, havia esquecido o casaco, e sua camisa não oferecia muita proteção contra o clima. Seus ossos estavam velhos — afinal, ele tinha cinquenta e seis anos. Também não era o tipo de noite para uma criança ficar fora de casa. Ainda mais estando perdida e sozinha. E, muito provavelmente, ferida.

Neil. Neil. Neil.

Pete se juntou ao coro: "Neil!"

Nada.

As primeiras quarenta e oito horas que se seguem a um desaparecimento são cruciais. O garoto foi considerado desaparecido às 19:39 daquela mesma noite, cerca de uma hora e meia depois de ter saído da casa do pai. Ele deveria ter chegado à casa da mãe por volta das 18:20, mas os pais não haviam combinado muito bem o horário da volta e, por isso, só quando a mãe de Neil finalmente telefonou para o ex-marido, a ausência do filho foi constatada. Quando, às 19:51, a polícia chegou ao local, as sombras estavam mais extensas e quase duas daquelas quarenta e oito horas iniciais já tinham sido desperdiçadas. Agora, quase três horas já haviam se passado.

Na grande maioria dos casos, Pete bem sabia, uma criança desaparecida era logo encontrada e devolvida em segurança à família. Os casos eram classificados de acordo com cinco categorias distintas: expulsão; fuga; acidente ou fatalidade; sequestro por pessoa da própria família; sequestro por pessoa desconhecida da família. Naquele momento, a lei das probabilidades sugeria a Pete que o desaparecimento de Neil Spencer teria sido causado por algum acidente e que o menino seria localizado em breve. Porém, quanto mais Pete avançava, mais seu instinto lhe dizia algo diferente. Uma sensação desagradável invadia seu coração. Embora fosse fato que crianças desaparecidas sempre provocavam nele aquele tipo de sentimento. Não queria dizer nada. Era apenas o resultado de lembranças ruins, de vinte anos antes, que afloravam e traziam junto aqueles maus presságios.

O facho da lanterna passou por cima de algo cinzento.

Pete parou, e então apontou o foco de luz para ele. Ao pé de um arbusto, havia uma velha televisão com a tela perfurada em diversos pontos, como se alguém a tivesse utilizado para a prática de tiro ao alvo. Ele fitou o aparelho por um instante.

— Achou alguma coisa?

Uma voz anônima gritou, vinda de um dos lados.

— Não — gritou ele de volta.

Pete chegou ao fim do terreno baldio ao mesmo tempo que os outros policiais, a busca tendo se mostrado inútil. Depois da escuridão que ficara para trás, ele achou um tanto incômoda a claridade esbranquiçada emitida pela iluminação urbana. Havia no ar um leve zumbido de vida, o que estava ausente no silêncio do terreno baldio.

Passados alguns instantes, sem ter algo melhor para fazer, ele deu meia-volta e retornou pelo mesmo caminho que viera.

Não sabia ao certo aonde ia, mas se pegou seguindo para um dos limites do terreno, em direção à velha pedreira que ladeava a margem. No escuro, o solo se tornava perigoso, então ele se dirigiu à luz das lanternas da equipe prestes a iniciar os trabalhos de busca junto à pedreira. Enquanto outros policiais avançavam pela margem, direcionando os fachos às encostas íngremes e chamando por Neil, os que estavam reunidos ali consultavam mapas e se preparavam para descer a trilha precária que conduzia à área abaixo. Alguns desses policiais ergueram o olhar quando ele se aproximou.

— Senhor? — Um deles o reconheceu. — Eu não sabia que o senhor estava de serviço hoje.

— Não estou. — Pete suspendeu o arame da cerca e passou por baixo para se juntar ao grupo, tomando mais cuidado que antes com seus passos. — Eu moro aqui perto.

— Sim, senhor. — O policial pareceu meio desconfiado.

Era raro um investigador de polícia aparecer em uma missão aparentemente corriqueira como aquela. A investigadora Amanda Beck estava coordenando os trabalhos remotamente, da delegacia, e aquela equipe de busca era composta, em sua maioria, por novatos. Pete sabia ter mais horas de trabalho nas costas que qualquer um ali, mas naquela noite queria apenas ser igual a qualquer um do grupo. Uma criança havia desaparecido, o que significava que uma criança precisava ser encontrada. Aquele policial talvez fosse jovem demais para se lembrar do que acontecera com Frank Carter duas décadas antes, e para entender por que não era estranho encontrar Pete Willis de plantão naquelas circunstâncias.

— Cuidado, senhor. O solo aqui é meio instável.

— Está tudo bem comigo.

Pelo jeito, o policial era jovem o bastante também para considerá-lo velho. Aparentemente, nunca tinha visto Pete na sala de musculação da delegacia, local frequentado por ele todas as manhãs antes de pegar no batente. Apesar da diferença de idade, Pete seria capaz de apostar que levantaria mais peso do que o jovem policial, em todo e qualquer aparelho. Ele estava atento ao solo. Para Pete, prestar atenção em tudo — e em si mesmo — era como respirar.

— Ok, senhor, tudo bem, a gente já vai começar a descer. Só estamos coordenando a ação.

— Não estou no comando aqui. — Pete apontou a lanterna trilha abaixo, varrendo o solo irregular. O facho de luz alcançava apenas uma pequena distância. O fundo da pedreira, lá embaixo, não passava de um enorme buraco negro. — Você deve satisfações à investigadora Beck, não a mim.

— Sim, senhor.

Pete continuou a olhar para baixo, pensando em Neil Spencer. Os caminhos mais prováveis que o garoto poderia ter seguido tinham sido identificados. As ruas tinham sido vasculhadas. A maioria dos amigos dele tinha sido contatada, tudo em vão. E nada havia no terreno baldio. Se o desaparecimento do menino tivesse resultado de algum tipo de acidente, a pedreira era o único local restante onde faria sentido ele ser encontrado.

Mas o mundo negro lá embaixo parecia vazio.

Ele não tinha como saber com certeza — não de modo racional. Mas seu instinto lhe dizia que Neil Spencer não seria localizado ali.

Que talvez não fosse localizado nunca mais.

Três

— Você lembra o que eu te falei? — perguntou a menina.

Ele lembrava, mas naquele momento Jake fazia o possível para ignorá-la. Todas as outras crianças do Clube 567 estavam lá fora brincando ao sol. Ele ouvia as gritarias delas e o ruído no asfalto da bola de futebol, que de vez em quando batia na lateral do prédio. Enquanto isso, ele se mantinha lá dentro, fazendo seu desenho. Bem que gostaria de ser deixado em paz para concluir o trabalho.

Não que ele não gostasse de brincar com a menina. É claro que gostava. Na maioria das vezes, era a única que *queria* brincar com ele, e em geral ele se sentia mais do que feliz em dar atenção para ela. Mas a menina não estava brincando direito naquela tarde. Na verdade, estava toda séria, e Jake não gostava nada daquilo.

— Você lembra?

— Acho que sim.

— Então, *diz.*

Ele suspirou, pôs o lápis na mesa e olhou para ela. Como sempre, ela usava um vestido de xadrez azul e branco, e ele viu a marca de arranhão em seu joelho direito, que parecia jamais cicatrizar. Enquanto as outras meninas mantinham o cabelo arrumado, cortado rente aos ombros ou preso em um rabo de cavalo, o cabelo daquela menina era jogado para um dos lados do rosto, dando a impressão de não ser escovado havia muito tempo.

Pela expressão em seu rosto, era óbvio que não pretendia desistir, então Jake repetiu o que ela havia ensinado a ele.

— Se a porta aberta você deixar...

Na verdade, o fato de ele ter se lembrado de tudo poderia ser considerado algo surpreendente, porque Jake não havia feito esforço nenhum para decorar as palavras. Mas, por algum motivo, elas ficaram gravadas em sua memória. Devia ser por causa do ritmo. Às vezes, ele ouvia uma música na CBBC e ela ficava tocando na sua cabeça por horas e horas. O pai chamava isso de *música chiclete*, e Jake imaginava os sons sendo mascados em seu cérebro, fazendo bola e estourando.

Quando ele acabou de falar, a menina fez que sim com a cabeça, toda satisfeita. Jake voltou a pegar o lápis.

— Mas o que isso quer dizer? — perguntou ele.

— É um alerta. — Ela torceu o nariz. — Tipo... mais ou menos. As crianças recitavam isso quando eu era pequena.

— Tá, mas o que isso *quer dizer*?

— É só um bom conselho — respondeu ela. — Tem muita gente má no mundo, no fim das contas. Muita coisa ruim. Então, é bom lembrar.

Jake franziu a testa e recomeçou a desenhar. Gente má. Havia um menino um pouco mais velho, Carl, ali mesmo no Clube 567, que Jake considerava mau. Uma semana antes, Carl tinha encurralado Jake junto à parede enquanto Jake construía um forte de Lego, e quase encostou nele, cobrindo-o como se fosse uma sombra gigantesca.

— Por que teu pai vem sempre te pegar aqui? — perguntara Carl, embora já soubesse a resposta. — É porque a tua mãe morreu?

Jake nada respondera.

— Como ela estava quando você encontrou ela?

Novamente, silêncio. Afora em pesadelos, ele não pensava em como fora encontrar a mãe naquele dia. Pensar naquilo fazia sua respiração ficar estranha. Mas algo que ele não conseguia evitar era a constatação de que ela não estava mais ali.

Aquilo o fazia lembrar de algo que ocorrera muito tempo antes, quando ele espiara pela porta da cozinha e vira a mãe cortando ao meio um pimentão vermelho e retirando o miolo.

— Ei, lindão.

Foi isso que ela disse quando o viu. Ela sempre o chamava assim. O sentimento que ele tinha quando lembrava que ela estava morta produzia um som parecido com o do pimentão, como algo que racha e expõe um interior oco.

— Eu adoro te ver chorando igual um bebezinho — dissera Carl, e então se afastara, como se Jake sequer existisse.

Não era agradável pensar que o mundo estava cheio de gente daquele jeito, e Jake não queria acreditar que esse fosse o caso.

Agora desenhava círculos no papel. Campos de força em volta dos bonequinhos que batalhavam.

— Está tudo bem contigo, Jake?

Ele ergueu os olhos. Era Sharon, uma das funcionárias que trabalhavam no Clube 567. Ela estava lavando alguns objetos no outro extremo da sala, mas tinha se aproximado, e agora se inclinava sobre ele, as mãos entre os joelhos.

— Tá — disse ele.

— É um belo desenho.

— Ainda não acabei.

— O que vai ser?

Ele pensou em explicar a batalha do desenho — falar sobre os adversários, sobre as linhas que os separavam e sobre os riscos feitos em cima dos derrotados —, mas era complicado demais.

— Uma batalha, só isso.

— Você tem certeza de que não quer ir lá pra fora, brincar com as outras crianças? O dia está muito bonito.

— Não, obrigado.

— A gente ainda tem protetor solar. — Ela olhou ao seu redor. — Deve ter um chapéu por aí também.

— Eu preciso acabar o meu desenho.

Sharon esticou o corpo, respirando fundo, mas manteve um semblante afável. Ela estava preocupada com ele, e, embora não houvesse motivos para preocupação, ele gostou da reação dela. Jake sempre percebia quando alguém se importava com ele. O pai costumava se importar com ele, a não ser quando perdia a paciência. Às vezes, ele esbravejava e dizia coisas como "É só porque eu quero que você fale comigo; eu quero saber o que você está pensando e sentindo", e dava medo quando isso acontecia, porque Jake achava que estava decepcionando o pai e fazendo o pai sofrer. Mas ele não sabia ser de outro jeito.

Mais círculos — mais um campo de força, as linhas se sobrepondo. Ou seria um portal? De maneira que a figurinha desenhada pudesse desaparecer da batalha e ir para algum lugar melhor? Jake virou o lápis de cabeça para baixo e, com todo cuidado, começou a apagar a figura da página.

Pronto. Agora você está a salvo, onde você estiver.

Certa vez, depois que o pai perdeu a paciência, Jake encontrou um bilhete na sua cama. Ele foi obrigado a admitir que ali havia um desenho bonito dos dois sorrindo, e abaixo o pai tinha escrito:

> Foi mal. Eu quero que você lembre que, mesmo quando a gente discute, a gente ainda se ama muito. Beijos.

Jake pôs o bilhete dentro da Bolsinha de Coisas Especiais, junto a outras coisas importantes que ele precisava guardar.

Ele verificou. A Bolsinha estava sobre a mesa, diante dele, bem ao lado do desenho.

— Você já vai se mudar pra casa nova — disse a menina.

— Vou?

— Teu pai foi ao banco hoje.

— Eu sei. Mas ele diz que não tem certeza se vai dar certo. Pode ser que eles não deem pra ele as coisas que ele precisa.

— O *financiamento* — disse a menina, pacientemente. — Mas eles vão dar.

— Como é que você sabe?

— Ele é um escritor famoso, né? Ele sabe inventar coisas. — Ela olhou para o desenho dele e sorriu. — Igual a você.

Jake se perguntou sobre aquele sorriso. Era um sorriso estranho, como se ela estivesse feliz, mas, ao mesmo tempo, triste com alguma coisa. Pensando bem, era assim que ele se sentia em relação à mudança. Ele não gostava mais de morar na casa deles, e sabia que aquela casa deixava o pai infeliz também, mas parecia que eles não deviam fazer a mudança, embora *ele mesmo* tivesse achado a casa nova, no iPad do pai, enquanto procuravam juntos.

— Eu ainda vou te ver depois que eu me mudar, né? — perguntou ele.

— Claro que vai. Você *sabe* que vai. — Então, a menina se inclinou para a frente, insistindo no assunto. — Mas, aconteça o que acontecer, lembra do que eu te falei. É importante. Você tem que me prometer isso, Jake.

— Eu prometo. Mas o que aquilo *quer dizer*?

Por um instante, ele achou que ela fosse explicar melhor, mas aí a campainha tocou no outro extremo da sala.

— Tarde demais — sussurrou ela. — Teu pai chegou.

Quatro

Pelo jeito, a maioria das crianças estava brincando do lado de fora do Clube 567 quando eu cheguei. Dava para ouvir as risadas enquanto eu estacionava. Pareciam tão felizes — tão *normais* — e, por alguns instantes, meu olhar percorreu o grupo à procura de Jake, na esperança de vê-lo no meio delas.

Mas, evidentemente, meu filho não estava lá.

Em vez disso, eu o encontrei dentro do clube, sentado de costas para mim, curvado sobre um desenho. Meu coração doeu um pouco quando o vi. Jake era pequeno para sua idade, e sua postura, naquele momento, fazia com que ele parecesse menor e mais vulnerável que nunca. Como se ele quisesse sumir dentro do desenho à sua frente.

Quem poderia culpá-lo? Ele detestava aquele lugar, eu sabia disso, embora nunca fizesse objeção às idas ao clube, nem se queixasse depois. Mas eu achava que não tinha opção. Haviam sido tantas as situações insuportáveis desde a morte de Rebecca: o primeiro corte de cabelo ao qual tive de levá-lo; a compra do uniforme escolar; o modo como fiquei todo atrapalhado embrulhando os presentes de Natal dele, pois as lágrimas não me deixavam ver direito. Uma lista sem fim. Mas, por algum motivo, as férias escolares tinham sido os piores momentos. Por mais que amasse Jake, eu achava impossível passar o dia inteiro, todos os dias, com ele. Eu tinha a impressão de que não sobrava muito de *mim* para preencher todas aquelas horas, e, embora eu me culpasse por não ser o pai de que ele precisava, a verdade era que, às vezes, eu precisava de tempo para mim. Para esquecer o abismo que existia entre nós. Para ignorar minha crescente incapacidade de lidar com aquela situação. Para poder desabar e chorar um pouco, sabendo que ele não entraria no quarto e me encontraria naquele estado.

— Ei, parceiro.

Pousei a mão em seu ombro. Ele não ergueu os olhos.

— Oi, papai.

— O que você fez hoje?

— Quase nada.

Minha mão sentiu um dar de ombros quase imperceptível. O corpo dele mal parecia estar ali, era como se fosse ainda mais leve e delicado que o tecido da camisa de malha que ele usava, de certo modo.

— Brinquei um pouco com alguém.

— Alguém? — perguntei.

— Uma menina.

— Que bom. — Eu me inclinei para a frente e contemplei a folha de papel. — E vejo que fez um desenho também.

— Você gostou?

— Claro. Adorei.

Na verdade, eu não fazia a menor ideia do que o desenho representava — parecia uma batalha, ainda que fosse impossível discernir os adversários, ou mesmo o que estava acontecendo. Jake raramente desenhava cenas estáticas. Seus desenhos adquiriam vida, uma animação que se descortinava na página, de modo que o resultado era como um filme no qual se podiam ver todas as cenas ao mesmo tempo, sobrepostas umas às outras.

Mas ele era criativo, e isso me agradava. Era um dos traços que tínhamos em comum: uma ligação nossa. Embora a verdade fosse que eu mal escrevera uma palavra ao longo dos dez meses desde a morte de Rebecca.

— A gente vai se mudar pra casa nova, papai?

— Vai.

— Então a pessoa lá do banco vai ajudar você?

— Digamos que fui criativo e convincente ao disfarçar o estado precário das minhas finanças.

— O que quer dizer "precário"?

Foi quase uma surpresa o fato de ele não saber. Muito tempo atrás, Rebecca e eu tínhamos combinado de falar com Jake como se ele fosse adulto, e quando ele desconhecia o significado de uma palavra, nós explicávamos. Ele absorvia tudo, e muitas vezes nos vinha com as coisas mais estranhas. Mas, naquele momento, eu não pretendia explicar o significado daquela palavra.

— Quer dizer que é algo com que eu e a pessoa do banco temos que nos preocupar — falei. — Você não.

— Quando a gente vai se mudar?

— O mais cedo possível.

— Como é que a gente vai levar tudo?

— Vamos contratar um caminhão de mudanças. — Eu pensei no dinheiro, e contive o pânico. — Ou, quem sabe, a gente usa o carro... a gente enche o carro e faz algumas viagens. Talvez não dê pra levar *tudo*, mas a gente pode separar alguns dos brinquedos, e ver com quais você quer ficar.

— Eu quero ficar com tudo.

— Vamos ver. Não vou te obrigar a se livrar de nada se você não quiser, mas tem muito brinquedo lá que já não é pra tua idade. Quem sabe um outro menino não vai gostar mais deles?

Jake não respondeu. Talvez alguns brinquedos já não fossem para a sua idade, mas cada um deles estava preso a uma recordação. Rebecca sempre fora mais hábil com tudo o que dizia respeito a Jake, inclusive ao brincar com ele, e eu ainda podia vê-la ajoelhada no chão movendo pecinhas. Sem pressa, muito paciente com ele, de um jeito que eu achava tão difícil copiar. Aqueles brinquedos eram objetos que ela havia tocado. Quanto mais velhos, mais suas impressões digitais estariam neles. Um acúmulo invisível da presença dela na vida dele.

— Como eu disse, não vou te obrigar a se livrar de nada se você não quiser.

Isso me fez lembrar da Bolsinha de Coisas Especiais. Lá estava ela, em cima da mesa, ao lado do desenho, uma bolsinha de couro surrado do tamanho de um livro de capa dura com um zíper em três das quatro laterais. Eu não fazia ideia do que aquilo tinha sido antes. Parecia um fichário sem as folhas, e só Deus saberia por que Rebecca teria um objeto daquele.

Poucos meses depois que ela morreu, examinei alguns de seus pertences. Ao longo da vida, minha esposa foi uma acumuladora, mas uma acumuladora pragmática, e muitos de seus pertences mais antigos estavam devidamente armazenados em caixas empilhadas na garagem. Um dia, levei algumas caixas para dentro de casa e as examinei. Havia objetos que remontavam à infância de Rebecca, sem qualquer ligação com nossa vida em comum. Aparentemente, tal fato deveria ter tornado a experiência mais fácil, só que não. A infância é — ou deveria ser — um tempo feliz, mas eu sabia que aqueles itens que traduziam esperança e despreocupação não tinham um final feliz. Comecei a chorar. Jake entrou e colocou a mão no meu ombro, e, como não reagi de imediato, ele me envolveu com seus bracinhos. Depois disso, examinamos juntos outros objetos; ele encontrou o que se tornaria a Bolsinha e me perguntou se podia ficar com ela. Claro que podia, falei. Ele podia ficar com tudo que quisesse.

A Bolsinha estava vazia, mas ele se pôs a enchê-la. Algumas coisas tinham sido selecionadas dentre os pertences de Rebecca. Havia cartas, fotos e badulaques. Desenhos que ele tinha feito, ou objetos importantes para ele. Como se fosse o amuleto de uma feiticeira, a Bolsinha raramente deixava de acompanhá-lo, e, à exceção de alguns itens, eu não sabia o que havia lá dentro. Eu não teria olhado, mesmo que tivesse oportunidade. Afinal, eram as Coisas Especiais *dele*, e ele tinha direito a todas elas.

— Vamos, parceiro — falei. — Vamos pegar tuas coisas e dar o fora daqui.

Ele dobrou o desenho e me entregou para que eu o levasse. Fosse lá o que o desenho representasse, com certeza, não era importante o suficiente para ser guardado na Bolsinha. Jake pegou suas Coisas Especiais e levou-as até o outro lado da sala, em direção à porta, onde sua garrafinha de água pendia de um gancho. Pressionei o botão verde para destravar a porta e olhei para trás. Sharon continuava ocupada com a lavação.

— Quer se despedir? — perguntei a Jake.

Ele se virou, já na soleira da porta, e exibiu um olhar tristonho. Eu esperava que ele fosse se despedir de Sharon, mas, em vez disso, acenou para a mesa vazia à qual estava sentado quando cheguei.

— Tchau — disse ele. — Prometo que não vou esquecer.

E antes que eu pudesse falar qualquer coisa, ele passou por baixo do meu braço.

Cinco

No dia em que Rebecca morreu, eu fui buscar Jake sozinho.

Eu tinha reservado aquele dia para escrever, e, quando Rebecca perguntou se eu podia buscar Jake em seu lugar, minha primeira reação foi de contrariedade. O prazo de entrega do meu próximo livro era dali a poucos meses; eu tinha passado a maior parte do dia sem conseguir escrever, e contava com aquela última meia hora de trabalho para realizar um milagre. Mas Rebecca estava pálida e trêmula, então fui.

No carro, voltando para casa, eu tinha me empenhado em perguntar a Jake sobre seu dia na escola, mas o esforço foi absolutamente em vão. Era sempre assim. Ou ele não se lembrava, ou não queria falar. Como de hábito, minha impressão era que ele teria respondido a Rebecca, impressão essa que, somada à contínua lentidão do avanço do livro, fez com que eu me sentisse mais ansioso e inseguro que nunca. Quando chegamos em casa, ele saiu voando do carro. Ele podia ir ao encontro da mamãe? Claro, falei. Eu sabia que ela ficaria feliz ao vê-lo. Mas ela não está se sentindo bem, então vá com calma — e lembre-se de tirar os sapatos, você sabe que a mamãe odeia sujeira.

Em seguida, fiquei no carro por alguns instantes, sem querer me apressar, sentindo-me um tanto fracassado. Entrei em casa devagar, deixando umas coisas na cozinha — e notando que meu filho *não tinha* tirado os sapatos, como eu havia pedido. Porque, é claro, ele jamais me obedecia. A casa estava quieta. Imaginei que Rebecca estivesse deitada no andar de cima, e que Jake tivesse subido para vê-la, e que tudo estivesse bem.

Tudo menos eu.

Somente quando entrei na sala, vi Jake de pé no extremo oposto diante da porta de acesso às escadas, olhando fixamente para baixo, para algo no chão, algo que eu não tinha como ver. Ele estava paralisado, hipnotizado diante do que via. Enquanto eu caminhava em sua direção, percebi que ele não estava paralisado, na verdade, e sim tremendo. E então vi Rebecca estirada ao pé da escada.

Depois daquilo, houve um apagão. Eu sei que tirei Jake dali. Sei que chamei a ambulância. Sei que fiz tudo o que era preciso. Mas não me lembro das providências que tomei.

O pior era que, embora Jake nunca falasse comigo a respeito, eu tinha certeza de que ele se lembrava de tudo.

Dez meses depois disso, nós atravessávamos juntos uma cozinha cujas superfícies eram cobertas de pratos e xícaras, com a pequena parte da bancada ainda visível lambuzada e coberta de migalhas de pão. Na sala, os brinquedos espalhados pelo chão pareciam abandonados e esquecidos. Quanto à minha intenção de selecionar alguns brinquedos antes da mudança, parecia que tínhamos examinado nossos pertences, separado o que queríamos e deixado o restante espalhado como se fosse lixo. Uma sombra constante pairava sobre a casa havia alguns meses, cada vez mais profunda, como um dia que aos poucos chega ao fim. A sensação era de que nosso lar começou a ruir quando Rebecca morreu. Mas não era de admirar, pois ela sempre tinha sido a alegria da casa.

— Você pode me dar o meu desenho, papai?

Jake estava ajoelhando no chão, juntando as canetas coloridas que haviam se espalhado pela manhã.

— Palavrinhas mágicas?

— Por favor.

— Claro que posso. — Deixei o desenho ao lado dele. — Sanduíche de presunto?

— Posso comer um doce, em vez do sanduíche?

— Depois.

— Tá.

Abri espaço na bancada da cozinha e passei manteiga em duas fatias de pão; em seguida, acrescentei três fatias de presunto, fechei o sanduíche e cortei-o em quatro. Tentando enfrentar a depressão. Um passo de cada vez. Seguindo em frente.

Eu não conseguia parar de pensar no que tinha acontecido no Clube 567: Jake acenando para uma mesa vazia. Desde cedo Jake tinha algum tipo de amigo imaginário. Ele sempre foi uma criança solitária; havia nele algo tão reservado e introspectivo que parecia afastar as outras crianças. Nos meus melhores dias, eu pensava que isso acontecia porque ele era autossuficiente e feliz consigo mesmo, e me convencia de que ele estava bem. Na maior parte do tempo, eu só me preocupava.

Por que Jake não era como as outras crianças?

Mais *normal*?

Era um pensamento negativo, eu sabia, mas eu só queria protegê-lo. O mundo pode ser cruel quando se é tão quieto e solitário como ele era, e eu não queria que ele passasse pelo que eu tinha passado naquela mesma idade.

Mesmo assim, até então, os amigos imaginários se manifestavam discretamente — por meio de pequenos diálogos que ele travava consigo mesmo —, e eu não estava gostando muito daquela nova dinâmica. Eu não tinha dúvida de que a menina com a qual ele dizia ter conversado o dia todo só existia na cabeça dele. Era a primeira vez que ele fazia aquilo em alto e bom som, falando com alguém na frente dos outros, e isso me assustou um pouco.

Obviamente, Rebecca jamais se preocupara com o assunto.

— Ele está bem... deixe o menino ser ele mesmo.

E visto que, na maioria das questões, ela era mais sábia que eu, meu empenho era no sentido de aceitar o que ela dizia.

Mas, e agora? Agora, eu me perguntava se ele não precisava de ajuda profissional.

Ou talvez ele estivesse sendo ele mesmo.

Aquela era mais uma questão angustiante com a qual eu deveria ser capaz de lidar, mas não sabia como. Eu não sabia o devia fazer, e também não sabia como ser um bom pai para ele. Meu Deus, como eu queria que Rebecca ainda estivesse aqui.

Que saudade...

Mas esse pensamento acabaria me levando às lágrimas, então cortei o mal pela raiz e peguei um prato. Ao fazer isso, ouvi Jake falando baixinho na sala.

— Sim. — E, então, em resposta a algo que não consegui ouvir: — Sim, eu *sei*.

Senti um calafrio.

Fui em silêncio até o vão da porta, mas não entrei — fiquei ali, ouvindo. Não dava para ver Jake, mas a luz do sol, entrando pela janela do outro lado da sala, lançava sua sombra pela lateral do sofá: uma figura amorfa, não nitidamente humana, mas movendo-se delicadamente, como se ele, ajoelhado, oscilasse o corpo para a frente e para trás.

— Eu lembro.

Então houve alguns segundos de silêncio, durante os quais o único som se resumia às batidas do meu coração. Percebi que tinha prendido a respiração. Quando ele voltou a falar, o volume da voz foi mais alto, e ele parecia estar aborrecido.

— Eu não quero dizer elas!

Ouvindo isso, cruzei o vão da porta.

Por um instante, eu não soube ao certo o que iria encontrar. Mas Jake estava ajoelhado no chão, exatamente no local onde eu o deixara, a única diferença sendo que, agora, ele olhava para um canto, tendo abandonado o desenho. Segui seu olhar. Não havia ninguém, é claro, mas ele parecia tão concentrado no espaço vazio que era fácil imaginar uma presença no ar.

— Jake? — falei, baixinho.

Ele não olhou para mim.

— Com quem você estava falando?

— Com ninguém.

— Eu *ouvi* você falando.

— Com ninguém.

Em seguida ele se virou, pegou a caneta e recomeçou a desenhar. Eu dei mais um passo.

— Você pode largar isso e me responder, por favor?

— Por quê?

— Porque é importante.

— Eu não estava falando com ninguém.

— Então que tal me obedecer e largar essa caneta?

Mas ele continuou a desenhar, a mão se movendo com mais fervor, a caneta formando círculos frenéticos em volta dos bonequinhos.

Minha frustração virou raiva. Frequentemente, Jake parecia ser um problema que eu era incapaz de resolver, e eu me odiava por me mostrar tão inútil e ineficaz. Ao mesmo tempo, eu me ressentia do fato de ele jamais me dar a menor abertura. Jamais ceder, nem que fosse só um pouquinho. Eu *queria* ajudá-lo; eu queria que ele ficasse bem. Mas, pelo jeito, eu não conseguiria realizar isso sozinho.

Percebi que estava segurando o prato com uma força extrema.

— O sanduíche está pronto.

Deixei o prato em cima do sofá, sem querer ver se ele tinha parado de desenhar ou não. Voltei para a cozinha, me debrucei sobre a bancada e fechei os olhos. Por algum motivo, meu coração estava disparado.

Eu sinto tanta saudade, pensei para Rebecca. *Como eu queria que você estivesse aqui. As razões são tantas, mas neste momento é porque acho que não consigo fazer isso sozinho.*

Comecei a chorar. Não me importei. Naquele momento, Jake estaria desenhando ou comendo o sanduíche, e não entraria na cozinha. Por que haveria de entrar, se na cozinha não havia mais ninguém, a não ser eu? Então tudo bem. Meu filho podia falar baixinho com gente que não existia. Enquanto ninguém pudesse me ouvir, eu também podia.

Que saudade.

Naquela noite, como sempre, levei Jake nos braços até sua cama. Tinha sido assim desde a morte de Rebecca. Ele se recusava a olhar para o local onde havia encontrado o corpo da mãe, e se agarrava a mim, prendendo a respiração, o rosto enfiado no meu ombro. Todas as manhãs, todas as noites, todas as vezes que precisava ir ao banheiro. Eu compreendia o motivo, mas ele estava ficando cada vez mais pesado para mim, em vários sentidos.

Eu tinha esperança de que aquela situação logo mudasse.

Depois que ele pegou no sono, eu desci e me sentei no sofá com uma taça de vinho e meu iPad, visualizando os detalhes da nossa nova casa. Quando vi a foto no website, fui acometido por uma nova preocupação.

A verdade é que foi Jake quem escolheu a casa. De início, não vi graça nenhuma nela. Era uma propriedade situada no centro de um terreno, pequena, antiga, com dois pavimentos, com a aparência de um *cottage* caindo aos pedaços. Mas havia algo meio estranho nela. As janelas tinham um posicionamento bizarro, sendo difícil imaginar a divisão interna dos cômodos, e o ângulo do telhado estava ligeiramente fora de simetria, de modo que a fachada da casa parecia meio torta, de um jeito inquisitivo, talvez até raivoso. Mas a foto também provocou em mim uma sensação mais convencional — um formigamento na base do crânio. À primeira vista, a casa me assustou.

Porém, Jake se decidiu por ela logo que a viu pela primeira vez. Ele se encantou com a casa por algum motivo, a ponto de se recusar a ver outras propriedades.

Quando ele me acompanhou na primeira visita, era como se estivesse hipnotizado pelo lugar. Eu ainda não estava convencido. O interior tinha um bom tamanho, mas estava bem sujo. Havia armários e cadeiras empoeirados, pilhas de jornal velho, caixas de papelão, um colchão largado no quarto de hóspedes no térreo. A proprietária, uma idosa chamada Sra. Shearing, chegou a pedir desculpas; os itens pertenciam a um inquilino a quem ela alugara o imóvel, explicou ela, e tudo seria removido antes da conclusão da venda.

Mas Jake ficou irredutível, e então providenciei uma segunda visita, dessa vez sozinho. Foi aí que comecei a ver a propriedade com outros olhos. De fato, o imóvel tinha uma aparência estranha, mas isso lhe conferia um charme meio blasé. E o que de início tinha parecido ser um ar raivoso começou a denotar mais uma espécie de cisma, como se ela tivesse sofrido alguma mágoa no passado, e agora fosse necessário conquistar sua confiança.

Uma questão de personalidade, acho.

Mesmo assim, a ideia da mudança me apavorava. Na verdade, em certa medida, naquela tarde em que fui ao banco, eu queria que o gerente percebesse as meias-verdades que apresentei acerca da minha situação financeira e recusasse meu pedido de financiamento. Mas agora eu me sentia aliviado. Passando os olhos pela sala e contemplando os vestígios empoeirados, descartados, da nossa vida pregressa, constatei que nós dois não poderíamos continuar do jeito que estávamos. Fossem quais fossem as dificuldades que nos aguardavam, tínhamos que sair daquela casa. E por mais difícil que os meses seguintes fossem para mim, meu filho precisava da mudança. Ambos precisávamos.

Precisávamos de um recomeço. Em algum lugar onde ele não tivesse de ser carregado no colo escada acima e escada abaixo. Onde ele encontrasse amigos que existissem fora de sua mente. Onde eu não visse meus fantasmas em tudo o que era canto.

Agora, olhando para a casa, eu achava que, de um jeito meio estranho, ela combinava com Jake e comigo. Que, tanto quanto nós, ela era uma excluída que tinha dificuldade em se entrosar. Que nos daríamos bem. Até o nome do vilarejo parecia terno e alentador.

Featherbank.

O nome sugeria um local onde estaríamos seguros.

Seis

Tanto quanto Pete Willis, a investigadora Amanda Beck sabia muito bem da importância das primeiras quarenta e oito horas. Ao longo das doze horas seguintes, ela manteve a equipe vasculhando as diversas rotas que Neil Spencer poderia ter seguido, ao mesmo tempo que entrevistavam parentes e começavam a esboçar o perfil do menino. Fotografias foram recolhidas. Relatos foram apurados. E então, às 9:00 da manhã seguinte, foi realizada uma coletiva, e a descrição de Neil e das roupas que ele usava foi informada à imprensa.

Calados, os pais de Neil estavam sentados um de cada lado de Amanda, enquanto ela solicitava apoio e incentivava que testemunhas se apresentassem. Flashes espocavam diante dos três. Amanda fazia o possível para ignorar os clarões, mas percebia que os pais de Neil reagiam a cada flash, esquivando-se, como se os fotógrafos tentassem esmurrá-los.

— Pedimos à população que verifique suas garagens e galpões — disse ela à sala.

Foi tudo mantido o mais sereno e comedido possível. O objetivo principal de Amanda, naquele momento, além de localizar Neil Spencer, era aplacar o medo das pessoas, e, embora não pudesse declarar que Neil *não* tivesse sido sequestrado, ela podia ao menos deixar claro qual era o foco da presente investigação.

— A explicação mais provável é que Neil tenha sofrido algum acidente — disse ela. — Embora ele esteja desaparecido há quinze horas, nós temos a esperança de encontrá-lo são e salvo, e sem demora.

No íntimo, ela não se sentia tão confiante.

* * *

Depois da coletiva de imprensa, e de volta à sala de comando, Amanda logo requisitou, discretamente, o comparecimento de agressores sexuais previamente identificados e que residiam na região, e então os interrogou.

Ao longo do dia, a área de busca foi ampliada. Trechos do canal — possibilidade um tanto remota — foram dragados, e tiveram início os interrogatórios de porta em porta. Gravações registradas por câmeras de segurança foram analisadas. A própria Amanda examinou essas gravações; o começo da caminhada feita por Neil estava registrado, mas ele sumia de cena antes de chegar ao terreno baldio, e não voltava a aparecer. Em algum lugar entre aqueles dois pontos o menino tinha sumido.

Exausta, Amanda tentou esfregar o rosto para se manter alerta.

Os policiais voltaram a percorrer o terreno baldio, dessa vez à luz do dia, e a busca na pedreira prosseguiu.

Ainda não havia o menor sinal de Neil Spencer.

No entanto, o menino acabou se fazendo presente, de certa forma, conforme o dia avançava: fotos circularam nos noticiários, principalmente a foto de Neil sorrindo, meio encabulado, usando uma camisa de time de futebol — uma das poucas fotos que os pais tinham dele feliz. Reportagens exibiam mapas nos quais locais importantes apareciam assinalados com círculos vermelhos, e rotas possíveis eram pontilhadas em amarelo.

Uma gravação da coletiva de imprensa também foi ao ar. Amanda assistiu à gravação em seu tablet, deitada, à noite, e achou que os pais de Neil estavam ainda mais abatidos na filmagem do que ao vivo. Estampavam uma expressão de *culpados.* E se ainda não estivessem se sentindo culpados, logo estariam; seriam levados a isso. No começo daquela tarde, Amanda havia advertido seus subordinados, muitos dos quais tinham filhos, no sentido de que, embora as circunstâncias em torno do desaparecimento de Neil Spencer pudessem ser controversas, o pai e a mãe do menino fossem tratados com tato. Era desnecessário dizer que os pais de Neil não eram exemplares, mas Amanda não suspeitava de que eles tivessem qualquer envolvimento direto no caso. O pai apresentava algumas ocorrências em sua ficha policial — embriaguez, perturbação da ordem pública e luta corporal —, mas nada que justificasse grandes preocupações. A ficha da mãe era limpa. Ambos pareciam estar sinceramente arrasados com os acontecimentos. E não tinha havido nenhuma troca de acusações entre os dois, por mais difícil que fosse imaginar isso.

Ambos queriam apenas o filho de volta em casa.

Amanda dormiu mal, e logo cedo já estava de volta à delegacia. Depois de mais de trinta e seis horas, durante as quais pouco descansara, ela estava em sua sala, pensando nas cinco possibilidades de desaparecimento de crianças, vendo-se cada vez mais forçada a chegar a uma conclusão desfavorável. Ela não acreditava que Neil tivesse sido abandonado pelos pais. Se tivesse sofrido um acidente a caminho de casa, já teria sido localizado. Sequestro por pessoa da família parecia improvável. E, embora não fosse impossível que ele tivesse fugido de casa, ela se recusava a crer que um garoto de seis anos, sem dinheiro e sem suprimentos, conseguisse enganá-la por tantas horas.

Ela examinou a foto de Neil Spencer presa na parede, considerando o pior cenário.

Sequestro por pessoa desconhecida da família.

O público geral talvez pensasse em sequestro por *desconhecido*, mas era importante ter precisão. Naquele tipo de desaparecimento, a criança raramente era sequestrada por alguém que fosse totalmente desconhecido. Na maioria das vezes, a criança era abordada por alguém que circulava em sua vida. Portanto, o foco da investigação foi desviado, e os dados periféricos reunidos ao longo do último dia e meio foram priorizados. Amigos da família. Famílias dos amigos. Novas investigações junto a agressores sexuais conhecidos. Uso da internet em casa. Amanda reexaminou as gravações das câmeras de segurança, só que agora por diferentes perspectivas, concentrando menos na vítima, em primeiro plano, e mais em possíveis predadores, ao fundo.

Os pais de Neil foram convocados novamente.

— O filho de vocês expressou alguma preocupação sobre a presença indesejada de algum adulto? — perguntou Amanda. — Ele disse se tinha sido abordado por alguém?

— Não. — O pai de Neil reagiu como se essa sugestão o ofendesse. — Eu teria feito alguma coisa, né, porra? E, que merda! A senhora não acha que eu já teria falado alguma coisa?

Amanda sorriu, educadamente.

— Não — disse a mãe de Neil.

Mas o fez com menos firmeza.

Ao ser pressionada, a mulher disse que, na verdade, ela se lembrava de algo. Não lhe ocorrera informar à polícia à época, nem depois que Neil desapareceu, porque tinha sido algo muito estranho, muito bobo — e, em todo caso, ela estava cochilando quando o fato aconteceu, de modo que nem se lembrava muito bem.

Amanda voltou a sorrir, educadamente, enquanto resistia ao ímpeto de arrancar fora a cabeça da mulher.

Dez minutos depois, ela já estava no andar de cima, na sala de seu superior, o investigador-chefe Colin Lyons. Fosse por cansaço ou nervoso, ela teve de se concentrar para não ficar sacudindo a perna. O próprio Lyons parecia preocupado. Ele vinha acompanhando de perto a investigação e compreendia tão bem quanto Amanda a situação que estavam prestes a enfrentar. Mas essa nova informação não era o que ele queria ouvir.

— Isso não pode vazar para a imprensa — disse Lyons, em voz baixa.

— Não, senhor.

— E a mãe? — Ele olhou para Amanda, subitamente alarmado. — Você disse a ela pra não mencionar isso em público, certo?

— Sim, senhor.

Claro que sim, porra! Embora Amanda duvidasse que o alerta fosse necessário. O tom empregado por parte da cobertura da imprensa era suficientemente crítico e acusador, e os pais de Neil já estavam tendo que lidar com bastante insinuação de culpa.

— Bom — disse Lyons —, porque... meu Jesus...

— Eu sei, senhor.

Ele reclinou-se na cadeira e fechou os olhos durante alguns segundos, respirando fundo.

— Você já conhece os detalhes do caso?

Amanda deu de ombros. Todos conheciam o caso. Mas não nos mínimos detalhes.

— Nem todos — disse ela.

Lyons abriu os olhos e fitou o teto.

— Então, a gente vai precisar de ajuda — disse ele.

O coração de Amanda ficou um pouco apertado, diante dessas palavras. Antes de mais nada, nos últimos dois dias, ela havia trabalhado quase até a exaustão e não lhe agradava a ideia de dividir os louros do caso àquela altura. Além disso, sabia-se que ali pairava um espectro.

Frank Carter.

O Homem-Sussurro.

Ficaria mais difícil agora aplacar o medo junto ao público. Ficaria até impossível, se aquele novo detalhe vazasse. Teriam de agir com a máxima cautela.

— Sim, senhor.

Lyons pegou o telefone em cima de sua mesa.

E assim, quando o tempo desde o desaparecimento de Neil Spencer se aproximava de completar as primeiras quarenta e oito horas cruciais, o investigador de polícia Pete Willis foi convocado a participar da investigação.

Sete

Não que ele desejasse se envolver.

A filosofia abraçada por Pete era relativamente simples, inculcada nele ao longo de tantos anos que se tornara mais implícita do que consciente: tratava-se de uma planta-baixa sobre a qual sua vida fora construída.

Mente vazia, oficina do diabo.

A ociosidade é a mãe de todos os vícios.

Portanto, Pete mantinha as mãos e a mente ocupadas. Disciplina e estrutura eram de suma importância para ele, e, depois do resultado nulo obtido no terreno baldio, ele tinha passado a maior parte das últimas quarenta e tantas horas fazendo aquilo que sempre fazia.

Cedo, naquela manhã, tinha ido à sala de musculação da delegacia: desenvolvimento com barra; elevação lateral; puxada aberta por trás. Cada dia ele trabalhava uma parte do corpo. Não se tratava de uma questão de vaidade ou saúde; para ele, a solidão e a concentração necessárias ao exercício físico constituíam um lazer gratificante. Ao fim de quarenta e cinco minutos, ele muitas vezes se surpreendia ao constatar que sua mente se mantivera sem preocupações quase o tempo todo.

Naquela manhã, ele tinha conseguido deixar de pensar em Neil Spencer.

Pete havia passado a maior parte do dia em sua sala, onde a pilha de casos de menor relevância em sua mesa propiciava-lhe distração suficiente. Quando jovem, impetuoso, com certeza teria desejado mais agitação do que a dos delitos comuns com os quais vinha lidando, mas hoje ele sabia apreciar a tranquilidade inerente à rotina entediante. Agitação não era apenas algo indesejado no trabalho policial, mas também algo ruim; de modo geral, significava que a vida de alguém tinha sofrido algum estrago. Desejar agitação era desejar sofrimento, e Pete já experimentara agitação e sofrimento em doses suficientes. Havia uma certa paz em roubo de carros, furtos em lojas, audiências em tribunais por causa de meras contravenções. Essas situações falavam em favor de uma cidade pacata, que não era perfeita, talvez, mas que também não estava se desintegrando.

Porém, embora Pete não estivesse diretamente envolvido na investigação do caso de Neil Spencer, era impossível evitá-lo. O desaparecimento de uma criança sempre gera uma sombra pesada, e o caso logo se tornara o mais importante da delegacia. Ele ouvia policiais conversando a respeito pelos corredores: onde Neil poderia estar; o que poderia ter acontecido com ele; e falavam sobre os pais do menino, é claro. Sobre estes últimos, as especulações eram mais discretas e tinham sido oficialmente desincentivadas, mas ele as ouvia do mesmo jeito — falava-se sobre a irresponsabilidade de permitir que um menino fosse para casa a pé sozinho. Pete lembrava das conversas parecidas de vinte anos antes e apertava o passo, não querendo ouvi-las agora, assim como não quis ouvi-las no passado.

Pouco antes das cinco da tarde, ele estava sentado, em silêncio, à sua mesa, já pensando no que faria naquela noite. Morava sozinho e raramente se socializava; portanto, tinha o costume de recorrer a livros de culinária e preparar pratos elaborados, para então comer sozinho à mesa de jantar. Depois assistia a um filme, ou lia um livro.

E o ritual, é claro.

A garrafa e a foto.

Porém, no momento em que pegava seus pertences, quase pronto para sair, percebeu que sua pulsação estava acelerada. Na noite anterior, o pesadelo tinha voltado, pela primeira vez em vários meses: Jane Carter sussurrando ao telefone, "O senhor precisa vir rápido". Contrariando sua própria vontade, Pete não conseguira escapar de Neil Spencer, o que significava que os pensamentos e as lembranças mais sombrias estavam mais perto da superfície do que ele desejava. E assim, enquanto vestia o paletó, não se surpreendeu quando o telefone sobre a mesa começou a tocar. Na verdade, ele não tinha como saber; mas, de um jeito ou de outro, já sabia.

A mão tremia um pouco quando pegou o telefone.

— Pete — disse o investigador-chefe Colin Lyons, do outro lado da linha —, que bom que você ainda está na área. Eu queria ter uma palavrinha contigo aqui em cima.

As suspeitas de Pete se confirmaram assim que ele entrou na sala do investigador-chefe. Lyons nada adiantara por telefone, mas a investigadora Amanda Beck também estava presente, sentada de costas para ele, diante de uma mesa próxima à porta. Havia apenas um caso a cargo de Amanda naquele momento, o que queria dizer que havia apenas um motivo para a convocação dele àquela sala.

Pete tentou manter a calma enquanto fechava a porta. Tentou — sobretudo — não pensar na cena que o tinha aguardado quando ele finalmente havia obtido acesso ao anexo da casa de Frank Carter vinte anos atrás.

Lyons abriu um largo sorriso. Seu sorriso era capaz de iluminar um cômodo.

— Que bom que você veio. Sente aí.

— Obrigado. — Pete sentou-se ao lado de Beck. — Oi, Amanda.

Beck saudou-o com um meneio de cabeça e ofereceu-lhe um leve sorriso — comparado ao sorriso do investigador-chefe, era um contraste de baixíssima voltagem, que mal iluminava o rosto dela própria. Pete não a conhecia muito bem. Amanda era vinte anos mais jovem que ele, mas naquele momento aparentava ser bem mais velha. Visivelmente exausta — e estressada, também, ele pensou. Talvez estivesse preocupada com a perda de autoridade e com a possibilidade de o caso ser transferido para outro policial; Pete tinha ouvido dizer que ela era carreirista. Nesse particular, ele bem que poderia tranquilizá-la. Ainda que Lyons fosse implacável o bastante para removê-la da investigação, jamais entregaria o caso a Pete.

Lyons e ele eram mais ou menos contemporâneos, mas apesar da disparidade de suas patentes, Pete ingressara na corporação um ano antes que Lyons e, em vários sentidos, sua carreira tinha sido mais reconhecida. Em algum contexto diferente, a posição dos dois àquela mesa estaria trocada, e talvez *devesse* mesmo estar. Mas Lyons sempre fora ambicioso, ao passo que Pete, ciente de que promoção acarretava conflito e drama, costumava ter pouco desejo de elevar-se a patamares profissionais além do ponto que já havia alcançado. Isso sempre incomodara Lyons, Pete bem sabia. Quando se almejava algo com tamanha intensidade, havia pouca coisa menos irritante do que alguém que poderia obter facilmente aquilo que o outro queria mas parecia não fazer a menor questão.

— Você está a par da investigação sobre o desaparecimento de Neil Spencer? — perguntou Lyons.

— Estou. Eu participei da busca no terreno baldio na primeira noite.

Lyons fitou-o por um instante, talvez pensando que as palavras exprimissem uma crítica.

— Eu moro ali perto — acrescentou Pete.

Mas Lyons também residia naquela área, e não tinha saído pelas ruas naquela noite. No entanto, um segundo depois, o investigador-chefe assentiu. Ele sabia que Pete tinha motivos para se interessar por casos de crianças desaparecidas.

— Você tem se mantido a par dos avanços da investigação?

Estou a par da ausência de avanços. Mas essa afirmação soaria como uma crítica a Beck, e ela não merecia isso. Até onde ele sabia, ela havia gerenciado bem a investigação e feito o melhor que podia. Sobretudo, tinha partido dela a orientação para que os policiais não criticassem os pais, e Pete gostou daquilo.

— Sei que o menino ainda não foi localizado — disse ele. — Apesar das buscas e dos interrogatórios.

— Qual seria a tua teoria?

— Não segui a investigação muito de perto, e não tenho uma teoria.

— Não seguiu? — Lyons parecia surpreso. — Você não disse que participou das buscas logo na primeira noite?

— Naquele momento eu achava que ele seria encontrado.

— Então você acha que ele não vai mais ser encontrado?

— Não sei. Espero que sim.

— Eu pensei que você estivesse seguindo o caso, a julgar pelo seu histórico.

A primeira menção. A primeira insinuação.

— Talvez o meu histórico seja motivo pra não seguir o caso.

— É, eu entendo. Foi um momento difícil pra nós todos.

Lyons mostrava-se solidário, mas Pete sabia que a questão era mais uma fonte de ressentimento entre os dois. Pete tinha encerrado o caso mais famoso da região nos últimos cinquenta anos, mas, no fim das contas, Lyons tinha assumido o comando. Por motivos diferentes, a investigação em curso era constrangedora para ambos.

Então Lyons foi direto ao ponto.

— E, pelo que sei, você é a única pessoa com quem Frank Carter fala?

Pronto.

Fazia algum tempo que Pete não ouvia o nome pronunciado em voz alta, e por isso, talvez, seria de esperar um impacto. Mas a experiência fez apenas aflorar uma sensação de náusea.

Frank Carter. O homem que havia sequestrado e assassinado cinco meninos em Featherbank vinte anos antes. O homem que acabou sendo pego por Pete. O nome em si conjurava um pavor tão grande para ele que não devia ser enunciado em voz alta — como se fosse uma espécie de maldição capaz de invocar um monstro. Pior ainda era como os jornais o haviam apelidado. *O Homem-Sussurro.* O apelido se baseava no fato de que Carter costumava fazer amizade com as vítimas — crianças vulneráveis e negligenciadas —, antes de sequestrá-las. Ele tinha o hábito de conversar com elas, em voz baixa, à noite, do outro lado de suas janelas. Pete jamais se permitira se referir a ele por esse apelido.

Foi obrigado a se conter para não se retirar da sala.

Você é a única pessoa com quem ele fala.

— É.

— Por que será? — perguntou Lyons.

— Ele gosta de me provocar.

— Sobre o quê?

— Sobre coisas que ele fez naquela época. Coisas que eu nunca descobri.

— Mas ele não te diz o que foi?

— Não.

— Por que você vai falar com ele, então?

Pete hesitou. Era a pergunta que ele fizera a si mesmo inúmeras vezes ao longo dos anos. Ele temia os confrontos, e sempre precisava controlar os calafrios que sentia quando se via na sala de reuniões particulares na penitenciária esperando a chegada de Carter. Depois, ficava extremamente abalado, às vezes durante várias semanas. Havia dias em que vivenciava tremores incontroláveis, e noites em que era difícil resistir à garrafa. À noite, Carter o encontrava nos sonhos — uma sombra gigantesca, nefasta, que fazia com que ele despertasse aos gritos. Cada encontro com o sujeito afetava Pete mais e mais.

Mas ele continuava indo.

— Eu acho que tenho esperança de que algum dia ele deixe escapar alguma coisa — respondeu Pete, com cautela. — Que talvez ele revele algo importante, sem querer.

— Algo sobre o local onde ele descartou o corpo do pequeno Smith?

— É.

— E sobre o cúmplice dele?

Pete não respondeu.

Porque, mais uma vez, aquilo voltava à tona.

Vinte anos antes, os restos mortais de quatro dos meninos desaparecidos tinham sido encontrados na casa de Frank Carter, mas o corpo da última vítima, Tony Smith, nunca fora localizado. Não restava a menor dúvida de que Carter era responsável pelos cinco homicídios, e ele próprio jamais negara os crimes. Mas também não restava dúvida de que o caso apresentava algumas inconsistências. Nada que pudesse absolver o acusado: apenas pequenos detalhes que deixavam a investigação fragmentada e um tanto confusa. Um dos sequestros tinha supostamente ocorrido dentro de determinado intervalo de tempo, mas Carter contava com um álibi para a maior parte desse período, o que não inviabilizava totalmente sua ação no rapto do menino, mas reduzia um pouco as probabilidades. Havia depoimentos de testemunhas que, embora não contumazes, apontavam a presença de outro indivíduo em alguns momentos. As provas forenses recolhidas na casa de Carter eram cabais, e outros depoimentos de testemunhas se mostravam bem mais concretos e confiáveis, mas sempre havia pairado a dúvida se Carter agira sozinho.

Pete não tinha certeza se compartilhava dessa dúvida, e na maior parte do tempo tentava ignorar tal possibilidade. Mas estava evidente que esse era o motivo pelo qual ele se encontrava ali, naquele momento. E a exemplo de qualquer horror que tivesse de ser encarado, era preferível expô-lo, de uma vez por todas, e acabar logo com ele. Então Pete resolveu ignorar a pergunta do investigador-chefe e ir direto ao ponto.

— Por que o senhor me chamou aqui?

Lyons hesitou.

— O que vamos discutir não pode sair de dentro das quatro paredes desta sala. Fui claro?

— Com certeza.

— As gravações em vídeo que temos indicam que Neil Spencer, de fato, caminhou em direção ao terreno baldio, mas desapareceu em algum local da vizinhança. As buscas não esclareceram nada até agora. Todos os locais aonde ele, por acaso, poderia ter ido foram checados. Ele não está na casa de amigos nem de parentes. Naturalmente, somos obrigados a considerar outras possibilidades. Investigadora Beck?

Ao lado de Pete, Amanda Beck deu sinal de vida. Ao falar, pareceu estar um pouco na defensiva.

— Evidentemente, consideramos outras possibilidades desde o primeiro momento. Já corremos de porta em porta. Entrevistamos todos os possíveis suspeitos. E ainda não chegamos a lugar nenhum.

Aposto que aí tem mais coisa, Pete pensou.

— Mas?

Beck respirou fundo.

— Mas eu voltei a entrevistar os pais uma hora atrás, procurando algo que talvez tivesse passado despercebido. Qualquer indício. E a mãe dele falou uma coisa. Ela não tinha falado antes porque achou que fosse bobagem.

— O que foi?

No momento em que formulou a pergunta, Pete já sabia a resposta. Talvez não exatamente as palavras em si, mas algo bem próximo. Ao longo daquela conversa, as peças de um novo pesadelo vinham se encaixando, formando um quadro único.

Um menino desaparecido.

Frank Carter.

Um cúmplice.

Beck, então, apresentou a peça que faltava.

— Algumas semanas atrás, Neil acordou a mãe no meio da noite. Ele disse que tinha visto um monstro do outro lado da janela. A cortina estava aberta, como se ele tivesse mesmo ficado olhando pra fora, mas não havia nada lá...

Ela parou.

— Neil disse que o monstro estava sussurrando coisas pra ele.

SEGUNDA PARTE
Setembro

Oito

Jake estava animado quando pegamos as chaves com o corretor em Featherbank, mas eu me sentia ansioso a caminho do nosso novo lar. E se a casa não correspondesse à impressão que eu tive nas visitas? E se, ao entrar, eu agora detestasse o imóvel — ou pior, se Jake o detestasse?

Todo o esforço teria sido em vão.

— Para de chutar o encosto do banco, Jake.

As batidas dos pés atrás de mim pararam, mas logo recomeçaram. Deixei escapar um suspiro enquanto dobrava uma esquina. A verdade era que ele estava animado, o que era raro, então resolvi ignorar. Pelo menos um de nós se sentia feliz.

Mas é fato que o dia estava bonito. Apesar do meu nervosismo, era impossível negar que Featherbank estava linda sob aquele sol de fim de verão. Ela se localizava na periferia e, embora ficasse a apenas oito quilômetros do centro da cidade, parecia que estávamos no campo. À margem do rio, no limite sul do vilarejo, havia *cottages* e ruas pavimentadas de pedra. Ao norte, para além de uma fileira única de lojas, havia ladeiras com belas casas de arenito, e a maioria das calçadas continha árvores, com uma folhagem densa e verde. Como as janelas do carro estavam abertas, dava para sentir cheiro de grama aparada e ouvir música e crianças brincando. A sensação ali era de paz e tranquilidade — tudo sereno e cálido como uma manhã de domingo.

Chegamos à nossa nova rua, uma via residencial e pacata, flanqueada por um amplo campo aberto. Havia árvores no perímetro do campo, e o sol penetrava entre as folhas, matizando a relva com pontos de luz; tentei imaginar Jake naquele campo, correndo, bem em frente à nossa casa, sua camisa de malha reluzindo ao sol. Ainda tão feliz como estava agora.

Nossa casa.

Tínhamos chegado.

Parei na entrada de veículos. A casa continuava a mesma, é claro, mas a maneira como o imóvel contemplava o mundo parecia ter mudado. Na primeira vez que vi a propriedade, a impressão foi de algo sombrio e assustador — quase perigoso. Na segunda visita, achei que o imóvel tinha personalidade. Agora, por um instante, a estranha disposição das janelas me lembrou um rosto espancado, com um olho acima de um rosto machucado, o crânio lesionado e torto. Sacudi a cabeça e a imagem desapareceu. Mas a sensação sinistra permaneceu.

— Vamos, então — falei, baixinho.

O dia estava inerte e quieto. Sem a brisa para agitar o ar cálido, estávamos numa cápsula de silêncio. Mas o mundo murmurava, vagamente, enquanto nos aproximávamos da casa, e tive a sensação de que as janelas nos observavam, ou talvez algo escondido por trás do vidro. Girei a chave na fechadura e abri a porta, liberando o ar estagnado. Por um segundo, o cheiro sugeriu que a casa tivesse ficado fechada muito mais tempo do que fora o caso, talvez até com algo esquecido ao sol, mas só detectei o odor acre de produtos de limpeza.

Jake e eu percorremos a casa, abrindo portas e armários, acendendo e apagando luzes, abrindo e fechando cortinas. Nossos passos ecoavam; fora isso, o silêncio era absoluto. Mas enquanto percorríamos cômodo por cômodo, eu não conseguia me livrar da sensação de que não estávamos sós, que havia alguém ali, escondido, e que se eu me virasse de repente, veria um rosto espiando por uma soleira de porta. Era uma sensação boba, irracional, mas presente. E o comportamento de Jake em nada me ajudava. Ele estava empolgado, correndo de cômodo em cômodo, mas, de vez em quando, eu percebia uma expressão um tanto perplexa em seu rosto, como se ele esperasse encontrar algo que não estava ali.

— Este aqui é o meu quarto, papai?

O quarto dele seria, de fato, no andar superior, localizado acima do patamar da escada que levava à porta da rua, com uma janela menor que as demais: o tal olho que contemplava o campo acima do rosto machucado.

— É. — Brinquei com o cabelo dele. — Gostou?

Ele não respondeu e eu o encarei apreensivo. Jake olhou em volta, absorto.

— Jake? — falei.

Ele olhou para mim.

— Isso aqui é mesmo *nosso*?

— É — respondi. — É, sim.

E então ele abraçou minhas pernas — tão de repente que quase me fez perder o equilíbrio. Era como se aquilo fosse o melhor presente que ele tinha recebido na vida, e ele receasse não ter como guardá-lo. Agachei-me, para que ele pudesse me abraçar. Meu alívio era palpável e, de repente, isso era tudo o que interessava. Meu filho estava feliz ali, e eu tinha feito algo de bom por ele, e nada mais importava. Olhei por cima do ombro de Jake, em direção à porta aberta e ao patamar da escada interna. Embora a sensação de haver algo ali perdurasse, eu agora sabia que era apenas fruto da minha imaginação.

Estaríamos seguros ali.

Seríamos felizes ali.

E, durante a primeira semana, foi isso que aconteceu.

Fiquei de pé, olhando para uma estante recém-montada, admirando minha façanha. Habilidade manual nunca foi meu forte, mas eu sabia que Rebecca teria aprovado minha iniciativa, e eu a imaginava me abraçando por trás, pressionando o rosto às minhas costas e os braços em volta do meu peito. Sorrindo. "Está vendo só? Você conseguiu." E embora pequeno, o gostinho de sucesso tinha se tornado algo raro, e curti a sensação.

Mas, a verdade era que eu continuava sozinho.

Comecei a arrumar a estante.

Porque isso era outra iniciativa que Rebecca teria aprovado, e, embora a casa nova tivesse a ver com Jake e eu tocando a vida, eu queria honrar a memória dela. "Você sempre desencaixota os livros", ela me disse, certa vez. "É como passar manteiga nas patas de um gato." Nada a fazia mais feliz do que a leitura. Foram tantas noites aconchegantes, felizes, cada um de nós enrolado em um canto do sofá, eu escrevendo em meu laptop, ela entregue a romance após romance. Ao longo dos anos, tínhamos acumulado centenas de livros, e agora eu os desembalava, acomodando-os meticulosamente nas prateleiras.

E então cheguei aos meus. As prateleiras ao lado da minha mesa do computador ficavam reservadas a exemplares dos meus quatro romances, junto às suas traduções para idiomas estrangeiros. Parecia exibicionismo tê-los à mostra, mas Rebecca sentia orgulho de mim e sempre insistia que fosse assim. Portanto, aquele era mais um gesto dedicado a ela — tanto quanto o espaço vazio que eu deixava na prateleira, à espera de livros que ainda não tinham sido escritos, mas que seriam.

Olhei preocupado para o computador. Além de ligá-lo para verificar se o WiFi funcionava, eu não tinha feito muita coisa com ele na semana anterior. Fazia um ano que eu não escrevia absolutamente nada. Isso era outra coisa que precisava mudar. Novo começo, novo...

Crac.

Um ruído acima de mim, o som de um único passo. Ergui os olhos. Exatamente acima ficava o quarto de Jake, mas eu o deixara na sala, brincando, enquanto montava a estante e desencaixotava os livros.

Fui até a porta e olhei escada acima. Não havia ninguém no patamar. Na verdade, a casa toda ficou subitamente silenciosa, como se nada ali se movesse. O silêncio ressoava em meus ouvidos.

— Jake? — gritei.

Silêncio.

— Jake?

— Papai?

Quase dei um pulo. A voz dele saiu da sala, bem ao meu lado. Ainda de olho no patamar da escada, dei um passo em direção à sala e espiei. Meu filho estava agachado no chão, de costas para mim, desenhando.

— Tudo bem contigo? — perguntei.

— Tudo. Por quê?

— Só pra saber.

Retrocedi, e então fitei o patamar da escada durante alguns segundos. Continuava tudo silencioso lá em cima, mas no local pairava uma sensação estranha, de novo, como se houvesse alguém escondido. O que era ridículo, claro, porque ninguém teria entrado pela porta da rua sem que eu percebesse. Casas rangiam. Demorava um pouco até a gente se acostumar com os ruídos dela — só isso.

Mas, em todo caso.

Subi a escada lenta e cautelosamente, pisando leve, com a mão esquerda erguida, pronto para me defender de qualquer coisa que pulasse em cima de mim. Cheguei ao topo e, com certeza, não havia ninguém no patamar. Quando entrei no quarto de Jake, constatei que ali também não havia ninguém. Uma faixa do sol da tarde entrava pela janela, e dava para enxergar ciscos de poeira flutuando no ar, tranquilamente.

Era só uma casa velha rangendo.

Desci mais confiante, sentindo-me meio tolo, mas também mais aliviado do que eu gostaria de admitir. Ao pé da escada, precisei desviar de uma pilha de correspondência acumulada sobre os primeiros dois degraus. Era muita correspondência: a documentação que faz parte de todo processo de mudança, inúmeros folhetos de entrega de comida em domicílio e muito lixo postal. Mas havia também três cartas, endereçadas a um indivíduo chamado Dominic Barnett. Nas três lia-se *Confidencial* ou *A ser aberto apenas pelo destinatário.*

Eu me lembrei que a antiga proprietária, a Sra. Shearing, havia alugado a casa por vários anos e, sem pensar muito, abri um dos envelopes. Dentro, encontrei uma conta expedida por uma firma especializada em cobranças. Senti um aperto no coração. O tal Dominic Barnett devia mais de mil libras por um contrato firmado com uma operadora de telefonia celular. Abri os outros envelopes, e o conteúdo era idêntico: avisos de pagamentos em atraso. Franzindo o cenho, examinei os detalhes. Os valores não eram elevados, mas o tom das cartas era ameaçador. Logo pensei que não se tratava de um problema incontornável — que alguns telefonemas haveriam de resolvê-lo —, mas aquela mudança significava um novo começo para Jake e para mim. Eu não esperava ser obrigado a transpor novos obstáculos.

— Papai?

Jake apareceu na soleira da porta da sala, ao meu lado. Ele segurava sua Bolsinha de Coisas Especiais em uma das mãos e uma folha de papel na outra.

— Posso brincar lá em cima?

Pensei no *crac* que tinha ouvido e, por um instante, quis dizer não. Mas aquilo era absurdo. Não havia ninguém lá em cima, e era o quarto dele; ele tinha todo o direito de brincar em seu quarto. Por outro lado, tínhamos passado pouco tempo juntos naquele dia, e não fazia sentido ele se isolar e desaparecer lá em cima.

— Acho que sim — falei. — Posso ver teu desenho primeiro?

Ele hesitou.

— Por quê?

— Porque estou interessado. Porque tenho vontade de ver. *Porque estou me esforçando aqui, Jake.*

— É confidencial.

Eu considerava isso justo e, em certa medida, eu queria respeitá-lo, mas não me agradava a ideia de ele esconder coisas de mim. A Bolsinha era aceitável, mas se ele agora tinha resolvido não me mostrar mais seus desenhos, significava que a distância entre nós só havia aumentado.

— Jake... — comecei a falar.

— Ah, tá, tudo bem.

Ele estendeu a folha para mim. Agora que estava sendo oferecida, eu relutava em aceitá-la.

Mas aceitei.

Jake não tinha muita habilidade com desenhos de cenas realistas, preferindo suas batalhas confusas e cheias de ação, mas ali havia uma tentativa nova. Apesar de inacabado, o desenho representava, visivelmente, a nossa casa vista de fora, fazendo lembrar a fotografia que havia atraído sua atenção on-line. E ele tinha captado o aspecto esquisito do imóvel. Os traços curvos, infantis, delineavam a casa com um formato estranho, alongando as janelas e, mais que nunca, fazendo a fachada lembrar um rosto. A porta da frente parecia estar gemendo.

Mas foi o andar de cima que me chamou atenção. Na janela da direita, ele me desenhou, de pé, sozinho em meu quarto. À esquerda, lá estava Jake, em seu quarto, sendo a janela grande o suficiente para conter seu corpo inteiro. Ele exibia um sorriso, e a calça jeans e a camisa de malha que ele estava usando tinham sido coloridas com lápis de cera.

E ao seu lado ele desenhara outra pessoa, dentro do quarto. Uma menina, com o cabelo preto meio desgrenhado, jogado para o lado. Partes do vestido tinham sido coloridas de azul, e outras, deixadas em branco.

Pequenos arranhões vermelhos em um dos joelhos.

Um sorriso em espiral nos lábios.

Nove

Naquela noite, depois que Jake tomou banho, eu me sentei ao lado dele para lermos um para o outro. Jake lia muito bem, e o livro em questão era *O Poder dos Três*, de Diana Wynne Jones. Era um dos favoritos da minha infância, e eu o escolhera sem pensar. Só mais tarde me dei conta da terrível ironia do título.

Quando terminamos o capítulo daquela noite, guardei o livro junto aos outros.

— Abraço? — perguntei.

Ele saiu de baixo da coberta sem dizer uma palavra e se sentou no meu colo, me abraçando. Saboreei o abraço o máximo de tempo que pude, e então ele se enfiou de volta na cama.

— Eu te amo, Jake.

— Mesmo quando a gente discute?

— Claro. *Principalmente* quando a gente discute. É nessa hora que tem mais valor.

Isso me fez lembrar de um desenho que eu tinha feito para ele, e que eu sabia que ele havia guardado. Olhei em direção à Bolsinha de Coisas Especiais, que agora estava embaixo da cama, mas que, se ele esticasse o bracinho durante a noite, poderia ser alcançada. A lembrança, por sua vez, trouxe à minha mente o desenho que ele fizera naquela tarde. Ele não teve vontade de me mostrar o trabalho e, portanto, eu não quis perguntar nada naquele momento. Mas à luz cálida e suave do quarto, achei que agora poderia.

— Muito legal aquele desenho que você fez hoje da nossa casa — falei.

— Obrigado, papai.

— Mas fiquei curioso. Quem é aquela menina com você na janela?

Ele mordeu o lábio e não respondeu.

— Tudo bem — falei, com delicadeza. — Você pode me contar.

Mas, de novo, ele não respondeu. Estava evidente que, fosse ela quem fosse, a menina era o motivo pelo qual Jake não quis me mostrar o desenho, e ele não queria falar sobre ela agora. Mas, por que não?

A resposta me ocorreu no segundo seguinte.

— É a menina do Clube 567?

Ele hesitou e fez que sim. Eu recuei, fazendo o possível para disfarçar minha frustração. Minha decepção, até. Ao longo da última semana, tudo aparentava ir bem. Estávamos felizes na casa, Jake parecia estar se adaptando bem, e eu me sentira um tanto otimista. Mas, pelo jeito, a amiga imaginária havia nos seguido o tempo todo. A ideia me causou um leve calafrio — a ideia de que a tínhamos deixado na casa antiga, mas que ela havia conseguido cruzar tantos quilômetros e nos encontrar.

— Você ainda conversa com ela? — perguntei.

Jake sacudiu a cabeça.

— Ela não está aqui.

A julgar pelo tom de decepção, era evidente que ele queria que ela estivesse, e, mais uma vez, fiquei preocupado. Não era saudável que ele se fixasse em alguém que não existia. Ao mesmo tempo, ele agora se mostrava tão tristonho e solitário, que eu quase me sentia culpado por privá-lo da companhia da amiga. E também me sentia magoado porque, como sempre, eu não bastava.

— Bem — falei, escolhendo as palavras —, você vai começar na escola amanhã. Tenho certeza de que vai fazer um montão de novos amigos lá. E, enquanto isso, eu estou aqui. *Nós* estamos aqui. Nova casa, novo começo.

— Aqui é seguro?

— Seguro? — Por que ele me perguntava isso? — É, claro que é.

— A porta está trancada?

— Está.

A mentira — uma mentirinha branca — saiu automaticamente. A porta não estava trancada; eu sequer pensara em passar a corrente do pega-ladrão. Mas Featherbank era um vilarejo tranquilo. E, em todo caso, ainda era cedo, e estava tudo aceso. Ninguém se atreveria a se arriscar em tais circunstâncias.

Mas Jake parecia tão assustado que, de repente, eu me dei conta da distância que nos separava da porta da rua. Do barulho da água enchendo a banheira. Se alguém houvesse entrado enquanto estávamos no andar de cima, eu teria ouvido?

— Não se preocupe com isso. — Fiz o máximo para expressar firmeza. — Eu nunca deixaria nada de ruim acontecer contigo. Por que você está tão preocupado?

— Você precisa fechar as portas — disse ele.

— Como assim?

— Você precisa manter as portas trancadas.

— Jake...

— Se a porta aberta você deixar, o sussurro por ela vai entrar.

Senti um calafrio. Jake estava amedrontado, e a frase não era algo que ele simplesmente inventaria por conta própria.

— O que significa isso? — perguntei.

— Não sei.

— Mas, onde você ouviu isso?

Ele não respondeu. Mas, logo percebi, nem precisava responder.

— Foi a menina?

Ele assentiu, e eu sacudi a cabeça, confuso. Jake não poderia ter ouvido aquele estranho versinho de alguém que não existia.

Então, será que eu me equivocara no Clube 567, e a tal menina existia? Quem sabe, Jake não teria acenado, para se despedir, sem notar que ela já havia saído? Mas ele estava sozinho àquela mesa, quando cheguei. Deve ter sido alguma outra criança, então, querendo assustá-lo. A julgar pela expressão no rosto dele agora, essa outra criança havia atingido seu objetivo.

— Você está totalmente seguro aqui, Jake. Eu prometo.

— Mas não sou eu que tomo conta da porta!

— Não — falei. — *Eu* tomo. E então você não precisa se preocupar com nada. Não me interessa o que alguém te falou. Agora você precisa ouvir *a mim*. Eu não vou deixar nada de ruim acontecer contigo. Nunca.

Ele me ouvia, pelo menos, embora eu duvidasse que estivesse convencido.

— Eu prometo. E sabe por que eu não vou deixar nada de ruim acontecer contigo? Porque eu te amo. E muito. Mesmo quando a gente discute.

Essas palavras produziram o mais tênue dos sorrisos.

— Você acredita em mim? — perguntei.

Ele fez que sim, parecendo agora um pouco mais seguro de si.

— Bom. — Eu brinquei com o cabelo dele e me levantei. — Porque é verdade. Boa noite, filho querido.

— Boa noite, papai.

— Eu volto pra te ver daqui a cinco minutos.

Desliguei a luz ao sair do quarto, e então desci fazendo o menor barulho possível. Mas, em vez de desabar no sofá, conforme eu queria, parei diante da porta da rua.

Se a porta aberta você deixar, o sussurro por ela vai entrar.

Bobagem, é claro, não importando de onde ele teria ouvido o versinho. Mas as palavras ainda me incomodavam. E assim como a ideia da tal menina nos seguindo tinha me perturbado, agora eu não conseguia me livrar da imagem dela, sentada ao lado dele, com o cabelo jogado para o lado e aquele estranho sorriso nos lábios, sussurrando coisas assustadoras ao ouvido do meu filho.

Passei a corrente do pega-ladrão, deixando a porta trancada durante a noite.

Dez

O investigador Pete Willis passou o fim de semana a quilômetros de distância de Featherbank, caminhando pelo campo e cutucando a vegetação rasteira com uma vara, de modo aleatório. Ele examinava as cercas vivas por onde passava. Em alguns trechos, o campo estando vazio, ele pulava cercas e vasculhava a relva que cobria o local.

Se alguém o visse, talvez o confundisse com um andarilho e, para todos os efeitos, ele supunha que estivesse mesmo representando esse papel. Em dias como aqueles, na verdade, ele pensava nessas excursões como caminhadas ou passeios — como um modo natural de um velho preencher o tempo. Já fazia vinte anos, no fim das contas. Mas Pete mantinha o foco. Em vez de se deter apreciando a beleza do mundo em volta, ele vasculhava o solo, à procura de fragmentos de ossos e pedaços de tecido.

Short azul de corrida. Camisa polo preta.

Por alguma razão, era sempre das roupas que ele se lembrava.

Por mais que tentasse não pensar no assunto, Pete jamais se esqueceria do dia em que tinha visto os horrores espalhados no interior do anexo da casa de Frank Carter. Mesmo depois de ter voltado à delegacia, ele havia permanecido em estado de choque. Porém, ao atravessar as portas de correr, experimentara pelo menos a sensação de um certo alívio. Quatro meninos tinham sido mortos. Mas, embora Carter ainda estivesse à solta, o monstro finalmente tinha um nome — um nome verdadeiro, e não um atribuído pelos jornais —, e aquelas seriam as únicas quatro vítimas do filho da mãe.

Naquele momento, ele acreditara que a coisa houvesse quase chegado ao fim.

Então ele vira Miranda e Alan Smith sentados na recepção. Até hoje, ele enxergava a cena nitidamente. Alan estava de terno e sentava-se ereto, fitando um ponto no espaço, as mãos em formato de coração sobre os joelhos. As mãos de Miranda estavam enfiadas entre as coxas, e ela se encostava no marido, apoiando a cabeça em seu ombro, enquanto seu cabelo castanho e comprido descia pelo peito dele. Ainda era de tarde, mas ambos pareciam exaustos, como viajantes que haviam percorrido uma grande distância e que tentavam em vão dormir sentados.

O filho deles, Tony, havia desaparecido.

E vinte anos depois daquela tarde, continuava desaparecido.

Frank Carter conseguiu se evadir durante um dia e meio antes de ser preso, quando o furgão que ele conduzia foi parado na barreira de uma estradinha a cerca de cento e sessenta quilômetros de Featherbank. Foram encontradas provas forenses de que Tony Smith estivera no interior do furgão, mas não havia qualquer vestígio do corpo do menino. E embora confessasse ter matado Tony, Carter se recusou a revelar o local onde havia descartado os restos mortais.

Nas semanas seguintes foram realizadas buscas extensas ao longo das diversas rotas que Carter poderia ter seguido, tudo em vão. Pete tinha participado de várias dessas buscas. O número de investigadores havia diminuído ao longo do tempo, até que, duas décadas mais tarde, ele era o único que continuava as buscas. Até Miranda e Alan Smith tinham seguido com a vida. Agora residiam longe de Featherbank. Se Tony estivesse vivo, estaria atualmente com vinte e sete anos. Pete sabia que Claire, a filha de Miranda e Alan nascida nos conturbados anos seguintes, acabara de completar dezesseis anos. Ele não culpava os Smith por terem reconstruído a vida após o homicídio do filho, mas o fato era que o próprio Pete não conseguira desapegar.

Um menino havia desaparecido.

Um menino precisava ser encontrado e levado para casa.

Enquanto dirigia de volta para Featherbank, Pete notou que as casas pelas quais passava pareciam aconchegantes. As janelas estavam iluminadas no escuro, e ele imaginava o som de risadas e conversas sussurradas noite adentro.

Pessoas reunidas, como é de esperar.

Pete sentiu uma ponta de solidão, mas sempre era possível encontrar satisfação onde se procurava, mesmo em uma vida tão solitária como a dele. A via era ladeada por árvores gigantescas, com folhas que se perdiam na escuridão, exceto onde a iluminação pública as tocava, espalhando sobre a rua intricadas explosões de amarelo e verde que oscilavam na brisa leve. Featherbank era tão pacata e pacífica que era quase impossível acreditar que um dia o vilarejo tinha abrigado atrocidades tão medonhas como as perpetradas por Frank Carter.

Um folheto estava afixado a um poste de luz no fim da rua — um dos vários cartazes de DESAPARECIDO espalhados pela família de Neil Spencer nas semanas anteriores. Havia uma foto do menino, detalhes das roupas que ele estava usando, e um apelo a testemunhas para que se apresentassem e fornecessem informações. Tanto a imagem como o texto tinham esmaecido sob o inclemente sol do verão, de modo que, ao passar pelo folheto, Pete achou-o semelhante àquelas flores murchas que são vistas em locais onde ocorreram acidentes. Um menino desaparecido começava a desaparecer pela segunda vez.

Quase dois meses tinham transcorrido desde que Neil Spencer desaparecera e, apesar dos recursos e esforços empregados na investigação, a polícia sabia agora pouco mais do que na noite em que o menino sumira. Na avaliação de Pete, Amanda

Beck fizera tudo certo. Na verdade, uma indicação clara da eficiência de Amanda era que até o investigador-chefe Lyons, homem constantemente preocupado com a própria reputação, ficara do lado dela e a mantivera à frente do caso. Contudo, ao passar por Amanda no corredor outro dia, Pete a achara tão abatida que chegou a se perguntar se aquilo já não seria uma espécie de autopunição.

Bem que ele gostaria de poder dizer a ela que a coisa ficaria mais fácil.

Depois de ser convocado à sala do investigador-chefe, Pete apresentou a Amanda um relato da investigação anterior, mas o envolvimento dele no caso acabara sendo superficial. Quando fez a solicitação para interrogar Frank Carter, Pete fora tomado por uma sensação de medo. Imaginou-se sentado diante do monstro, sendo tratado como uma espécie de joguete. Como sempre, ficou se perguntando se teria condições de enfrentar a situação — se esse encontro não seria a gota d'água para ele. Mas seu receio foi em vão. Pela primeira vez, sua solicitação para falar com Carter foi negada. O tal Homem-Sussurro, ao que parecia, resolvera se manter calado.

Pete o visitara em várias ocasiões e estava disposto a fazê-lo novamente — mas foi impossível evitar uma sensação de alívio. Esse alívio acarretara sentimentos de culpa e vergonha, é claro, mas ele afastara da mente ambas as reações. Sentar diante de Frank Carter era uma provação. Fazia mal à saúde de Pete. E visto que o único indício era o que a mãe de Neil afirmava que o filho tinha visto e ouvido à janela do quarto, não havia motivo para crer que um encontro com Carter pudesse ajudar.

Alívio foi a reação acertada.

De volta à casa, ele jogou as chaves sobre a mesa da sala de jantar, já pensando no que haveria de preparar para comer e nos programas de TV aos quais assistiria a fim de preencher o tempo até a hora de dormir. O dia seguinte seria dedicado à academia de ginástica, à burocracia, à rotina de trabalho. Era a vida de sempre.

Mas, antes, ele pôs em prática o ritual.

Abriu o armário da cozinha e pegou a garrafa de vodca, girou-a nas mãos, sentindo o peso, avaliando a espessura do vidro. Havia entre ele e aquele líquido sedoso uma camada sólida, protetora. Fazia bastante tempo que não abria uma garrafa como aquela, mas ainda conseguia se lembrar do *clique* prazeroso que ouviria caso rompesse o lacre da tampa.

Retirou a foto de dentro da gaveta.

E, então, sentou-se à mesa de jantar com a garrafa e a foto diante de si, e se perguntou.

Eu vou fazer isso?

Ao longo dos anos, a vontade surgira e desaparecera, mas, em certa medida, estivera sempre presente. Muitas coisas óbvias eram capazes de despertar o impulso, mas houve também ocasiões em que a ânsia surgira aleatoriamente, seguindo seu próprio cronograma tortuoso. De modo geral, a garrafa se mostrava tão inerte e impotente quanto um celular descarregado, mas às vezes a coisa cintilava. Naquele momento, a vontade era mais forte que nunca. Na verdade, nos últimos dois meses, a garrafa falara com ele cada vez mais alto.

Você está apenas adiando o inevitável, ela dizia agora.

Por que sofrer desse jeito?

Uma garrafa cheia — isso era importante. Servir-se de uma garrafa pela metade era menos prazeroso que romper o lacre de uma garrafa novinha. O prazer resultava da certeza de que haveria bebida suficiente.

Delicadamente, ele manuseou o lacre, fazendo a tentação aumentar. Com um pouquinho mais de pressão, o lacre se romperia e a garrafa estaria aberta.

É melhor ceder logo.

Você vai se sentir desprezível, mas nós dois sabemos que é isso que você é.

A voz sabia ser cruel e sabia ser amável. Tocava notas menores tão bem quanto notas maiores.

Você é desprezível. Você é inútil.

Então, abra a garrafa.

E, muitas vezes, a voz era a de seu pai. Fazia muito tempo que o velho estava morto, mas, mesmo após quarenta anos, Pete podia visualizá-lo: gordo e refestelado em uma poltrona puída, na empoeirada sala de estar, estampando um olhar desdenhoso. Nada que Pete fizesse quando menino era valorizado pelo pai. "Desprezível" e "inútil" eram palavras que ele aprendera cedo e ouvira com frequência.

Com a idade, Pete compreendeu que o pai era um homem mesquinho, desiludido com tudo na vida, e que o filho não passava de um saco de pancada no qual ele podia descarregar suas muitas frustrações. Mas essa compreensão surgira tarde demais. Àquela altura, a mensagem já havia sido introjetada. Ele sabia que não era desprezível, nem fracassado. Mas *sentia* como se isso fosse verdade. O truque de mágica, mesmo explicado, era convincente.

Ele pegou uma foto de Sally. Uma foto bastante antiga, e com o tempo as cores tinham esmaecido, como se o papel quisesse apagar a imagem ali impressa e voltar ao seu estado original, em branco. Os dois estavam tão felizes, de rosto colado. A foto tinha sido tirada num dia de verão. Sally parecia radiante, sorrindo ao sol, e Pete comprimia os olhos por causa da luz, e sorria.

É isso que você perde por beber.

É por isso que não vale a pena.

Pete ficou parado durante alguns minutos, respirando lentamente; então guardou a garrafa e a foto e começou a preparar o jantar. Era fácil perceber por que a vontade se intensificara nas últimas semanas, e era por isso que tinha sido positivo o fato de ele não ter se envolvido no caso. *Que a vontade surja, instigada por esses acontecimentos recentes*, ele pensou. *Que ela tenha o seu momento de glória.*

E que logo passe.

Onze

Naquela noite, como sempre, tive insônia.

De vez em quando, depois de publicar um livro, eu participava de eventos e até fazia uma turnê de lançamentos. Em geral viajava sozinho, e ficava insone em quartos de hotéis desconhecidos, sentindo saudade da família. Eu sempre tinha dificuldade de dormir quando Rebecca não estava ao meu lado.

Agora era ainda mais difícil, pois ela nunca mais estaria. Antes, se esticasse o braço sobre o lado frio de uma cama de hotel, eu pelo menos imaginava que ela estivesse fazendo o mesmo em casa — como se um pudesse tocar no fantasma do outro. Depois que ela morreu, quando esticava o braço sobre a nossa cama, eu sentia apenas o vazio gelado dos lençóis. A princípio, uma casa e uma cama novas produziriam alguma transformação, mas não foi o caso. Quando esticava o braço na casa antiga, eu pelo menos sabia que Rebecca um dia tinha dormido ali.

Então fiquei acordado durante muito tempo, sentindo falta dela. Ainda que a mudança tivesse sido uma decisão acertada, mais do que nunca eu sentia a grande distância que me separava de Rebecca. Era terrível tê-la deixado para trás. Eu ficava imaginando o espírito dela perambulando pela casa antiga, espiando pela janela, se perguntando aonde a família teria ido.

O que me fez lembrar da amiga imaginária de Jake. A menina que ele tinha desenhado. Fiz o máximo para tirar o desenho da cabeça, e pensar na paz que reinava ali em Featherbank. O mundo do outro lado da cortina estava silencioso e tranquilo. A casa estava agora totalmente silenciosa.

Passado algum tempo, aquela sensação me permitiu um cochilo.

Vidro quebrando.

Minha mãe gritando.

Um homem esbravejando.

— Papai.

Com um sobressalto, acordei do pesadelo, desorientado, me dando conta de que Jake me chamava e que, portanto, eu precisava agir.

— Já vou — gritei.

Um vulto ao pé da cama se moveu, e meu coração deu um salto. Sentei-me imediatamente.

Jesus Cristo.

— Jake, é você?

O pequeno vulto deu a volta ao pé da cama e veio para o meu lado. Por um instante, eu não tinha a menor certeza de que fosse Jake, mas então ele se aproximou o suficiente para eu reconhecer o jeito do cabelo. Contudo, eu ainda não conseguia ver o rosto, inteiramente encoberto pela escuridão do quarto.

— O que houve, parceiro? — Meu coração ainda batia acelerado, fosse pelo que estava acontecendo naquele momento, fosse pelos resquícios do pesadelo. — Ainda não está na hora de acordar. Nem perto.

— Posso dormir aqui com você hoje?

— O quê?

Ele nunca tinha dormido comigo. Na verdade, Rebecca e eu tínhamos sempre fincado o pé, nas raras ocasiões em que ele fizera esse pedido, pois acreditávamos que ceder uma vez marcaria o começo de uma viagem sem volta.

— A gente não dorme junto, Jake. Você sabe disso.

— Por favor.

Percebi que o tom de voz dele estava propositadamente baixo, como se houvesse alguém no outro quarto — alguém que ele não queria que nos escutasse.

— O que aconteceu? — perguntei.

— Eu ouvi um barulho.

— Um barulho?

— Tem um monstro do outro lado da minha janela.

Fiquei calado, lembrando do versinho que ele me recitara na hora de dormir. Mas a questão, naquela hora, tinha sido a porta. E, em todo caso, era impossível haver alguém do outro lado da janela do quarto dele.

Afinal de contas, estávamos no piso superior.

— Você sonhou, parceiro.

Ele sacudiu a cabeça, no escuro.

— Ele me acordou. Eu fui até a janela, e o barulho ali estava mais alto. Eu quis abrir a cortina, mas fiquei com medo.

Você deve ter visto o campo escuro do outro lado da rua, pensei. *Só isso.* Mas ele parecia tão sério que eu não poderia falar algo assim.

— Tudo bem. — Pulei para fora da cama. — Então vamos ver o que é.

— Não, papai.

— Eu não tenho medo de monstros, Jake.

Ele me seguiu até o corredor, onde acendi a luz que iluminava a escada. Mas, ao entrar no quarto dele, deixei a luz apagada e fui até a janela.

— E se tiver alguma coisa lá fora?

— Não tem — falei.

— Mas e se tiver?

— Eu dou um jeito nele.

— Você dá um soco na cara dele?

— Dou. Mas não tem nada lá fora.

Mas eu não estava tão confiante como parecia. A cortina fechada tinha um aspecto ameaçador. Apurei os ouvidos, mas não escutei nada. E era impossível haver alguém do lado de fora.

Abri a cortina.

Nada. Apenas um ângulo oblíquo da calçada e do jardim, mais adiante a rua vazia, e depois a amplitude escura e sombria do campo, perdendo-se na distância. O reflexo opaco do meu rosto refletido no vidro espiava o quarto. Mas não havia nada lá fora. O mundo inteiro parecia adormecido, placidamente, ao contrário de mim.

— Está vendo? — Fiz o máximo para me mostrar paciente. — Não tem ninguém lá fora.

— Mas tinha.

Fechei a cortina e me ajoelhei.

— Jake, às vezes os sonhos parecem muito verdadeiros. Mas não são. Como é possível alguém aparecer do outro lado da tua janela, se a gente está muito acima do chão?

— A pessoa pode ter subido pela calha.

Comecei a responder, mas parei e vasculhei na mente a memória visual da parte externa da casa. A calha *ficava mesmo* logo ao lado da janela do quarto dele. Ocorreu-me uma ideia ridícula. Se a gente tranca e passa a corrente em uma porta, a fim de impedir a entrada de um monstro, o que mais ele poderia fazer senão escalar alguma coisa e arrumar outro jeito de entrar?

Bobagem.

— Não tinha ninguém lá fora, Jake.

— Eu posso dormir com você hoje, papai? Por favor?

Respirei fundo. Evidentemente, agora ele não conseguiria dormir sozinho naquele quarto, e estava tarde demais, ou cedo demais, para discutir a questão. Naquele momento, era mais fácil ceder.

— Tudo bem. Mas é só hoje. E você vai ter que ficar quietinho.

— Obrigado, papai. — Ele pegou a Bolsinha de Coisas Especiais e me seguiu de volta ao meu quarto. — Eu prometo que vou ficar quietinho.

— Isso é o que você diz. Mas *vai roubar o meu cobertor?*

— Não vou, não.

Apaguei a luz do corredor e nos enfiamos na cama, Jake ocupando o lado que seria de Rebecca.

— Papai? — disse ele. — Você estava tendo um pesadelo?

Vidro quebrando.

Minha mãe gritando.

Um homem esbravejando.

— Estava — respondi. — Acho que sim.

— Foi sobre o quê?

Àquela altura, o sonho havia se dissipado um pouco, mas tinha sido uma mescla de recordação e pesadelo. Eu era pequeno e estava andando em direção à cozinha da casa onde morava. No sonho, era tarde da noite, e um barulho lá embaixo tinha me acordado. Eu tinha ficado na cama, cobrindo a cabeça com o cobertor, apavorado, fingindo que estava tudo bem, mesmo sabendo que não estava. Por fim, andando na ponta do pé, desci a escada, sem querer ver o que estava acontecendo, mas ainda assim atraído, sentindo-me minúsculo, assustado e impotente.

Lembro-me de que me aproximei da cozinha acesa, seguindo pelo corredor escuro, ouvindo a barulheira que vinha de lá. A voz de minha mãe soava zangada, mas contida, como se ela pensasse que eu estivesse dormindo e quisesse me manter fora daquela cena, mas a voz do homem soava exaltada, pouco se importando. Eles falavam ao mesmo tempo. Eu não conseguia entender o que diziam, mas percebia que o clima estava tenso e que piorava cada vez mais — algo horrível estando prestes a acontecer.

A porta da cozinha.

Cheguei à porta a tempo de ver o rosto ruborizado do homem se contorcer de fúria, no momento em que ele atirou o vidro em direção à minha mãe, com toda a força. De vê-la tentando se esquivar, tarde demais, e ouvir seu grito.

Foi a última vez que vi meu pai.

Já fazia tanto tempo, mas a lembrança ainda ressurgia de vez em quando. Ainda se arrastava das profundezas.

— Coisa de adulto — falei a Jake. — Quem sabe, qualquer dia eu te conto, mas foi só um sonho. E ficou tudo bem. O final foi feliz.

— O que aconteceu no fim?

— Bem, um tempo depois *você* aconteceu.

— Eu?

— É. — Brinquei com o cabelo dele. — E então você foi dormir.

Fechei os olhos, e ficamos os dois ali deitados por tanto tempo que imaginei que ele tivesse pegado no sono. Em dado momento, estiquei o braço para o lado e apoiei a mão levemente sobre a manta que o cobria, como que para me certificar de que ele ainda estava ali. Nós dois juntos. Minha família, diminuída e magoada.

— Sussurrando — disse Jake, baixinho.

— O quê?

— Sussurrando.

A voz parecia tão distante que achei que ele já estivesse sonhando.

— Ele estava sussurrando do outro lado da minha janela.

Doze

— O senhor precisa vir depressa.

No sonho, Jane Carter sussurrava ao telefone, falando com Pete. O tom de voz era baixo e urgente, como se o que ela dizia fosse a coisa mais assustadora do mundo.

Mas ela fez o que tinha de fazer. Finalmente.

Pete estava sentado diante da mesa, em sua sala, com o coração batendo forte. Ele tinha falado com a mulher de Frank Carter diversas vezes durante a investigação. Às vezes aparecia do lado de fora do local onde ela trabalhava, ou caminhava ao seu lado em uma calçada apinhada de gente, como que por acaso, sempre cuidando para não ser visto com ela em algum lugar sobre o qual o marido pudesse ser informado. Era como se, disfarçadamente, agisse como um espião — o que não estava muito longe da verdade.

Jane tinha fornecido álibis para o marido. Ela o defendera. Mas tinha ficado evidente para Pete, desde o primeiro encontro, que ela morria de medo do marido — por bons motivos —, e não tinha sido fácil cooptá-la, convencê-la de que era seguro falar com ele. Que ela deveria retirar o que havia declarado e dizer a verdade sobre o marido.

— Pode se abrir comigo, Jane. Eu vou cuidar pra que Frank não faça mais mal nem pra você, nem pro teu filho.

E agora, pelo jeito, ela pretendia se abrir. O medo incutido em Jane Carter ao longo dos anos era tão grande que até na hora que telefonou para Pete, com o filho da mãe fora de casa, ela se punha a sussurrar. A coragem não é a ausência do medo, disso Pete sabia. A coragem depende do medo. E assim, enquanto a adrenalina agia — sentindo que o caso começava a se fechar diante dele —, Pete reconheceu a bravura daquele telefonema.

— Vou deixar o senhor entrar — sussurrou ela —, mas o senhor precisa vir depressa. Eu não faço ideia de quanto tempo ele vai demorar.

Na realidade, Frank Carter jamais retornaria àquela casa. Em uma hora, o local formigava de policiais e peritos, e já fora expedido um alerta pela localização de Carter e do furgão que ele dirigia. Mas, naquele momento, Pete apressou-se. A viagem até a casa levou apenas dez minutos, mas foram os dez minutos mais demorados de sua vida. Mesmo com a devida cobertura, Pete sentiu-se sozinho e amedrontado quando chegou, feito alguém em um conto de fadas em que o monstro saiu mas poderia voltar a qualquer momento.

Uma vez dentro da propriedade, ele observou as mãos trêmulas de Jane Carter, enquanto ela destrancava a porta do anexo, usando a chave roubada.

A casa estava toda quieta, e Pete sentiu que uma sombra pesava sobre eles.

A tranca se abriu.

— Pra trás, agora, por favor... vocês dois.

Jane Carter estava de pé no meio da cozinha, o filho escondido atrás de suas pernas, no instante em que Pete empurrou a porta com a mão enluvada.

Não.

Um cheiro de carne podre tomou conta do ambiente. Pete dirigiu o facho de luz da lanterna para dentro do anexo da casa — e então surgiram as imagens, uma depois da outra, em rápida sucessão, visões e sensações iluminadas como que por flashes de uma câmera.

Não.

Ainda não.

Em seguida ele ergueu a mão, correndo com o facho da lanterna pelas paredes. Estavam pintadas de branco, mas Carter as enfeitara, desenhando toscas folhas de relva na parte inferior e borboletinhas acima. Perto do teto, via-se o canhestro arremedo de um sol. Um rosto tinha sido esboçado na superfície do sol, com olhos negros e mortos fitando o chão.

Pete seguiu a direção desse olhar, por fim, baixando o facho de luz.

Ficou difícil respirar.

Fazia três meses que ele procurava aquelas crianças e, embora receasse um desfecho como aquele, Pete jamais tinha perdido totalmente a esperança. Mas ali estavam elas, estiradas naquele calor fétido e escuro. Os quatro cadáveres pareciam, ao mesmo tempo, reais e irreais. Pareciam bonecos quebrados e agora inertes, as roupas intactas, exceto pelas camisas de malha suspensas para encobrir-lhes os rostos.

Talvez o pior aspecto daquele pesadelo tenha sido que, ao longo dos anos, ele se tornou tão comum que não perturbava mais seu sono. Foi o alarme do despertador que o acordou na manhã seguinte.

Pete ficou deitado por alguns instantes, esforçando-se para manter a serenidade. Querer ignorar aquela lembrança era chover no molhado, mas ele se lembrou de que o pesadelo tinha sido provocado pelos acontecimentos recentes, e que logo se dissiparia. Então, desligou o alarme.

Academia de ginástica, ele pensou. *Burocracia. Rotina de trabalho.*

Pete tomou uma chuveirada, vestiu-se, arrumou a sacola com os apetrechos do treino e, quando desceu para fazer café e preparar uma refeição leve, a lembrança do sonho havia desaparecido e os pensamentos estavam mais sob controle. Seu cotidiano tinha sido momentaneamente interrompido — só isso. Era perfeitamente compreensível que, ao revirar o solo, Pete tivesse libertado alguns fantasmas atrozes, mas eles em breve haveriam de desaparecer. A vontade de beber voltaria a perder força. A vida voltaria à normalidade.

Só quando levou o café da manhã para a sala foi que ele viu a luz vermelha piscando no celular. Tinha perdido uma chamada; havia uma mensagem de voz.

Ele digitou o número e ouviu a mensagem, mastigando lentamente.

Teve dificuldade para engolir. Estava como um nó na garganta.

Depois de dois meses, Frank Carter tinha concordado em falar com ele.

Treze

— Fique de pé ali na parede, pra mim — falei. — Um pouco mais à direita. Não, à *minha* direita. Mais um pouquinho. Isso. Agora eu quero um sorriso.

Era o primeiro dia de Jake na nova escola, e eu estava bem mais nervoso que ele. Quantas vezes era possível verificar uma gaveta para ver se as roupas estavam em ordem? Todos os itens estavam identificados com o nome dele? Onde eu teria guardado a mochila e a garrafinha de água? Os detalhes eram tantos, e eu queria que tudo estivesse perfeito.

— Já posso me mexer, papai?

— Só um minuto.

Segurei o celular diante de mim enquanto Jake se posicionava em frente à única parede livre em seu quarto, trajando o novo uniforme escolar: calça cinza, camisa branca e suéter azul — tudo tinindo e limpinho, é claro, e todos os itens perfeitamente identificados. O sorriso dele se mostrava tímido e meigo. De uniforme ele parecia, ao mesmo tempo, bastante crescido e bastante frágil e vulnerável.

Toquei na tela do celular algumas vezes.

— Pronto.

— Posso ver?

— Claro que pode.

Ajoelhei-me e ele se encostou em meu ombro, enquanto eu mostrava as fotos que havia tirado.

— Estou bonito.

Ele parecia surpreso.

— Você está impecável — falei.

E estava mesmo. Tentei aproveitar o momento, apesar do toque de tristeza, pois Rebecca deveria estar ali conosco. Como a maioria dos pais, ela e eu costumávamos tirar fotos no primeiro dia do ano letivo de Jake, mas eu tinha trocado de celular recentemente, e só no começo daquela semana havia me dado conta do que aquilo implicara. Todas as minhas fotos tinham desaparecido — perdidas para sempre. Para piorar, eu estava de posse do celular de Rebecca, mas, embora as fotos estivessem salvas ali, eu não tinha como acessá-las. Frustrado, eu ficara contemplando o celular dela durante um minuto, encarando a crua verdade da situação. Rebecca se fora, o que significava que aquelas lembranças também haviam ficado para trás.

Tentei me convencer de que não tinha importância. Que era apenas mais uma brincadeira de mau gosto que a perda fazia comigo — e uma brincadeira ínfima, considerando o contexto geral. Mas aquilo tinha doído. Foi, para mim, mais uma sensação de fracasso.

Vamos tirar muitas outras.

— Vamos, parceiro.

Antes de sair, eu fiz o upload delas para o éter.

A Escola Primária Rose Terrace era uma construção baixa, horizontalizada, e protegida da rua por uma grade de ferro. O setor principal era antigo e bonito: um prédio térreo com uma sequência de telhados angulados. As palavras MENINOS e MENINAS tinham sido talhadas em pedra negra, acima de duas entradas distintas, embora placas mais novas indicassem que a antiga separação vitoriana baseada em gênero fora substituída por série acadêmica. Antes de matricular Jake, fui levado para conhecer as dependências da escola. No interior do prédio havia um saguão com piso de madeira encerada, uma espécie de ilha dando acesso às salas de aula. Entre uma porta e outra, as paredes estavam cobertas por pequenos desenhos, pintados em diversas cores e afixados por ex-alunos, com datas assinaladas na parte inferior.

Jake e eu paramos diante da grade de ferro.

— O que você está achando?

— Não sei — disse ele.

Eu não poderia culpá-lo pela dúvida. A área externa do outro lado da grade estava apinhada de crianças, e também de pais, reunidos em grupos. Era o primeiro dia do ano letivo, mas todos ali — crianças e pais — já se conheciam dos dois anos anteriores, e Jake e eu seríamos estranhos a todos, exceto um ao outro. A antiga escola de Jake era maior e mais anônima. Todos ali pareciam tão próximos que era impossível imaginar que nós não haveríamos de nos sentir estranhos no ninho. Deus, como eu queria que fôssemos acolhidos.

Apertei de leve a mão dele.

— Vamos — falei. — Coragem.

— Estou bem, papai.

— Eu estava falando de mim.

Uma piada, só que não. Faltavam cinco minutos para as portas se abrirem, e eu sabia que deveria fazer um esforço no sentido de falar com outros pais e começar a criar alguns laços. Mas, em vez disso, fiquei encostado no muro e esperei.

Jake permaneceu ao meu lado, mordendo de leve o lábio. Eu contemplava as outras crianças correndo e queria que ele fizesse um esforço e fosse brincar.

Deixe o menino ser ele mesmo, falei com meus botões.

Isso haveria de bastar, não é?

Por fim, a porta da sala de aula da primeira série foi aberta, e a nova professora de Jake apareceu sorrindo. A criançada começou a formar fila, as mochilas sacolejando às costas. Sendo o primeiro dia para todos ali, a maioria das mochilas estava vazia, mas não a de Jake. Como sempre, ele tinha feito questão de levar a Bolsinha de Coisas Especiais.

Entreguei a ele a mochila e a garrafinha de água.

— Você vai cuidar bem das tuas coisas, né?

— Vou.

Tomara. A perda do que havia naquela mochila seria, provavelmente, tão intolerável para mim quanto para ele. Aquilo era uma espécie de cobertorzinho de estimação para meu filho, e não havia a menor chance de ele sair de casa sem a Bolsinha.

Ele já se dirigia à fila, junto às outras crianças.

— Eu te amo, Jake — falei, baixinho.

— Eu também te amo, papai.

Fiquei ali parado, observando até que ele entrasse, na esperança de que se virasse para acenar. Ele não se virou. Era bom sinal, imaginei, um certo desapego. A atitude demonstrava que ele não se sentia intimidado diante do dia que o aguardava, e não precisara do meu incentivo.

Quem me dera poder dizer o mesmo a meu respeito.

Por favor, por favor, por favor, aguente firme.

— Aluno novo, né?

— Como?

Virei-me e vi uma mulher ao meu lado. Embora o dia já estivesse quente, ela usava um mantô escuro e mantinha as mãos enfiadas nos bolsos, como se estivesse preparada para enfrentar um vento invernal. O cabelo era pintado de preto, caído sobre os ombros, e ela exibia uma expressão vagamente divertida.

Aluno novo.

— Ah — falei —, você está se referindo ao Jake? É meu filho, sim.

— Na verdade, eu estava me referindo a vocês dois. Você parece preocupado. Acredite, ele vai ficar bem.

— Vai, tenho certeza que vai. Ele nem olhou pra trás.

— O meu parou de fazer isso há muito tempo. Na verdade, de manhã, depois que a gente chega aqui, parece até que eu nem existo. No começo é de cortar o coração, mas a gente se acostuma. É até bom mesmo. — Ela deu de ombros. — Meu nome é Karen. O do meu filho é Adam.

— Tom — falei. — Muito prazer. Karen e Adam? Preciso começar a aprender esses novos nomes.

Ela sorriu.

— Vai demorar um pouco. Mas tenho certeza de que Jake não vai ter nenhum problema. É difícil mudar de escola, mas as crianças aqui são boas. Adam só começou a frequentar aqui no meio do ano passado. É uma boa escola.

Enquanto ela caminhava de volta até o portão, eu me concentrei para memorizar os nomes. Karen. Adam. Ela parecia ser uma pessoa agradável, e eu precisava fazer algum esforço. Apesar de todas as evidências em contrário, talvez eu pudesse me tornar um adulto normal, do tipo que é capaz de conversar com outros pais na entrada da escola.

Peguei meu celular e botei os fones de ouvido para fazer a curta caminhada até em casa, já tenso com outra questão. Eu havia concluído um terço de um livro novo quando Rebecca morreu, e, enquanto alguns escritores talvez se lançassem ao trabalho como distração, eu não tinha sequer olhado para aquelas palavras desde então. Agora, a ideia que eu vinha desenvolvendo me parecia vazia, e eu desconfiava de que teria de abandonar o projeto como um todo e deixá-lo se decompondo em meu disco rígido, um delírio inacabado.

Mas, nesse caso, eu escreveria o quê?

Chegando em casa, liguei o computador, abri um documento novo no Word e salvei o arquivo sob o título *más ideias.* Eu sempre começava assim. O fato de admitir que o projeto estava nos primórdios aliviava um pouco a pressão psicológica. E então, visto que eu nunca achava que fazer café fosse procrastinação, fui até a cozinha e liguei a chaleira elétrica; em seguida, apoiei-me na bancada e olhei através da janela, contemplando o quintal.

Tinha um homem lá fora.

Ele estava de costas para mim, e parecia estar sacudindo o cadeado da porta da minha garagem.

Que porra é essa?

Bati no vidro da janela.

O homem se assustou e virou-se, repentinamente. Tinha cerca de cinquenta anos, era baixo e rechonchudo, com um círculo de cabelo grisalho em volta da cabeça, sendo o topo calvo, o que lembrava um monge. Vestia um bom terno, sobretudo e cachecol cinza, e em nada parecia um ladrão comum.

Com uma expressão facial e as mãos, fiz um gesto que traduzia *que porra é essa*. Ele me encarou por um instante, ainda com um ar surpreso, e então se virou e desapareceu em direção à entrada de veículos.

Hesitei, por um momento, ainda aturdido com o que tinha acabado de ver, e então voltei por dentro de casa, decidido a confrontá-lo e descobrir o que ele estava fazendo.

Quando cheguei à porta da rua, a campainha tocou.

Catorze

Abri a porta de supetão e deparei-me com o sujeito de pé no degrau, com um olhar de quem pedia desculpa. Mais de perto, ele era ainda mais baixo do que parecia quando o vi através da janela.

— Me desculpe o incômodo, senhor — disse ele, com uma formalidade que condizia com o terno antiquado que trajava. — Eu não sabia que tinha alguém em casa.

Um jeito bem óbvio de saber se havia alguém em casa, pensei, *seria ter tocado a porra da campainha.*

— Entendi. — Cruzei os braços. — O que o senhor deseja?

O homem parecia constrangido.

— Bem, é um pedido meio estranho, eu reconheço. Mas é o seguinte... esta casa. Eu cresci aqui, o senhor sabe? Já faz muitos anos, é claro, mas tenho tantas lembranças boas daqui...

Ele perdeu o fio da meada.

— Certo — falei.

Eu queria que ele prosseguisse. Mas ele ficou parado, com certa expectativa, como se já houvesse me fornecido informação suficiente, e fosse estranho, ou até grosseiro, da minha parte, obrigá-lo a falar mais.

No instante seguinte, a ficha caiu.

— O senhor, então, gostaria de entrar e dar uma olhada... é isso?

Ele assentiu, agradecido.

— É muita folga, eu sei, mas eu gostaria imensamente de dar uma olhada. Esta casa me traz tantas lembranças especiais, o senhor sabe?

Novamente, seu tom era tão formal que eu quase ri. Mas não o fiz, porque a ideia de deixar aquele homem entrar em minha casa deixava meus nervos à flor da pele. Ele estava tão bem-vestido, e seus modos eram tão absurdamente polidos, que a coisa parecia até algum disfarce. Apesar da aparente ausência de ameaça física, o sujeito parecia perigoso. Eu podia visualizá-lo apunhalando alguém com um canivete, enquanto olhava nos olhos da vítima e lambia os beiços.

— Sinto muito, mas não vai ser possível.

As boas maneiras sumiram instantaneamente, e um toque de irritação surgiu no semblante do homem. Fosse lá quem ele fosse, estava habituado a conseguir o que queria.

— Mas que decepção — disse ele. — Posso saber por quê?

— Primeiro, acabamos de nos mudar. Tem caixa por todo lado.

— Entendi. — Ele esboçou um sorriso. — Quem sabe, em outra ocasião, não é?

— Não, senhor. Porque não estou disposto a receber estranhos em minha casa.

— É... uma pena.

— Por que o senhor queria entrar na minha garagem?

— Eu não queria nada disso. — Ele deu um passo atrás, parecendo ofendido. — Eu estava procurando o senhor.

— O que... dentro de uma garagem trancada?

— Eu não sei o que o senhor está pensando que viu, mas isso não aconteceu. — Ele sacudiu a cabeça. — Vejo que cometi um engano lamentável. É uma pena, realmente. Quem sabe o senhor não muda de ideia?

— Não vou mudar.

— Então, me desculpe o incômodo.

Ele deu meia-volta e foi se retirando.

Eu o segui, lembrando-me das cartas que tinha aberto.

— Sr. Barnett?

Ele hesitou, e então voltou-se e olhou para mim. Parei onde estava. A expressão no rosto dele havia se alterado totalmente. O olhar se tornara vazio e, apesar da disparidade dos nossos portes físicos, pensei que se ele desse mais um passo em minha direção, eu recuaria.

— Não, senhor — disse ele. — Adeus.

E então afastou-se rua abaixo, sem dizer nem mais uma palavra. Segui-o novamente, mas parei na calçada, sem saber se deveria ir em seu encalço ou não. Apesar do calor do sol, eu sentia calafrios.

Eu tinha estado tão ocupado com a casa que ainda não surgira uma oportunidade de examinar a garagem. Com certeza, não era a parte mais atraente da propriedade: duas portas feitas de chapa metálica azul que mal se juntavam no meio; paredes brancas descascadas e uma janela com vidro estilhaçado na lateral. A grama malcuidada crescia em tufos ao redor. O corretor tinha me dito que havia asbesto no telhado e que eu precisaria da assistência de um especialista, caso optasse por uma demolição, mas a garagem parecia prestes a ruir sozinha. A construção era uma coisa meio desabada nos fundos da casa, feito um velho bêbado, trôpego e cuidando para não cair.

As portas estavam trancadas com um cadeado, mas o corretor havia me fornecido a chave. As chapas de metal rangeram sobre o piso no momento em que destranquei o cadeado e abri uma das portas; então esgueirei-me e entrei.

Olhei em volta, incrédulo. O local estava entulhado de objetos os mais variados.

Eu achava que, quando esvaziasse a casa, a Sra. Shearing contrataria um caminhão de frete para retirar os móveis velhos. Agora eu percebia que ela evitara o gasto, e que concentrara a mobília toda ali dentro, cheirando a mofo e poeira. No meio da garagem, havia pilhas de caixas de papelão, as que estavam embaixo já cedendo devido à umidade e ao peso das que estavam em cima; em um dos cantos, mesas e cadeiras velhas tinham sido empilhadas e amontoadas feito um quebra-cabeça de madeira. Um colchão velho fora encostado à parede do fundo, e as manchas cor de chá eram tão grandes que se assemelhavam ao mapa de algum planeta alienígena. Ao lado da porta, uma churrasqueira enferrujada exalava seu odor característico.

Havia pilhas de folhas secas, amarronzadas, em torno das paredes. Com cautela, arrastei com o pé uma lata de tinta que estava no canto, e me deparei com a maior aranha que tinha visto na vida. A coisa apenas estremeceu, aparentemente sem se perturbar com a minha presença.

Muito bem, pensei, olhando em volta. *Muitíssimo obrigado, Sra. Shearing.*

Não havia muito espaço para se transitar, mas me aproximei da pilha de caixas e abri a que estava no topo, sentindo o papelão úmido ao toque dos dedos. Espiei o interior e encontrei velhos enfeites natalinos. Rolos de brocados desbotado, bolas de Natal já opacas e umas coisas que pareciam bijuteria.

Uma das bijuterias voou diretamente no meu rosto.

— Jesus Cristo!

Quase perdi o equilíbrio; meu pé escorregou nas folhas atrás de mim, e meu braço ficou girando no ar à minha frente. A coisa esvoaçou até o teto, debateu-se e voou pela garagem, antes de se chocar, repetidamente, contra a janela cinzenta.

Tap, tap, tap. Suaves colisões.

Uma borboleta, percebi. Não uma espécie que eu identificasse, embora meu conhecimento se limitasse a uma ou duas variedades.

Desloquei-me, com cuidado, até a janela, onde a borboleta ainda se debatia contra o vidro, e fiquei observando por alguns segundos, até que, por fim, ela se acalmou e pousou no batente imundo, abrindo as asas. A coisa era tão grande quanto a aranha que eu encontrara, mas enquanto a aranha exibia um tom cinzento feioso, a borboleta tinha um colorido deslumbrante. Arabescos amarelos e verdes se espalhavam sobre as asas, com toques de roxo nas bordas. Era linda.

De volta à caixa, olhei e vi outras três borboletas pousadas sobre o brocado. Aquelas não estavam se movendo; portanto, talvez estivessem mortas, mas, olhando mais para baixo, vi outra ao lado da caixa que estava na base da pilha, e mexia as asas com a lentidão e a delicadeza de uma brisa leve.

Eu não sabia desde quando as borboletas estavam ali dentro, nem qual era seu ciclo de vida, mas não parecia haver muita esperança para elas ali, a não ser, talvez, como alimento para a aranha. Senti vontade de interromper aquele ecossistema. Arranquei um pedaço de papelão úmido da caixa que estava no topo da pilha e tentei enxotar uma das borboletas em direção à porta. Mas ela não se manifestou, de jeito nenhum. Tentei atiçar a que estava na janela, mas ela se mostrou igualmente teimosa. Apesar do tamanho avantajado, vistas de perto as borboletas pareciam extremamente delicadas, como se fossem virar pó ao mais leve toque. Eu não queria correr o risco de machucá-las.

Então, desisti.

— Muito bem, meninas. — Joguei de lado o pedaço de papelão e esfreguei as mãos na calça jeans. — Eu fiz o que pude.

Não havia mais por que permanecer ali na garagem. Eu já tinha visto tudo. A tarefa de esvaziar o espaço havia sido acrescentada à minha longa lista de afazeres, mas pelo menos não era nada urgente.

O que ali dentro teria despertado tanto o interesse do meu visitante? Obviamente, só havia entulho. Mas agora que a lembrança do encontro começava a se dissipar, eu me perguntava se ele não teria falado a verdade, e eu simplesmente me equivocara em minhas impressões.

Já do lado de fora, voltei a trancar o cadeado, fechando as borboletas no interior da garagem. Era surpreendente que elas tivessem sobrevivido lá dentro, em condições tão estéreis e adversas. Mas, ao caminhar de volta até a frente da nossa casa, pensei em Jake e em mim, e percebi que algo semelhante havia ocorrido conosco.

Afinal, as borboletas não tinham opção.

É isso que os seres vivos fazem. Mesmo nas circunstâncias mais adversas, eles seguem vivendo.

Quinze

A sala era pequena, mas, sendo toda pintada de branco, produzia a sensação de um espaço infinito. Um cômodo sem paredes. Ou talvez um local totalmente fora do tempo e do espaço. Pete sempre achava que, vista por meio de uma câmera de segurança, a cena remeteria a um filme de ficção científica, com um indivíduo sentado em um espaço vazio, infinito, no qual o ambiente virtual ainda seria construído ao redor dele.

Ele correu o dedo pela superfície da mesa que dividia a sala. A ação produziu um leve rangido. Tudo ali estava limpo, lustrado, estéril.

E então a sala voltou a ficar silenciosa.

Ele aguardava.

Sempre que era preciso encarar algo muito difícil, era melhor fazer isso logo de uma vez; por pior que fosse a situação, sendo ela inevitável, pelo menos assim não se era obrigado a sofrer muito por antecipação. Frank Carter sabia disso. Pete o visitava uma vez por ano pelo menos, desde que Carter fora preso, e este sempre o deixava esperando. Sempre havia um atraso ou outro na cela — algum incidente forjado. Era uma afirmação de controle, algo que deixasse claro qual dos dois estava no comando. O fato de que, ao fim do encontro, Pete era aquele que estava livre para ir embora deveria ser animador, mas nunca era. Para Carter, ele não tinha nada a oferecer a não ser um passatempo, um divertimento. Só um deles estava em poder de algo que o outro queria, e ambos sabiam disso.

Então, ele aguardava, feito um bom menino.

Poucos minutos depois, a porta atrás do outro lado da mesa foi destravada, e dois carcereiros entraram, dirigindo-se cada um a um lado do cômodo. O vão da porta permaneceu vazio. O monstro, como sempre, não tinha pressa de aparecer.

À medida que o momento se aproximava, a familiar sensação de desconforto tomou conta. A aceleração dos batimentos cardíacos. Fazia tempo que ele já havia desistido de formular perguntas para esses encontros porque, inevitavelmente, as palavras se embaralhavam em sua mente, feito pássaros que se assustavam e alçavam voo de uma árvore. Mas ele forçava um semblante apático e tentava se manter o mais calmo possível. Seu torso estava dolorido em consequência do treino daquela manhã.

Por fim, Carter surgiu em seu campo de visão.

Trajava um macacão azul-claro e tinha os pés e as mãos algemados. Ainda usava a cabeça raspada e o cavanhaque ruivo. Como sempre, curvou ligeiramente a cabeça enquanto arrastava os pés para dentro da sala, embora não tivesse motivo para fazer isso.

Com quase dois metros de altura e mais de cem quilos, Carter era um homem imenso, mas nunca desperdiçava uma oportunidade de parecer ainda maior.

Mais dois carcereiros o seguiam, escoltando-o até a cadeira do outro lado da mesa. Em seguida os quatro se retiraram, deixando Pete a sós com Carter. Quando a porta do outro lado da sala foi fechada, Pete teve a sensação de jamais ter ouvido um barulho tão alto.

Carter o encarava, como se estivesse se divertindo.

— Bom dia, Peter.

— Frank — disse Pete. — Você está com uma cara boa.

— A vida aqui é boa. — Carter deu uma palmadinha na barriga, enquanto as correntes que prendiam seus pulsos tilintavam levemente. — A vida aqui é muito boa.

Pete assentiu. Sempre que o visitava, ficava impressionado com o modo como Carter parecia não apenas sobreviver à prisão, mas também ser feliz nela. Pelo jeito, ele passava grande parte do tempo na sala de musculação do presídio; no entanto, embora mantivesse a mesma forma física excepcional que possuía à época de sua prisão, não havia como negar que os anos de encarceramento o tinham tornado um pouco mais dócil. Ele aparentava estar *à vontade*. Ali sentado, com as pernas abertas e um braço musculoso apoiado na lateral da cadeira, parecia um rei refestelado no trono, analisando um cortesão. Era como se do lado de fora daqueles muros Carter fosse um animal perigoso, enfurecido e em guerra contra o mundo, mas, uma vez enjaulado, com seu status de celebridade e seu fã-clube, ele finalmente tivesse encontrado um nicho onde podia relaxar.

— Você também está com uma cara boa, Peter — disse Carter. — Comendo bem. Mantendo a forma, estou vendo. Como vai a família?

— Não sei — disse Pete. — E a tua?

Naquele instante, o brilho nos olhos de Carter se apagou. Era um equívoco alfinetar o homem, mas às vezes ficava difícil resistir, e a mulher e o filho de Carter proporcionavam alvos fáceis. Pete ainda recordava o olhar de Carter ao ouvir o depoimento de Jane Carter no tribunal, reproduzido em uma gravação de vídeo. Ele devia supor que a mulher seria medrosa demais e estaria frágil demais para entregá-lo para a polícia, mas, no fim das contas, foi isso que ela fez ao permitir que Pete entrasse no anexo da casa e ao negar os álibis que ela mesma havia fornecido ao marido ao longo dos meses anteriores. A expressão dele naquele dia era similar à que exibia agora. Por mais à vontade que Carter se sentisse ali dentro, o ódio que nutria pela família jamais diminuíra.

De repente, ele se inclinou para a frente.

— Sabe — disse ele —, eu tive um sonho incrível ontem à noite.

Pete forçou um sorriso.

— Teve mesmo? Jesus, Frank. Nem sei se eu quero saber.

— Ah, mas você quer, sim. — Carter voltou a se recostar na cadeira, e então riu consigo mesmo. — Você quer mesmo. Porque o menino estava no sonho, sabe? O Smith. No começo, como era um sonho, eu não tinha certeza se era ele, porque aqueles filhos da mãe são todos iguais, né? Qualquer um deles serve. E, além disso, a camisa dele estava puxada por cima da cabeça, então não dava pra ver direito, do jeito que eu gosto. Mas era ele. Porque, sabe, eu sei a roupa que ele estava usando, né?

Short azul de corrida. Camisa polo preta.

Pete não falou nada.

— E tinha alguém chorando — disse Carter. — Mas não era ele. Para começo de conversa, àquela altura ele já tinha passado do ponto de chorar fazia tempo. E o som vinha da minha lateral. Então virei a cabeça e vi os dois ali... a mãe e o pai. Eles sabiam o que eu tinha feito com o filho deles e choravam de soluçar... tantas esperanças e sonhos, e veja o que eu fui fazer. — Ele franziu o cenho. — Como é mesmo o nome deles?

De novo, Pete se manteve calado.

— Miranda e Alan — disse Carter, meneando a cabeça. — Agora me lembro. Eles estavam lá no tribunal naquela vez, né? Você se sentou ao lado deles.

— Foi.

— Certo. Então, a Miranda e o Alan estavam chorando lágrimas de crocodilo e olhando pra mim. *Fala pra gente onde ele está.* Eles imploravam, sabe? É meio patético, mas a coisa me faz lembrar de você, e eu penso com meus botões: o Peter também quer saber isso, e talvez ele venha logo me visitar. — Carter sorriu. — Ele é meu amigo, certo? Eu preciso ajudar meu amigo. Então eu olho em volta com mais atenção, tentando entender onde estou e onde o menino está. Porque eu nunca consigo me lembrar disso, né?

— É.

— E então aconteceu uma coisa muito impressionante.

— É mesmo?

— Realmente impressionante. Sabe o que foi?

— Você acordou — disse Pete.

Carter inclinou a cabeça para trás e riu, e então bateu palmas, apesar de algemado. As correntes tilintaram enquanto ele aplaudia. Quando acabou de aplaudir e voltou a falar, a voz retornou ao volume normal e os olhos readquiriram o brilho de sempre.

— Você me conhece bem demais, Peter. É... eu acordei. Uma pena, né? Eu acho que a Miranda, o Alan... e você... vão ter que ficar chorando por mais um tempinho.

Pete não morderia a isca.

— Você viu mais alguém no sonho? — perguntou ele.

— Mais alguém? Quem, por exemplo?

— Sei lá. Tinha mais alguém contigo no sonho? Alguém te ajudando?

A abordagem tinha sido brusca demais para esperar obter uma resposta direta, mas, como sempre, Pete observou atentamente a reação de Carter. Quanto à questão de um suposto cúmplice, Carter jogava sempre muito bem: às vezes se mostrava interessado, outras vezes, entediado, jamais confirmando ou negando a participação de um segundo indivíduo nos assassinatos. Daquela vez, sorriu consigo mesmo, mas a reação foi diferente da normal. Naquele dia, deu para perceber que havia um quê de nervosismo nele.

Ele sabe por que estou aqui.

— Fiquei me perguntando quanto tempo ia demorar pra você vir falar comigo — disse Carter. — Sobre o desaparecimento desse menino... e coisa e tal. Fiquei surpreso de você só ter vindo agora.

— Eu pedi pra vir antes. Você disse que não.

— O quê? Negar a visita do meu amigão Peter? — Carter fingiu estar indignado. — Até parece que eu faria uma coisa dessa. Eu acho é que o pedido não chegou a mim. Alguma falha administrativa. Esses caras aqui são uns incompetentes.

Pete forçou um dar de ombros.

— Tudo bem, Frank. Você não é exatamente uma prioridade. Faz tempo que está em cana, então dá pra dizer, com uma certa tranquilidade, que você não é suspeito... dessa vez.

O sorriso voltou ao rosto do homem.

— Não, eu não. Mas pra você a coisa sempre volta a mim, né? Sempre acaba onde começa.

— O que isso significa?

— Significa o que significa. Então, o que você quer me perguntar?

— No teu sonho, Frank, como eu perguntei. Tinha alguém junto contigo?

— Talvez. Mas você sabe como são os sonhos. Eles logo se dissipam. Uma pena, né?

Pete encarou Carter por um instante, examinando-o. Teria sido relativamente fácil ele se inteirar do desaparecimento de Neil Spencer; a notícia foi muito divulgada pela imprensa. Mas será que Carter tinha conhecimento de algo relevante? Era claro que ele estava gostando de dar a impressão de que sabia de algo, mas isso não queria dizer nada. Poderia ser apenas mais um joguinho.

Outra tentativa de parecer mais poderoso e importante do que de fato era.

— Muita coisa se dissipa — disse Pete. — Por exemplo, a fama.

— Aqui dentro, não.

— No mundo fora daqui, sim. Todo mundo já te esqueceu.

— Ah, tenho certeza de que isso não é verdade.

— Faz tempo que você não aparece nos jornais, você sabe disso. Você é um homem do passado. Na verdade, nem isso... esse menino desapareceu há alguns meses, como você mesmo disse, e sabe quantos noticiários mencionaram o teu nome?

— Sei lá, Peter. Por que você não me diz?

— Nenhum.

— É... talvez eu deva começar a dar as entrevistas que uns professores e jornalistas vivem me pedindo. Talvez eu faça isso.

Ele abriu um sorrisinho sarcástico, e Pete se deu conta da inutilidade do encontro. Estava se submetendo àquilo por nada; Carter não tinha a menor noção de coisa nenhuma. E tudo acabaria como sempre. Pete sabia muito bem como se sentiria mais tarde — que a conversa com Carter traria tudo de volta à tona. Mais tarde, a atração exercida pelo armário da cozinha estaria mais intensa que nunca.

— É, talvez você deva mesmo. — Ele se levantou, deu as costas a Carter e se afastou. — Até mais, Frank.

— Talvez eles se interessem pelos sussurros.

Pete parou, com uma das mãos já na porta. Sentiu um frio na espinha, tipo um calafrio que se espalhou pelos braços.

Os sussurros.

Neil Spencer dissera à mãe que tinha um monstro sussurrando do outro lado da janela, mas esse detalhe do desaparecimento do menino não havia sido levado a público. Era possível que essa fosse mais uma tentativa de fazer parecer que ele estava dando as cartas, sem dúvida. Mas Carter lançara aquela carta com uma atitude de triunfo, como se fosse um coringa.

Pete virou-se devagar.

Carter ainda estava reclinado na cadeira, despreocupado, mas agora com um ar presunçoso. Era como se tivesse deixado um pedacinho de isca no anzol, só para evitar que o peixe fosse embora. E Pete teve certeza de que a referência aos sussurros não tinha sido por acaso.

De algum modo, o filho da mãe sabia.

Mas como?

Naquele momento, mais do que nunca, era preciso manter a calma. Carter se alimentaria de qualquer demonstração de desespero que detectasse no homem que estava do outro lado da sala, e ele já havia recebido material suficiente para brincar.

Talvez eles se interessem pelos sussurros.

— O que você quer dizer com isso, Frank?

— Bem, o menino viu um monstro na janela, não foi? E o monstro estava falando com ele. — Carter voltou a se inclinar para a frente. — Falando. Bem. Baixinho.

Pete se esforçava para conter a frustração, mas o sentimento crescia dentro dele. Carter sabia de algo, e um menino estava desaparecido. Era preciso localizá-lo.

— Como é que você sabe dos sussurros? — perguntou ele.

— Ah! Isso seria dar com a língua nos dentes.

— Então dê logo.

Carter sorriu. A expressão de um homem que nada tinha a perder ou ganhar, exceto o sofrimento e a frustração alheios.

— Eu falo — disse ele —, mas primeiro você tem que me dar uma coisa que eu quero.

— O que você quer?

Carter se recostou, e o ar de satisfação desapareceu de repente do seu semblante. Por um segundo, seu olhar ficou vazio, e então o ódio aflorou, tão visível como dois pontos de fogo.

— Traga minha família pra mim — disse ele.

— Tua família?

— Aquela cadela e aquele merdinha. Traga os dois aqui e me deixe sozinho com eles só cinco minutos.

Pete encarou Carter. Por um segundo, ficou aturdido diante do ódio e da loucura que ardiam do outro lado da mesa. Então Carter jogou a cabeça para trás, sacudiu as correntes em seus pulsos, e o silêncio na sala foi interrompido, enquanto ele gargalhava e gargalhava e gargalhava.

Dezesseis

— Deixar ele sozinho cinco minutos com a família dele? — Amanda pensou a respeito. — A gente pode fazer isso?

Mas então viu a expressão no rosto de Pete.

— Estou só brincando, na verdade.

— Eu sei disso.

Ele desabou sobre a cadeira do outro lado da mesa dela e fechou os olhos.

Amanda observou-o por um instante. Ele parecia exausto e abatido comparativamente ao primeiro encontro que tiveram. Ela não o conhecia bem, é claro, e a interação deles nos últimos dois meses não tinha sido muito intensa, mas ele aparentava ser... bem, o quê? Um homem capaz de controlar as próprias emoções. Em excepcional forma física, para um sujeito da idade dele, obviamente. Calmo e competente. Tinha sido sucinto e preciso quando transmitira para ela as informações do caso anterior, e fora implacável e distante quando lhe mostrara as fotografias tiradas no interior do anexo da casa de Frank Carter — cenas de horror testemunhadas por ele em primeira mão. Na verdade, a experiência tinha sido até intimidante, fazendo com que ela se perguntasse se já não estaria no limite de suas forças, e como aguentaria firme se a situação ainda piorasse.

Não aguentaria.

Os tiras sensatos deixam a coisa rolar. O investigador-chefe Lyons era assim, disso ela sabia muito bem, porque era o único jeito de ascender na corporação — com o menor peso possível puxando o indivíduo para baixo. Antes do desaparecimento de Neil Spencer, ela achava que agiria do mesmo modo, mas já não tinha tanta certeza disso. E se, inicialmente, pensara que Pete Willis fosse calmo e distante, o aspecto dele agora fazia com que ela reavaliasse aquela primeira impressão. Ele só tinha a capacidade de manter o mundo a distância, ela pensou, e Frank Carter tinha a capacidade de atingi-lo mais do que a maioria das pessoas.

Isso não era surpreendente, a julgar pelo histórico que os dois tinham em comum e pelo fato de uma das vítimas de Carter jamais ter sido localizada — o menino que desaparecera para sempre, no turno de Pete. Amanda olhou para a tela do computador e viu a já conhecida foto de Neil Spencer trajando a camisa de time de futebol. Fazia pouco mais de dois meses que Neil desaparecera, e a ausência do menino provocava nela uma dor *física*. Por mais que ela tentasse não pensar no assunto, a sensação de fracasso piorava a cada dia. Ela mal conseguia imaginar a intensidade da sensação após vinte anos. Amanda não queria acabar como aquele homem sentado diante dela naquele momento.

Não vai chegar a esse ponto.

— Me fale de novo sobre essa teoria do cúmplice — disse ela.

— Na verdade, essa coisa não tem muito embasamento. — Pete abriu os olhos. — Temos o depoimento de uma testemunha sobre um idoso de cabelo grisalho falando com Tony Smith, e a descrição não bate com o Carter. E temos também alguns horários na ação do sequestro que não batem.

— É pouca evidência mesmo.

— Eu sei. Às vezes as pessoas querem que as coisas sejam mais complicadas do que são.

— É possível que ele tenha cometido os crimes sozinho. Segundo a Navalha de Occam...

— Eu sei o que estabelece a Navalha de Occam. — Pete passou a mão no cabelo. — *Não multiplique as premissas des-*

necessariamente. A solução mais simples que se encaixa com todos os fatos é a que deve ser escolhida.

— Exatamente.

— E é isso que a gente faz aqui, né? A gente pega o cara e prova que ele cometeu o crime, e isso já basta. Daí a gente encerra e arquiva a investigação, e toca a vida. Caso encerrado, missão cumprida. Vamos ao caso seguinte.

Ela pensou em Lyons mais uma vez. Em ascensão interna.

— Porque é isso que a gente tem que fazer — disse ela.

— Mas, às vezes, isso não basta — disse Pete, sacudindo a cabeça. — Às vezes, coisas que parecem simples acabam ficando bem mais complicadas, e tem coisa que fica de fora.

— E a coisa que ficou de fora nesse caso — disse ela — pode incluir algum culpado ainda à solta?

— Quem sabe? Ao longo dos anos eu tenho tentado não pensar nisso.

— Acho uma boa ideia.

— Mas agora a gente tem Neil Spencer. A gente tem os sussurros e o monstro. E tem a porra do Frank Carter lá, e ele sabe de alguma coisa.

Ela aguardou.

— E eu não sei o que fazer — disse Pete. — Carter não vai nos falar nada. E a gente já checou os parceiros fichados dele cem vezes. E nenhum está envolvido.

Amanda pensou um pouco.

— Algum macaco de imitação?

— Pode ser. Mas o Carter não estava dando um palpite. O detalhe dos sussurros nunca chegou ao conhecimento da imprensa, mas ele sabia. Ele não recebe nenhuma visita, só a minha. Toda a correspondência dele é verificada. Então, como é que ele *sabe*?

A frustração de Pete era tão palpável que ela achou estranho ele não esmurrar a mesa. Em vez disso, ele sacudiu a cabeça, mais uma vez, e desviou o olhar. Pelo menos o caso tinha feito com que Pete revivesse um pouco, Amanda pensou. Isso era bom.

A tranquilidade que fosse à merda — ela acreditava piamente que a raiva era um bom motivador, e só Deus sabia que, em certas ocasiões, era preciso indignação para seguir em frente. Ao mesmo tempo, ela sabia que grande parte da raiva que Pete sentia era direcionada a si mesmo, pois ele se culpava por não ter sido capaz de revelar a verdade. E isso não era bom. Amanda acreditava piamente também que a culpa era um dos sentimentos mais inúteis.

Depois que um indivíduo permite que a culpe se instale, a filha da mãe nunca mais vai embora.

— Carter nunca nos ajudaria — disse ela. — Não de bom grado.

— Não.

— E o tal sonho com Tony Smith...?

Ele descartou o assunto com um gesto da mão.

— É a mesma coisa de sempre. Eu já ouvi tudo isso antes. Não tenho dúvida de que ele matou o Tony, e que sabe muito bem onde o corpo está. Mas nunca vai falar. Mesmo porque é uma demonstração de poder pra cima da gente. Pra cima de *mim*.

Ficou evidente para ela agora o quanto o encontro com Carter desgastava Pete. No entanto, por mais difícil que fosse, ele não deixou de ir — submeteu-se à provação —, porque localizar Tony Smith era algo da maior importância para ele. Mas Carter tinha encontrado agora uma nova brincadeirinha, e era preciso manter o foco ali. Embora Amanda compreendesse a perturbação de Pete, o fato era que Tony Smith estava morto havia muito tempo, ao passo que Neil Spencer ainda poderia estar vivo.

Ainda *estava* vivo.

— Bem, ele tem mais um trunfo agora — disse Amanda. — Mas veja bem. Você disse que faz essas visitas pra ver se ele deixa escapar alguma coisa.

— Disse.

— Bem, ele deixou... ele sabe de alguma coisa, né? Isso não pode ter acontecido por um passe de mágica. Então a gente tem que descobrir como foi.

Quando ele não se manifestou, ela seguiu refletindo.

Nada de visita. Nada de correspondência.

— E amigos lá dentro? — perguntou ela.

— Ele tem um monte.

— O que é estranho. Assassino de criança e tudo mais...

— Nunca houve agressões sexuais nos homicídios, o que ajuda um pouco a condição dele. E, fisicamente, ele ainda é um monstrengo. Além disso, tem a questão da celebridade... toda aquela baboseira do Homem-Sussurro. Ele tem um pequeno reino lá dentro.

— Tudo bem. Mas quem é o melhor amigo dele?

— Não faço a menor ideia.

— Mas a gente pode descobrir, né? — Amanda se inclinou para a frente. — Quem sabe a informação não foi passada para ele lá dentro? Alguém visita algum parceiro dele. O parceiro fala com ele. Ele fala contigo.

Pete avaliou a hipótese. No instante seguinte, pareceu ficar meio irritado por ainda não ter pensado nisso.

Ela sentiu uma pontinha de orgulho. Não que precisasse impressioná-lo, obviamente. Precisava apenas motivá-lo ou, pelo menos, vê-lo mais aguerrido.

— É — disse ele. — É uma boa ideia.

— Então mãos à obra... — Ela hesitou. — Não que caiba a mim te atribuir tarefas. Mas isso bem poderia nos ajudar, né? Se você tiver um tempinho.

— Eu tenho.

Mas ele se deteve diante da porta.

— Tem mais uma coisa — disse ele. — Você lembrou que o Carter acabou deixando escapar algo... que, de algum modo, ele sabe dos sussurros.

— Certo.

— Mas tem também a questão do momento. Fazia dois meses que ele se recusava a falar comigo. Isso nunca aconteceu antes. E, de repente, ele muda de ideia e quer me ver.

— E daí?

— Não sei... mas a gente precisa pensar que talvez haja uma razão por trás disso.

Em um segundo, ela entendeu o que Pete insinuava, e então desviou o olhar para a foto de Neil Spencer, sem querer pensar na possibilidade.

Não vai chegar a esse ponto.

Mas Pete estava certo. Dois meses haviam transcorrido sem o menor fato novo, sem a menor descoberta referente ao caso. Talvez a decisão de Carter em favor de uma conversa significasse que algo haveria de surgir.

Dezessete

Na hora do almoço, Jake se sentou isolado em um banco do pátio vendo as outras crianças correrem e ficarem todas suadas. A barulheira era grande, e todos pareciam ignorá-lo. Mesmo sendo o começo de um ano letivo, a turma dele já se conhecia havia muito tempo, e naquela manhã tinha ficado evidente que eles não estavam muito interessados em fazer novas amizades. O que não tinha o menor problema. Jake teria ficado mais feliz se tivesse permanecido na sala de aula, desenhando, mas não era permitido, então por isso estava sentado lá fora, perto de uns arbustos, balançando as pernas e esperando o sinal tocar.

Você vai começar na escola amanhã. Tenho certeza de que vai fazer um montão de novos amigos lá.

Muitas vezes, o pai não sabia o quanto estava errado. Mas Jake se perguntava se talvez ele soubesse, porque o jeito como tinha falado passava mais pela esperança do que pela certeza, e talvez, no fundo, ambos soubessem que a coisa não seria bem assim. A mãe teria dito que aquilo não tinha importância, e ele teria acreditado. Mas Jake achava que aquilo importava para o pai, e tinha consciência de que, às vezes, o decepcionava.

Pelo menos a parte da manhã tinha transcorrido bem. A turma praticou a tabuada de multiplicação, tudo bastante fácil, e a experiência tinha sido boa. Na parede da sala de aula havia um sistema de semáforo para registrar mau comportamento, e os nomes de todos os alunos estavam na área inferior verde. George, o auxiliar de turma, era legal, mas a Sra. Shelley, professora titular, parecia ser bastante severa, e Jake não queria ver seu nome no amarelo logo no primeiro dia. Ele não conseguiu fazer amigos, mas, no mínimo, conseguiria garantir isso. Era assim que você devia agir na escola: obedecer, preencher os espaços em branco com as respostas e não causar problemas ao fazer perguntas demais.

Pof.

Jake se encolheu quando uma bola de futebol bateu nos arbustos ao seu lado. Ele já tinha memorizado os nomes de todas as crianças da turma, e foi Owen quem veio correndo buscar a bola. Ele corria em direção à bola, mas mantinha os olhos em Jake, o que levou Jake a pensar que talvez Owen tivesse lançado a bola de propósito nos arbustos. A não ser que Owen fosse um péssimo jogador.

— Foi mal.

— Tudo bem.

— É... eu sei que tá tudo bem.

Owen retirou a bola do meio dos arbustos, sempre olhando para Jake, como se fosse culpa dele, e então se afastou. O que não fazia o menor sentido. Talvez Owen fosse um bobalhão. Mesmo assim, era melhor sair logo dali.

— Oi, Jake.

Ele olhou para o lado e viu a menina ajoelhada entre os arbustos. Seu coração deu um salto, aliviado, e ele se levantou.

— Shhh. — Ela levou um dedo aos lábios. — Não.

Ele voltou a se sentar. Mas foi difícil. Queria pular em cima do banco! Ela estava com a aparência de sempre, usando o mesmo vestido azul e branco, com o arranhão no joelho e o cabelo jogado para o lado.

— Fica sentado aí — disse ela. — Não quero que as outras crianças te vejam falando comigo.

— Por que não?

— Porque eu não devia estar aqui.

— É... você nem está usando o uniforme.

— Pois é. — Ela pensou no que ele dissera. — É bom te ver de novo, Jake. Eu estava com saudade. Você sentiu saudade de mim?

Ele fez que sim vigorosamente, mas forçou-se a se conter. As outras crianças estavam por ali, e a bola de futebol ainda quicava pelo pátio. Ele não queria que ninguém soubesse da menina. Mas como era bom revê-la! A verdade era que ele se sentia muito solitário na casa nova. O pai tinha se esforçado para brincar com ele algumas vezes, mas dava para ver que não estava muito interessado na brincadeira. Brincava durante dez minutos e então se levantava e dizia que precisava esticar as pernas, embora fosse óbvio que queria mesmo era fazer outra coisa. Por outro lado, a menina sempre brincava com ele enquanto ele quisesse. A expectativa dele tinha sido de vê-la *o tempo inteiro* na casa nova, mas ela ainda não havia aparecido por lá.

Até agora.

— Você já fez algum amigo novo? — perguntou ela.

— Ainda não. O Adam, o Josh e o Hassan parecem ser legais. O Owen não é muito legal.

— O Owen é um merdinha — disse ela.

Jake a encarou.

— Mas muita gente é assim mesmo, né? — disse ela, depressa. — E nem todo mundo que parece ser teu amigo é teu amigo.

— Mas você é?

— Claro que sou.

— Você vem brincar comigo de novo?

— Eu bem que gostaria. Mas não é tão simples assim, né?

O coração de Jake ficou pesado, porque ele sabia que não era simples. Queria vê-la o tempo inteiro, mas o pai não queria que ele falasse com ela. "Eu estou aqui. *Nós* estamos aqui. Nova casa, novo começo", ele tinha dito.

Ou pelo menos Jake gostaria de vê-la o tempo inteiro quando ela não estivesse tão séria como naquele momento.

— Fala — disse ela. — Fala aqueles versinhos.

— Não quero.

— Fala.

— Se a porta aberta você deixar, o sussurro por ela vai entrar.

— E o resto.

Jake fechou os olhos.

— Se brincar sozinho lá fora, periga ser levado embora.

— Continua.

Ela nem parecia estar mais ali.

— Se esquecer a janela destrancada, vai ouvir no vidro uma pancada.

— E?

A palavra soou tão baixinho que se confundia com o ar. Jake engoliu em seco. Não queria continuar, mas forçou-se a fazê-lo, falando tão baixo quanto a menina.

— Se à tristeza e à solidão você se entrega, o Homem-Sussurro vem e te pega.

O sinal tocou.

Jake abriu os olhos e viu as crianças diante dele no pátio. Lá estava Owen, acompanhado de dois meninos mais velhos que Jake não conhecia. Olhavam para ele. George também estava lá, com uma fisionomia apreensiva. Passado um segundo, os meninos começaram a rir, e então se dirigiram à porta principal, olhando-o por cima do ombro.

Jake olhou para o lado.

A menina havia desaparecido.

— Com quem você estava falando na hora do almoço?

Jake queria ignorar Owen. Eles deveriam estar treinando a escrita no caderno de caligrafia, e ele queria se concentrar na tarefa porque foi isso que a professora mandou que eles fizessem. Obviamente, Owen pouco se importava; ele estava inclinado sobre a mesa e encarava Jake. Ficou muito claro para Jake que Owen era aquele tipo de menino que não se importava em ganhar bronca. E sabia que era péssima ideia falar com Owen sobre a menina. O pai não gostava que ele falasse com ela, mas Jake achava que o pai jamais seria capaz de debochar dele por isso. Mas tinha certeza que Owen seria.

Então deu de ombros.

— Com ninguém.

— Com alguém.

— Eu não vi ninguém lá, você viu?

Owen refletiu, e então recostou-se na cadeira.

— *Essa* — disse ele — era a cadeira do Neil.

— Qual?

— A tua, idiota. Era a cadeira do Neil.

Owen parecia ter ficado zangado, embora, mais uma vez, Jake não soubesse o que teria feito de errado. A Sra. Shelley indicara os assentos de todos os alunos naquela manhã. Não era como se ele houvesse roubado a cadeira do tal Neil de propósito.

— Quem é Neil?

— Ele estudou aqui na série passada — disse Owen. — Mas não está mais aqui, porque alguém levou ele. E agora você ficou com a cadeira dele.

Havia um erro evidente no raciocínio de Owen.

— Vocês estavam na sala de aula da primeira série na série passada — disse Jake. — Então essa cadeira não podia ser do Neil.

— Mas seria, se alguém não tivesse levado ele.

— Pra onde ele se mudou?

— Ele não se mudou pra lugar nenhum. Alguém levou ele.

Jake não sabia o que pensar, pois a coisa não fazia o menor sentido. Os pais do Neil tinham levado ele para algum lugar, mas ele não tinha se mudado? Jake olhou para Owen, e o olhar cheio de ira do menino expressava, nitidamente, o conhecimento de algo sinistro que ele não via a hora de passar adiante.

— Um homem malvado levou ele — disse Owen.

— Levou ele pra onde?

— Ninguém sabe. Mas ele agora está morto, e você está sentado na cadeira dele.

Uma menina chamada Tabby estava sentada à mesma mesa que eles.

— Que coisa horrível — disse ela, dirigindo-se a Owen. — Você não sabe se o Neil morreu. E quando eu perguntei pra minha mãe, ela disse que a gente não deve ficar falando nesse assunto.

— Ele *está* morto. — Owen se virou para Jake e apontou a cadeira. — E isso quer dizer que você vai ser o próximo.

Aquilo também não fazia sentido, Jake concluiu. Owen não sabia do que estava falando. Primeiro, não importava o que tivesse acontecido com Neil, ele nunca tinha sentado naquela cadeira; ou seja, não era que a cadeira estivesse carregando uma maldição nem nada.

E além disso, havia uma possibilidade muito mais provável. Jake sabia que não devia falar nisso, e ficou calado por um segundo. Mas então se lembrou do que a menina tinha dito lá fora, e de como se sentia sozinho, e pensou que, se Owen o tratava daquele jeito, por que não poderia tratá-lo da mesma forma?

— Talvez isso queira dizer que vou ser o *último* — disse ele.

Owen semicerrou os olhos.

— Como assim?

— Talvez o homem malvado leve a turma toda, um por um, e todos vocês vão ser trocados por outros meninos e outras meninas. E isso quer dizer que o Homem-Sussurro vai levar todos vocês antes de mim.

Tabby ficou assustada, e caiu no choro.

— Você fez a Tabby chorar — disse Owen, friamente. A professora estava se aproximando da mesa deles. — Sra. Shelley, o Jake falou pra Tabby que o Homem-Sussurro vai matar ela, do jeito que matou o Neil, e ela ficou triste.

E foi assim que Jake passou para o amarelo no primeiro dia de aula.

Seu pai ficaria bastante decepcionado.

Dezoito

O dia tinha sido melhor do que eu esperava.

Oitocentas palavras talvez fosse uma marca relativamente baixa, mas, depois de passar meses sem escrever nada, já era um começo.

Então, reli o que havia escrito.

Rebecca.

Naquele momento, ela era o assunto. Não se tratava de uma história, nem do início de uma, mas a abertura de uma carta endereçada a ela, uma carta dura de ler. Eram tantos os momentos felizes dos quais eu podia me valer, e eu sabia que eles iriam aflorar à medida que eu prosseguisse, mas, embora a amasse e sentisse sua falta mais do que as palavras poderiam expressar, era inegável o ressentimento em meu âmago, a frustração de ter ficado sozinho com Jake, a solidão da cama vazia. A sensação de ter sido *abandonado* para lidar com questões diante das quais eu me sentia incapacitado. Nada disso era culpa da Rebecca, é claro, mas o luto é uma sopa com mil ingredientes, e nem todos são palatáveis. O que eu havia escrito era a expressão sincera de uma pequena parte dos meus sentimentos.

Servia como a primeira pedra, basicamente. Agora eu já estava de posse de uma ideia sobre a qual escrever. Um homem, um pouco como eu, que perdera a mulher, um pouco como Rebecca. Por mais doloroso que fosse, eu poderia proceder assim, indo do feio ao belo, alcançando, quem sabe, um sentido final de solução e aceitação. Às vezes, escrever ajuda a curar. Eu não sabia se esse seria o caso, mas era algo a almejar.

Salvei o arquivo, e então fui buscar Jake.

Quando cheguei à escola, os outros pais já estavam encostados ao muro, esperando. Era provável que houvesse alguma etiqueta sobre onde cada um deveria aguardar, mas meu dia tinha sido longo, e não dei bola para essa questão. Avistei Karen sozinha próxima ao portão e fui ao seu encontro. A tarde estava mais quente do que a manhã, mas ela ainda se vestia como se fosse nevar.

— Oi — disse ela. — Acha que ele sobreviveu?

— Imagino que já teriam me telefonado, se fosse o caso.

— Provavelmente. Como foi teu dia? Bem, eu disse dia, mas como foram tuas seis horas de liberdade?

— Interessantes — falei. — Finalmente dei uma olhada na nossa garagem e descobri que a antiga proprietária resolveu esvaziar a bagulhada dela escondendo tudo lá dentro.

— Ah, que chatice. Mas também que *esperteza*!

Eu ri, mas discretamente. Meus escritos tinham atenuado um pouco a perturbação da visita do tal sujeito, mas o desconforto agora tinha voltado.

— E também tive que lidar com um camarada xeretando lá em casa.

— Ah, isso parece ainda pior.

— É... ele disse que tinha crescido na casa e queria entrar pra dar uma olhada. Não acreditei muito nele.

— Você não deixou ele entrar, né?

— Claro que não!

— Pra onde vocês se mudaram?

— Pra Rua Garholt.

— Perto da esquina da nossa rua — disse ela. — Por acaso foi para a casa assombrada que vocês se mudaram?

A casa assombrada. Senti um peso no coração.

— Acho que sim. Embora eu prefira pensar que a casa tem personalidade.

— Ah, isso ela tem — confirmou Karen. — Eu vi que ela estava à venda no verão. Não é assombrada, obviamente, mas o Adam costumava dizer que era esquisita.

— Nesse caso, é o local perfeito pra mim e pro Jake.

— Nada disso. — Ela sorriu e então se afastou do muro no momento em que o portão da escola foi aberto. — Pronto. As feras foram soltas.

A professora da turma do Jake saiu e se posicionou à porta, localizando pais e chamando as respectivas crianças. Estas saíam correndo, uma por uma, com as mochilas e as garrafinhas de água oscilando às costas. Sra. Shelley, me lembrei. Tinha uma aparência implacável. Fiquei com a impressão de que o olhar dela havia se detido em mim, mais de uma vez, mas foi desviado antes que eu pudesse me apresentar como o pai de Jake. Um menino que deduzi ser o Adam juntou-se a nós, e Karen brincou com o cabelo dele.

— O dia foi bom, filho?

— Foi, mãe.

— Então, vamos. — Ela se virou para mim. — A gente se vê amanhã.

— Com certeza.

Depois que os dois se afastaram, aguardei um pouco mais, e fiquei com a impressão de que era o único pai ainda ali. Por fim, a Sra. Shelley me chamou. Atravessei o pátio, sob convocação.

— O senhor é o pai do Jake?

— Sou.

Jake veio em minha direção, cabisbaixo, parecendo humilhado e tristonho.

Ai, meu Deus, pensei.

Aconteceu alguma coisa.

Por isso tínhamos ficado por último.

— Houve algum problema?

— Nada grave — disse a Sra. Shelley —, mas eu queria dar uma palavrinha com o senhor. Você pode contar pro teu pai o que aconteceu, Jake?

— Meu nome foi pro amarelo, papai.

— Pra onde?

— Nós temos um sistema de semáforo na parede — explicou a Sra. Shelley. — Pra registrar mau comportamento. Por causa do comportamento dele hoje, o Jake foi a primeira criança a passar pro amarelo. Ou seja, o primeiro dia dele não foi lá essas coisas.

— O que ele fez?

— Eu falei pra Tabby que ela ia morrer — disse Jake.

— E pro Owen, também — acrescentou a Sra. Shelley.

— E pro Owen, também.

— Bem... — falei. E então, sem conseguir pensar em algo mais sensato a acrescentar, falei: — *Todos* vamos morrer.

A Sra. Shelley não se abalou.

— Isso não tem graça, Sr. Kennedy.

— Eu sei.

— Tivemos um menino aqui, na série passada — disse a Sra. Shelley —, Neil Spencer. Talvez o senhor tenha visto alguma coisa nos noticiários.

O nome era vagamente familiar.

— Ele desapareceu — disse ela.

— Ah, sim.

Agora eu me lembrava. Os pais tinham deixado que ele voltasse para casa sozinho.

— A coisa foi extremamente desagradável... — A Sra. Shelley olhou para Jake e hesitou. — É um assunto que procuramos evitar. O Jake disse que as outras crianças talvez sejam as próximas.

— Certo. E por isso ele passou... pro amarelo?

— E vai ficar durante uma semana. Se ele passar pro vermelho, serei obrigada a falar com a diretora.

Olhei para Jake, que parecia muito infeliz. Não me agradava saber que ele havia sido humilhado publicamente, mas, ao mesmo tempo, eu me sentia frustrado. O que ele tinha dito me parecia algo terrível. Por que teria feito aquilo?

— Certo — falei. — Bem, estou decepcionado com esse comportamento, Jake. Bastante decepcionado.

A cabeça dele pendeu ainda mais.

— Vamos conversar sobre isso no caminho de casa. — Eu me virei para a Sra. Shelley. — E isso não vai voltar a acontecer. Prometo.

— É bom mesmo que não aconteça. E tem mais uma coisa. — Ela se aproximou de mim e baixou o tom de voz, embora fosse óbvio que Jake pudesse ouvir. — Nosso auxiliar de turma observou o Jake na hora do almoço e ficou um pouco preocupado. Ele disse que Jake estava falando sozinho.

Fechei os olhos, meu coração pesando mais do que nunca. Meu Deus, isso também não. Não na frente de todo mundo.

Por que as coisas não poderiam ser mais simples?

Por que não poderíamos nos ajustar àquele ambiente?

— Vou conversar com ele — repeti.

Mas Jake se recusou a falar.

Tentei arrancar alguma informação a caminho de casa, de início com delicadeza; mas, depois de confrontar uma série de olhares vazios, perdi um pouco a paciência. Eu sabia que era a reação errada, porque, na verdade, eu não estava zangado com *ele*. Mas com a situação. Irritado porque as coisas não tinham saído conforme eu esperava. Decepcionado porque a amiga imaginária tinha voltado. Preocupado com o que as demais crianças pensariam e com a maneira como iriam tratá-lo. Por fim, eu me calei também, e caminhamos lado a lado feito estranhos.

Em casa, examinei a mochila dele. Pelo menos a Bolsinha de Coisas Especiais ainda estava lá dentro. Havia também uma tarefa de casa, uma leitura, a meu ver, elementar demais para ele.

— Eu sempre estrago tudo, né? — disse Jake, em voz baixa.

Larguei os papéis. Ele estava de pé ao lado do sofá, de cabeça baixa, sentindo-se mais diminuído do que nunca.

— Não — falei. — Claro que não.

— Isso é o que você acha.

— Eu não acho nada, Jake. Eu tenho é muito orgulho de você.

— Eu não. Eu me odeio.

Ouvir Jake dizer isso foi como levar uma punhalada.

— Não diga isso — falei, imediatamente, e então me ajoelhei e tentei abraçá-lo. Mas ele se manteve totalmente frio. — Você não deve dizer isso... nunca.

— Eu posso desenhar um pouco? — perguntou ele, sem qualquer ênfase.

Respirei fundo e me afastei um pouco. Eu queria, desesperadamente, uma aproximação, mas era óbvio que não seria naquele momento. Poderíamos conversar mais tarde. *Faríamos isso.*

— Tudo bem.

Fui até meu escritório e abri o arquivo, a fim de examinar o que havia escrito naquele dia.

Eu me odeio. Eu o repreendi por tais palavras, mas, se fossem sinceras, eram exatamente as palavras que eu tinha dito comigo mesmo várias vezes ao longo do último ano. E agora voltava a sentir o efeito delas. Por que eu era tão fracassado? Como eu podia ser tão incapaz de dizer e fazer a coisa certa? Rebecca sempre dizia que Jake e eu éramos muito parecidos, e talvez pensamentos idênticos aos meus estivessem passando pela cabeça dele naquele momento. Embora pudesse ser verdade que amávamos um ao outro mesmo quando discutíamos, isso não queria dizer que amássemos a nós mesmos.

Por que Jake tinha dito uma coisa tão horrível na escola? Constava que estivesse falando sozinho — mas, é claro, não era esse o caso. Eu não tinha a menor dúvida de que ele falava com a tal menina — que ela havia conseguido nos localizar —, e eu não sabia mais o que fazer. Se ele era incapaz de fazer amigos reais, sempre dependeria de amigos imaginários. E se esses amigos o levavam a se comportar como hoje, ele não devia estar precisando de ajuda?

"Brinca comigo."

Ergui os olhos da tela do computador.

Seguiu-se um momento de silêncio, em que meu coração disparou.

A voz tinha vindo da sala, mas não parecia ser a voz de Jake, de jeito nenhum. Era uma voz rouca e perversa.

— Não quero.

Aquela era a voz de Jake.

Eu me aproximei da porta, apurando os ouvidos.

"Brinca comigo. Já falei."

— Não.

Embora ambas as vozes devessem pertencer ao meu filho, pareciam tão distintas que era fácil acreditar que havia, de fato, outra criança na sala com ele. Só que a voz não era nada infantil. Era uma voz idosa e rouca. Olhei para a porta da rua. Eu não a havia trancado, quando chegamos em casa, e a corrente não estava passada. Será que alguém tinha entrado? Não — eu estava no cômodo ao lado. Eu teria ouvido.

"Vai. Você vai brincar comigo."

A voz parecia se deliciar ante essa perspectiva.

— Você está me assustando — disse Jake.

"Eu quero te assustar."

Por fim, entrei na sala de repente. Jake estava ajoelhado no chão, ao lado dos desenhos, e olhou para mim com os olhos arregalados, assustados.

Estava inteiramente só, mas isso não fez meu coração desacelerar. A exemplo de ocasiões anteriores, havia na sala a sensação de uma presença, como se alguém ou algo houvesse se escondido um segundo antes de eu entrar.

— Jake? — falei, em voz baixa.

Ele engoliu em seco, como se estivesse prestes a chorar.

— Jake, com quem você estava falando?

— Com ninguém.

— Eu ouvi você falando. Você estava imitando a voz de alguém. Alguém que queria brincar contigo.

— Não! — De repente, ele se mostrou mais zangado do que assustado, como se estivesse decepcionado comigo. — Você sempre fala isso, e não é justo!

Pisquei os olhos, um tanto surpreso, e então fiquei paralisado, enquanto ele enfiava os papéis dentro da Bolsinha de Coisas Especiais. Eu não costumava trazer esse assunto à tona toda hora. Ele sabia que não me agradava vê-lo falando sozinho — que aquilo me incomodava —, mas eu jamais havia chegado a repreendê-lo por isso.

Atravessei a sala e me sentei no sofá ao lado dele.

— Jake...

— Eu vou pro meu quarto!

— Por favor, não faça isso. Eu estou preocupado com você.

— Não está não. Você não dá a menor bola pra mim.

— Isso *não é* verdade.

Mas ele já estava passando por mim e seguindo em direção à porta da sala. Meu instinto me dizia para deixá-lo em paz agora — para esperar a coisa esfriar um pouco, e conversar depois —, mas eu também queria oferecer o meu apoio. Tentei encontrar as palavras certas.

— Eu pensei que você gostava da menina — falei. — Achei que você queria ver ela de novo.

— Não era ela!

— Então, quem era?

— Era o menino no chão.

Depois de falar isso, ele desapareceu pelo corredor.

Fiquei ali parado, sem saber o que dizer. O menino no chão. Eu me lembrei da voz rouca que Jake usara para falar consigo mesmo. E, com certeza, essa era a única explicação possível para o que eu tinha ouvido. Mas, mesmo assim, senti um calafrio. A voz não parecia ser dele, de jeito nenhum.

Eu quero te assustar.

E então olhei para baixo. Jake havia guardado os desenhos, mas uma folha de papel tinha ficado para trás, cercada por alguns lápis de cera. Amarelo, verde e roxo.

Olhei para o desenho. Jake tinha desenhado borboletas. Os traços eram infantis e imprecisos, mas as borboletas eram, nitidamente, as que eu tinha visto dentro da garagem naquela manhã. Mas isso era impossível, porque ele nunca tinha estado na garagem. Eu estava prestes a pegar a folha e examinar o desenho mais de perto, quando ouvi Jake chorar aos soluços.

Eu me levantei e fui depressa para o corredor, no momento em que ele saía chorando do meu escritório, passava por mim e subia correndo a escada.

— Jake...

— Me deixa em paz! *Eu te odeio!*

Deixei que ele fosse, me sentindo impotente, incapaz de suportar a situação, de entender o que estava acontecendo.

A porta do quarto dele bateu.

Aturdido, entrei no meu escritório.

E então, vi, na tela, as coisas terríveis que tinha escrito para Rebecca. Palavras que diziam que tudo estava difícil sem ela, e que, em parte, eu a culpava por me deixar com tanta coisa em minhas mãos. Palavras que meu filho, com certeza, acabara de ler. E fechei os olhos, pois sabia perfeitamente o que estava acontecendo.

Dezenove

Pete estava sentado à mesa de jantar quando recebeu a ligação. Ele deveria estar cozinhando, ou vendo televisão, mas a cozinha continuava apagada e fria, e a sala, silenciosa. Naquele momento, ele contemplava a garrafa e a fotografia.

Fazia tempo que estava olhando para ambas.

O dia tinha sido bastante pesado. As visitas a Carter eram sempre difíceis, mas aquela fora muito mais difícil do que de costume. Apesar da resposta que ele dera à pergunta feita por Amanda, a descrição que o assassino fizera do sonho com Tony Smith o deixara abalado — não tinha sido, de jeito nenhum, "a mesma coisa de sempre". Na noite anterior, ele tinha resolvido esquecer Neil Spencer, mas isso já não era possível. Os casos estavam relacionados. E ele estava envolvido.

Mas que utilidade ele teria? Uma tarde inteira investigando visitantes e amigos de Carter presos na mesma penitenciária não tinha produzido nenhum resultado — pelo menos não até agora. Ainda restavam vários amigos a serem examinados. A triste verdade era que o filho da mãe tinha mais amigos dentro da cadeia do que Pete do lado de fora.

Então, beba.

Você é desprezível. Você é inútil. Beba logo.

A vontade bateu mais forte que nunca, mas ele iria sobreviver àquele momento. Afinal, já havia resistido àquela voz no passado. No entanto, a ideia de devolver a garrafa, sem abri-la, ao armário da cozinha causava-lhe uma sensação de desespero. Parecia que, para ele, beber seria inevitável.

Ele levou a mão ao queixo, esfregou de leve a pele em volta da boca, e olhou para sua foto ao lado de Sally.

Muitos anos atrás, no esforço de combater o autodesprezo que o consumia, Sally o incentivara a preparar uma lista: duas colunas, uma para suas características positivas, outra para as negativas, de maneira que ele pudesse constatar o equilíbrio ali existente. A coisa não surtiu efeito. O sentimento de fracasso estava arraigado demais para ser dissipado por meio de matemática. Ela fizera de tudo para ajudá-lo, mas, no fim das contas, ele sempre voltava para a bebida.

E isso era visível na fotografia. Embora ambos parecessem felizes, os sinais estavam todos ali. Os olhos de Sally surgiam abertos, enfrentando o sol, a pele era luminosa, ao passo que ele aparentava insegurança, como se uma parte dele hesitasse em acolher a luz. Ele a amara tanto quanto ela a ele, mas o ato de dar e receber amor constituía um idioma cuja gramática lhe era estrangeira. E por acreditar que não merecesse tal amor, ele, gradualmente, foi se valendo da bebida para se transformar em um homem que realmente não merecia. A exemplo do que acontecera com seu relacionamento com o pai, a distância o ajudara a compreender a situação. Muitas vezes, as batalhas podem ser mais bem entendidas se forem vistas do alto.

Tarde demais.

Já fazia tantos anos, mas ele ainda se perguntava onde Sally estaria, e o que estaria fazendo. O único alento era saber que ela estaria feliz em algum lugar, e que a separação a salvara de uma vida ao lado dele. A ideia de que ela estaria em algum lugar, levando a vida que sempre merecera, o consolava.

É isso que você perde com a bebida.

É por isso que não vale a pena.

Mas, obviamente, a voz tinha resposta para isso, assim como tinha resposta para tudo. Se ele já havia perdido a coisa mais incrível que teve na vida, por que se submeter àquele tormento?

Que importância teria agora?

Ele fitou a garrafa. E então sentiu o celular vibrando à cintura.

Pra você, a coisa sempre volta a mim, né?

Sempre acaba onde começa.

As palavras de Frank Carter voltaram à sua lembrança no momento em que ele, caminhando lenta e cautelosamente na escuridão, corria com o facho da lanterna sobre o solo do terreno baldio. A sensação de mal-estar e agouro instalada em seu peito só era equiparada ao sentimento de fracasso. A certeza do fracasso. Ao serem pronunciadas, as palavras de Carter pareceram casuais e irrelevantes, mas Pete não deveria ter se deixado enganar. Nada do que Carter dizia ou fazia era por acaso. Pete deveria ter reconhecido a sutileza da mensagem, propositadamente destinada a só ser compreendida depois.

Ele avistou a tenda fechada e os refletores adiante, bem como as silhuetas dos policiais se movendo cautelosamente. O mal-estar piorou, e ele quase tropeçou. *Um passo de cada vez.* Dois meses antes, ele tinha estado ali, procurando um menino desaparecido. Naquela noite, estava ali porque um menino tinha sido localizado.

Lembrava-se que naquela outra noite, em julho, deixara o jantar esfriando em cima da mesa. Agora, a garrafa tinha ficado lá. Se encontrasse ali o que esperava, abriria a garrafa quando voltasse para casa.

Chegou à tenda e desligou a lanterna. O facho era desnecessário sob a luz dos refletores ali posicionados. Na verdade, a julgar pelo que estava no centro, a iluminação era excessiva. Ele ainda não estava preparado para aquilo. Desviando o olhar, avistou o investigador-chefe Lyons de pé, ao lado do toldo, olhando para ele com um ar vazio. Por um instante, Pete achou que havia naquele semblante um toque de desdém — *você deveria ter dado um basta nisso* — e voltou a desviar o olhar, rapidamente, fitando a televisão com a tela perfurada. No instante seguinte, percebeu que Amanda estava de pé ao seu lado.

— Ele foi levado daqui — disse Pete.

— Não podemos ter certeza disso.

— Eu tenho certeza — disse ele.

Ela desviou o olhar, contemplando a escuridão. O brilho e a intensidade das atividades diante deles só enfatizavam o breu do terreno baldio que os cercava.

— A coisa sempre acaba onde começa — disse Amanda. — Foi isso que o Carter te disse, não foi?

— Foi. Eu deveria ter percebido a dica.

— Ou eu deveria. Você não tem culpa.

— Nem você.

— Talvez. — Ela sorriu, melancolicamente. — Mas parece que você precisa ouvir isso mais do que eu.

Pete viu que isso não era verdade. Ela estava pálida e exaurida. Ao longo dos últimos meses, ele tinha se dado conta de como ela era eficiente e capaz, e desconfiava que fosse ambiciosa também — que achasse que um caso como aquele daria um impulso em sua carreira, embora não percebesse o que mais aquilo poderia provocar. Ele agora sentia por ela uma proximidade inusitada. A localização dos corpos dos meninos na casa de Carter tinha deixado Pete arrasado durante algum tempo. Ele sabia que Amanda havia se dedicado — e alimentado esperanças — com uma intensidade comparável à dele vinte anos antes, e que agora, não importando quais fossem as expectativas dela, deveria estar se sentindo como uma ferida aberta.

Mas não era uma proximidade que pudesse ser mencionada em voz alta. Cada um trilhava o seu caminho. Ou você vencia ou não.

Amanda expirou, lentamente.

— O filho da puta *sabia* — disse ela. — Não é?

— É.

— Então a questão é *como* ele ficou sabendo?

— Quanto a isso, ainda não tenho certeza. Até agora não consegui nada nessa linha. Mas ainda tem uma longa lista de amigos dele lá dentro que precisam ser considerados.

Ela hesitou.

— Você quer ver o corpo?

Você pode tomar um trago quando chegar em casa.

Eu deixo.

— Quero — disse ele.

Juntos, entraram na tenda, onde o corpo do menino jazia de barriga para cima perto do velho televisor. A mochila no estilo do exército estava no chão ao lado dele. Pete fez o máximo para verificar friamente os detalhes. As roupas, com certeza: a calça de agasalho azul; a camisa de malha branca puxada por cima da cabeça, exibindo o avesso da estampa frontal.

— Esse detalhe nunca foi levado a público — disse ele.

Mais uma ligação com Carter.

— Nada de sangue. — Ele examinou o corpo. — Pouco sangue, em todo caso... considerando os ferimentos. Ele foi morto em outro local.

— É o que parece.

— Eis uma diferença entre esse cara e o Carter. O Carter matou aquelas crianças no lugar onde eu as encontrei, e escondeu todas dentro de casa. Nunca fez uma tentativa de se livrar dos cadáveres.

— A não ser no caso do Tony Smith.

— Foi por causa das circunstâncias. Mas isso aqui foi pra ser levado ao público. — Ele fez um gesto. — Quem fez isso queria que o corpo fosse encontrado. E não era pra ser encontrado em qualquer lugar. Onde tudo começou, do jeito que o Carter disse.

Você pode tomar um trago quando chegar em casa.

— As roupas são as que ele usava quando desapareceu. A não ser pelos ferimentos, parece ter sido tratado razoavelmente bem. Não está esquálido.

— Outra diferença em relação ao Carter — disse Amanda.

— É.

Pete fechou os olhos, tentando raciocinar. Neil Spencer permaneceu em algum cativeiro durante dois meses antes de ser morto. Tinha sido bem cuidado. E então alguma coisa mudou. Depois, foi devolvido ao local onde fora sequestrado.

Como se fosse um presente, ele pensou.

Um presente ofertado por alguém que já não o quisesse.

— A mochila. — Ele abriu os olhos. — A garrafinha de água está lá dentro?

— Está. Vou te mostrar.

Ele a seguiu de perto, contornando o corpo do menino. Com a mão enluvada, ela abriu a mochila, e ele espiou dentro da mochila. Lá estava a garrafa, com água pela metade. Algo mais. Um coelhinho azul — um brinquedinho para a hora de dormir. Aquilo não estava arrolado.

— Isso estava com ele?

— Estamos tentando averiguar junto aos pais — disse Amanda. — Mas, sim, eu acho que isso estava com o menino, e eles não sabiam.

Pete meneou a cabeça devagar. Àquela altura, já sabia tudo sobre Neil Spencer. O menino era indisciplinado na escola. Agressivo. Precoce e recalcado, que é o que as pessoas se tornam quando a vida as maltrata.

No entanto, por baixo de tudo aquilo, uma criança de apenas seis anos.

Ele se forçou a olhar para o corpo do menino, sem se incomodar com os sentimentos provocados nem com as lembranças afloradas. Poderia tomar um trago quando chegasse em casa.

A gente vai pegar a pessoa que fez isso contigo.

E então deu meia-volta e se retirou, reacendendo o facho da lanterna no momento em que voltou à escuridão que reinava fora do alcance dos refletores.

— Vou precisar de você neste caso, Pete — Amanda o chamou.

— Eu sei. — Mas ele estava pensando na garrafa deixada sobre a mesa de jantar e precisava se conter para não sair correndo. — E vai poder contar comigo.

Vinte

O homem tremia na escuridão.

Acima dele, o céu azul-escuro estava sem nuvens e pontilhado de estrelas, a noite um frio contraste com o dia quente que ficara para trás. Mas não era a temperatura que lhe provocava tremores. Embora se recusasse a pensar diretamente sobre o que tinha feito naquela tarde, o impacto do ato praticado ficara com ele, camuflado, logo abaixo da pele.

Nunca havia matado ninguém até aquele dia.

Antes, ele pensava estar preparado, e a fúria e o ódio que sentira no momento o levaram a avançar. Mais tarde, porém, o ato o deixara desequilibrado, inseguro quanto aos seus próprios sentimentos. Naquela noite, ele tinha rido e tinha chorado. Tinha tremido de vergonha e autodesprezo, mas tinha também rolado pelo chão do banheiro em um júbilo confuso. Era impossível descrever. E isso provavelmente fazia sentido. Ele tinha aberto uma porta que nunca mais poderia ser fechada, e experimentado algo que pouca gente no planeta experimentara ou haveria de experimentar. Não havia preparação nem guia para a viagem na qual embarcara. Não havia mapa a indicar a rota. O ato de matar alguém o deixara à deriva em um mar de emoções inteiramente inexplorado.

Ele agora inspirou lentamente o ar frio da noite, com o corpo ainda vibrando. Tudo ali estava tão silencioso que ele só ouvia o movimento da brisa, como se o mundo murmurasse segredos enquanto dormia. Os postes de luz a distância reluziam, mas ele estava tão afastado da luz, e tão imóvel, que alguém que passasse a poucos metros dali não o enxergaria.

Ele, no entanto, poderia ver a pessoa — ou sentir a presença dela, pelo menos. Sentia-se em plena sintonia com o mundo. E, naquele momento, nas primeiras horas da madrugada, sabia que estava inteiramente só naquele local.

Esperando.

Todo trêmulo.

Era difícil agora se lembrar de como ele ficara zangado naquela tarde. A fúria simplesmente o consumira, ardendo em seu peito até que o corpo inteiro se contorcia, feito um boneco manipulado por cordas. Dentro de sua cabeça havia uma luz tão ofuscante que talvez o impedisse de se recordar do que fizera, mesmo se ele tentasse. A sensação era como se ele tivesse saído temporariamente do próprio corpo, e, ao fazê-lo, dera espaço para algo emergir. Se fosse religioso, poderia pensar que havia sido possuído por alguma força externa. Mas não era, e sabia que o que o possuíra naqueles minutos medonhos tinha vindo de dentro dele mesmo.

A coisa já havia desaparecido — ou, pelo menos, se recolhido à sua caverna. O que antes parecia certo, agora provocava pouco mais que um sentimento de culpa e fracasso. Em Neil Spencer, ele encontrara uma criança que precisava ser socorrida e cuidada, e ele acreditara ser a pessoa certa para fazê-lo. Pretendia ajudar e cuidar de Neil. Abrigá-lo. Zelar por ele.

Jamais tivera intenção de feri-lo.

E durante dois meses a coisa tinha funcionado. Ele havia vivenciado uma sensação de muita paz. Para ele, a presença e o aparente contentamento do menino tinham sido um bálsamo. Pela primeira vez na vida, o mundo lhe parecia não apenas viável como *justo*, como se uma antiga infecção interna começasse, finalmente, a sarar.

Mas, é claro, tudo tinha sido mera ilusão.

Neil tinha mentido para ele o tempo todo, ganhando tempo e apenas fingindo estar contente. Por fim, ele foi obrigado a reconhecer que a fagulha de bondade que imaginara ter visto nos olhos do menino jamais fora verdadeira, apenas uma artimanha e um engodo. Desde o primeiro momento, tinha sido ingênuo e crédulo. Neil Spencer era uma cobra disfarçada em pele de menino, e a verdade era que fizera por merecer exatamente o que ocorrera naquele dia.

O coração do homem batia acelerado.

Ele sacudiu a cabeça e forçou-se a se acalmar, voltando a controlar a respiração e expulsando da cabeça esses pensamentos. O que aconteceu naquele dia foi abominável. Se, em meio a tantas outras emoções, aquilo provocava também uma estranha sensação de harmonia e prazer, isso era terrível e negativo, e precisava ser repudiado. Ele precisava se agarrar à tranquilidade das semanas anteriores, por mais falsa que a situação viesse a se mostrar. Ele tinha feito uma escolha equivocada, só isso. Neil tinha sido um erro, e aquilo não voltaria a acontecer.

O próximo menino seria perfeito.

Vinte e um

Foi mais difícil do que nunca pegar no sono naquela noite.

Não consegui resolver nada com Jake depois da nossa discussão. Embora eu pudesse justificar para mim mesmo o que tinha escrito sobre Rebecca, era impossível fazer um menino de sete anos compreender a situação. Para ele, aquelas palavras só atacavam sua mãe. Ele nada me respondia, e eu não tinha sequer certeza de que estivesse ouvindo. Na hora de dormir, não quis que eu lesse uma história, e fiquei paralisado, dividido entre sentimentos de frustração e autodesprezo, de um lado, e a necessidade desesperada de fazê-lo entender. No fim das contas, dei um beijo de leve na lateral da cabeça dele, falei que o amava e desejei boa noite, na esperança de que as coisas estivessem melhores na manhã seguinte. Como se funcionasse assim. Amanhã é sempre um novo dia, mas nunca há razão para achar que será um dia melhor.

Mais tarde, fiquei deitado em meu quarto, rolando de um lado para o outro na cama, tentando relaxar. Eu não conseguia suportar a distância crescente entre nós dois. Pior ainda era o fato de eu não saber como interromper aquele processo, muito menos como dar um fim nele. E, deitado no escuro, fiquei me lembrando da voz rouca que Jake havia imitado, e tremi todas as vezes que me lembrei daquilo.

Eu quero te assustar.

O menino no chão.

Porém, por mais apavorante que isso fosse, o desenho das borboletas era o que, por algum motivo, mais me incomodava.

A garagem estava trancada com cadeado. Era impossível Jake ter entrado lá sem meu conhecimento. Mas eu examinara o desenho diversas vezes e não restava dúvida. De algum modo, ele tinha visto as borboletas. Mas como, e onde?

Era mera coincidência, é claro; tinha de ser. Talvez aquelas borboletas fossem mais comuns do que eu imaginava — afinal, as que estavam dentro da garagem tinham vindo de algum lugar. Obviamente, eu tentara conversar com Jake sobre as borboletas também. E, obviamente, ele se negara a me responder. Então, enquanto eu rolava de um lado para o outro, tentando pegar no sono, concluí que o mistério das borboletas se equiparava ao problema da nossa discussão. Eu esperava que tudo melhorasse na manhã seguinte.

Vidro quebrando.

Minha mãe gritando.

Um homem esbravejando.

Acorde, Tom.

Acorde agora.

Alguém sacudia meu pé.

Acordei com um sobressalto, ensopado de suor, com o coração martelando no peito. O quarto estava um breu, e silencioso — era plena madrugada. Jake estava de novo ao pé da minha cama, uma silhueta negra contra o fundo escuro. Esfreguei o rosto.

— Jake? — perguntei, em voz baixa.

Nada de resposta. Eu não conseguia enxergar o rosto dele, mas seu tronco se movia, lentamente, de um lado para outro, oscilando feito um metrônomo. Franzi o cenho.

— Você está acordado?

De novo, nada de resposta. Eu me sentei na cama, me perguntando qual seria a melhor atitude a tomar. Se ele estivesse sonâmbulo, deveria despertá-lo, calmamente, ou conduzi-lo ainda adormecido de volta a seu quarto? Mas meus olhos se acostumaram um pouco à escuridão, e a silhueta tornou-se mais nítida. Havia algo errado com o cabelo dele. Estava bem mais comprido, e parecia escorrido em um lado do rosto.

E...

Alguém estava sussurrando.

Mas a figura ao pé da cama, ainda oscilando devagar de um lado para outro, estava absolutamente calada. O som que eu ouvia vinha de algum outro ponto da casa.

Olhei à esquerda. Através da porta aberta do quarto era possível ver o corredor escuro. Estava deserto, mas tive a impressão de que o sussurro vinha de lá.

— Jake...

Porém, quando olhei de novo, a silhueta ao pé da cama havia sumido, e o quarto estava vazio.

Esfreguei os olhos para afastar o sono, saí pelo lado frio da cama e, em silêncio, fui até o corredor. O sussurro estava mais alto ali. Embora não conseguisse discernir as palavras, tive certeza de ouvir duas vozes: uma conversa em voz baixa com dois participantes, um ligeiramente mais ríspido que o outro. Jake estava falando sozinho de novo. Instintivamente, fui em direção ao quarto dele, mas olhei escada abaixo e parei.

Meu filho estava ao pé da escada, sentado diante da porta de casa. Uma suave nesga da luz da rua abraçava a borda da cortina do meu escritório, tingindo de cor de laranja o cabelo despenteado de Jake. Ele estava sentado em posição de lótus, a cabeça encostada na porta e uma das mãos apoiada na esquadria lateral. Na outra mão, apoiada sobre a perna, estavam as cópias das chaves que eu guardava na mesa do escritório.

Fiquei escutando.

— Melhor não — sussurrou Jake.

A resposta veio na voz mais ríspida que eu tinha ouvido.

— Eu cuido de você... prometo.

— Melhor não.

— Deixa eu entrar, Jake.

Meu filho ergueu a mão pela porta, em direção à abertura por onde eram enfiadas as correspondências. Foi então que percebi que a tampa dela estava sendo aberta pelo lado de fora. Dava para ver alguns dedos. Meu coração deu um salto. Quatro dedos magros e pálidos tinham penetrado pela abertura, levantando a portinhola.

— Deixe eu entrar.

Jake encostou a mãozinha em um dos dedos, que se curvou para acariciá-lo.

— *É só me deixar entrar.*

Ele se esticou para alcançar a corrente.

— Não se mexa! — gritei.

Saiu sem pensar, partindo tanto do coração quanto da boca. Os dedos sumiram imediatamente, e a portinhola da caixa de correio se fechou com um estalido. Jake se virou e olhou para cima, na minha direção, enquanto eu descia a escada correndo, o coração saindo pela boca. Lá embaixo, arranquei as chaves da mão dele.

Ali sentado, ele bloqueava a porta.

— Sai daí! — gritei. — *Sai daí!*

Ele se arrastou do caminho, engatinhando em direção ao meu escritório. Retirei a corrente da trava, agarrei a maçaneta, que cedeu prontamente — Jake já tinha usado a chave para destrancar aquela merda. Abrindo a porta, saí depressa pela entrada da casa e olhei noite adentro.

Até onde eu podia enxergar, não havia ninguém, nem rua acima, nem rua abaixo. A luz amarelada sob os postes estava nevoenta, as calçadas, vazias. Mas, quando olhei para o outro lado da rua, tive a impressão de ver um vulto correndo pelo campo. Uma forma vaga se afastando pela escuridão.

Longe demais para que eu pudesse alcançá-lo.

Meu instinto me levou pela calçada de acesso à casa, mas parei antes de alcançar a rua em si, minha respiração condensada e visível no ar frio da noite. O que raios eu estava fazendo? Eu não podia deixar a casa aberta e sair correndo pelo campo atrás de alguém. Não podia deixar Jake lá dentro, sozinho e abandonado.

Então fiquei ali parado por alguns segundos, o olhar fixo na escuridão do campo. O vulto — se é que eu tinha mesmo visto algo — havia desaparecido.

Eu *tinha* visto algo.

Fiquei ali mais um instante. E então voltei para dentro de casa, tranquei a porta e telefonei para a polícia.

TERCEIRA PARTE

Vinte e dois

É preciso dar crédito a quem merece: dez minutos depois do telefonema, dois policiais chegaram à minha porta. Depois disso, as coisas começaram a ir ladeira abaixo.

Eu precisava assumir alguma responsabilidade sobre o ocorrido. Eram quatro e meia da madrugada, eu estava exausto, assustado e confuso, e meu relato seria pobre em detalhes. Mas não havia como escamotear o papel de Jake no incidente.

Quando voltei para dentro de casa a fim de fazer a ligação, encontrei Jake ao pé da escada abraçando os joelhos, o rosto escondido. Eu tinha conseguido me acalmar o suficiente para acalmá-lo também, e então o carreguei até a sala, onde ele se encolheu no canto do sofá. E então se recusou a falar comigo.

Eu tinha feito o possível para esconder a frustração e o pânico que tomaram conta de mim. Mas acho que não fui bem-sucedido.

Nem quando os policiais se juntaram a nós, na sala, Jake mudou de posição. Eu me sentei ao lado dele, um tanto constrangido. Até naquele momento, eu sentia a distância que havia entre nós, e tenho certeza de que isso ficou evidente para a polícia. Os dois policiais — um homem e uma mulher — foram bastante educados e expressaram a devida preocupação e empatia, mas a mulher não parava de desviar o olhar para Jake, com curiosidade, e cheguei a desconfiar de que a apreensão por ela demonstrada não resultava exclusivamente do conteúdo do meu relato.

Mais tarde, o policial consultou as anotações que tinha feito.

— O Jake já teve algum episódio de sonambulismo antes?

— Já — falei —, mas não com frequência, e nunca foi a nenhum lugar além do meu quarto. Ele nunca tinha descido, como fez hoje.

Isso *se é* que estivesse sonâmbulo, é claro. Embora a perspectiva de que ele não estaria prestes a abrir a porta de modo consciente me trouxesse algum alento, eu sabia que não podia ter certeza disso. E, meu Deus! Se ele abrisse a porta movido por uma decisão consciente, o que isso não diria sobre a raiva que meu filho tinha de mim?

O policial fez mais uma anotação.

— E o senhor não tem condições de descrever o indivíduo que viu?

— Não. Ele já estava longe, do outro lado do campo, correndo a toda. Estava escuro, e eu não consegui enxergar direito.

— O porte? As roupas?

Sacudi a cabeça.

— Não, sinto muito.

— O senhor tem certeza de que era um homem?

— Tenho. A voz que eu ouvi à porta era de homem.

— Poderia ter sido a voz do Jake? — O policial olhou para meu filho.

Jake continuava encolhido ao meu lado, fitando um ponto perdido no espaço, como se fosse a única pessoa na face da Terra.

— Às vezes, as crianças falam sozinhas.

Um assunto no qual eu não queria tocar.

— Não — falei. — Havia alguém à porta, com toda certeza. Eu vi os dedos do homem levantando a portinhola da caixa de correio. Eu ouvi o sujeito. Era uma voz mais velha. Ele tentava convencer o Jake a abrir a porta... e ele ia abrir. Só Deus sabe o que teria acontecido se eu não tivesse acordado a tempo.

A realidade da situação pesou sobre mim naquele momento. Na minha mente, revi a cena e constatei que a coisa tinha chegado muito perto. Se eu não estivesse ali, Jake teria sido levado. Eu o imaginei desaparecido, a polícia sentada diante de mim por outro motivo, e me senti impotente. Apesar da minha frustração com o comportamento dele, eu queria envolvê-lo nos braços — protegê-lo e abraçá-lo. Mas eu sabia que isso não seria possível. Ele não permitiria, e nem haveria de querer uma reação dessas da minha parte naquela hora.

— Como foi que o Jake pegou as chaves?

— Eu deixo as chaves no meu escritório, mais adiante no corredor — falei, sacudindo a cabeça. — Um erro que eu não vou voltar a cometer.

— É uma boa ideia — disse o policial.

— E você, Jake? — A policial inclinou-se para a frente, sorrindo com ternura. — Você pode contar pra gente o que aconteceu?

Jake sacudiu a cabeça.

— Não pode? Por que você estava na porta, querido?

Ele deu de ombros, de um jeito quase imperceptível, e então pareceu se afastar um pouco de mim. A mulher reclinou-se para trás, ainda olhando para Jake, com a cabeça ligeiramente inclinada. Estava avaliando o menino.

— Teve outro homem — falei, de repente. — Ele veio aqui em casa ontem. Estava perambulando na porta da garagem, com uma atitude estranha. Quando o confrontei, ele disse que tinha crescido aqui nesta casa e que queria dar uma olhada.

O policial mostrou-se interessado nesse detalhe.

— Como foi que o senhor o confrontou?

— Ele veio aqui na porta.

— Ah, entendo — disse ele, e fez uma anotação. — O senhor pode descrevê-lo?

Eu o fiz, e ele anotou tudo. Mas era evidente que o sujeito que havia batido à nossa porta havia tornado o desenrolar da conversa muito menos interessante para ele. Além disso, tive dificuldade em expressar o quanto o outro homem tinha me perturbado. Fisicamente, não havia nada de ameaçador nele, mas, mesmo assim, ele me parecia um tanto perigoso.

— Neil Spencer. — Eu me lembrei.

O policial parou de escrever.

— Perdão?

— Acho que era esse o nome. A gente acabou de se mudar pra cá. Mas outro menino desapareceu, né? No começo do verão?

Os dois policiais se entreolharam.

— O que o senhor sabe sobre Neil Spencer? — indagou o homem.

— Nada. A professora do Jake mencionou o nome. Eu ia dar uma olhada on-line, mas a noite foi... agitada. — Não convinha relatar a discussão que Jake e eu tínhamos tido. — Eu fiquei trabalhando.

Mas, obviamente, também não convinha falar em trabalho, porque trabalhar significava escrever, e Jake tinha lido o que eu havia escrito. Senti que ele se encolheu ainda mais ao meu lado.

A frustração acabou comigo.

— Eu pensei que tudo isso fosse deixar vocês mais preocupados do que parecem estar — falei.

— Sr. Kennedy...

— Parece que vocês não acreditam em mim.

O homem sorriu. Mas foi um sorriso cauteloso.

— Não se trata de não acreditar, Sr. Kennedy. Mas só podemos trabalhar com os fatos que temos. — Ele olhou para mim, por um instante, me avaliando como sua colega tinha avaliado meu filho. — Nós levamos tudo a sério. Vamos registrar esse caso, mas, com base no que o senhor nos relatou, não há muita coisa a ser feita agora. Como eu disse, recomendo que o senhor mantenha as chaves fora do alcance do seu filho. Zele pela segurança do seu lar. Fique alerta. E não hesite em nos contatar, se vir algum intruso circundando a sua propriedade.

Sacudi a cabeça. Considerando o ocorrido — considerando que *alguém tinha tentado levar meu filho* —, a reação da polícia estava longe do ideal. Fiquei frustrado, e também irritado com Jake. Eu estava tentando ajudá-lo! Dentro de um minuto, a polícia iria embora, e então ficaríamos ele e eu de novo. Sozinhos. Incapazes de coabitar um com o outro.

— Sr. Kennedy? — disse a policial, educadamente. — São só o senhor e o Jake que moram aqui? A mãe dele mora em outro lugar?

— A mãe dele morreu.

Falei de um modo um tanto brusco, deixando escapar um pouco da minha irritação. A policial pareceu surpreendida pela minha resposta.

— Ah... eu sinto muito.

— É que... é difícil. E o que aconteceu hoje à noite. Eu fiquei assustado.

E naquele momento Jake voltou à vida, talvez impulsionado também por uma certa irritação. O que eu tinha escrito. O fato de eu ter acabado de falar, daquele jeito, que a mãe dele estava morta. Ele se recompôs e sentou-se ereto, finalmente olhando para mim, mas com o rosto inexpressivo. Quando falou, a voz saiu rouca, espectral, uma voz de alguém muito mais velho que ele.

— *Eu quero te assustar* — disse.

Vinte e três

Quando o despertador tocou, Pete se manteve imóvel por um instante, deixando que continuasse a tocar na mesa de cabeceira. Alguma coisa estava errada, e ele precisava se preparar. Então foi acometido por uma sensação de pânico ao se lembrar dos eventos da noite anterior. A visão do cadáver de Neil Spencer no terreno baldio. Depois, a corrida quase frenética para chegar em casa. E o peso alentador da garrafa em suas mãos.

O *clique*, no momento em que o lacre foi rompido.

E então...

Por fim, ele abriu os olhos. O sol matinal já estava forte, entrando pela fina cortina azul e formando uma nesga de luz no cobertor enrolado sobre seus joelhos. Em algum momento durante a noite, transpirando de calor, ele devia ter baixado a coberta, e agora o tecido embolado pesava e pressionava seus joelhos.

Ele virou a cabeça e olhou para a mesa de cabeceira.

A garrafa estava lá. O lacre tinha sido rompido.

Mas o conteúdo permanecia intacto, a garrafa totalmente cheia.

Pete se lembrava de haver ponderado a questão durante muito tempo, combatendo sem parar a vontade, que o atacava de vários ângulos, assediando tanto a ele quanto à voz que se recusava a ceder. Ele chegara a ponto de levar a garrafa e um copo até a cama. Resistindo até ali.

E, no fim das contas, tinha saído vitorioso.

Uma sensação de alívio percorreu seu corpo. Ele olhou para o copo. Antes de pegar no sono, havia colocado a foto de Sally em cima do copo. Mesmo depois de tudo o que tinha acontecido — dos horrores daquela noite —, aquela foto e aquelas lembranças tinham bastado para mantê-lo sóbrio.

Tentou não pensar no dia que o aguardava, nem nas noites que se seguiriam.

Já basta por enquanto.

Tomou uma chuveirada e o café da manhã. Mesmo sem ter bebido, sentia-se tão cansado que pensou em não ir à musculação. Uma reunião estava marcada para o início do expediente, e ele precisava estar preparado, precisava estar a par da investigação. Mas já se sentia mais do que familiarizado com aquele caso. Por mais que tentasse reagir com frieza ante a visão do corpo de Neil Spencer, era como apontar uma câmera fotográfica sem olhar pelo visor: a mente tirava a foto mesmo assim. Porém, se pretendia demonstrar competência e profissionalismo dali a duas horas, precisava se livrar de um pouco daquele horror.

Resolveu ir até a sala de musculação.

Depois, já mais calmo, foi para sua seção. Por alguns instantes, contemplou a pilha abençoada de uma papelada inócua. Em seguida, localizou o velho e maldito punhado de anotações de que precisava e dirigiu-se à sala de operações no andar de cima.

A calma diminuiu um pouco quando ele abriu a porta. Ainda faltavam dez minutos para o início da reunião, mas a sala já estava repleta de policiais. Ninguém falava; todos os semblantes se mostravam sombrios. A maioria dos homens e das mulheres ali presentes havia trabalhado naquele caso desde o começo, e, quaisquer que fossem as chances envolvidas, cada um deles havia mantido a esperança. Àquela altura, todos deviam saber o que tinha sido encontrado na noite anterior.

Até a data de hoje, uma criança estivera desaparecida.

Agora, uma criança estava morta.

Pete se recostou na parede do fundo da sala, ciente de que os olhares se voltavam para ele. Era compreensível. Embora seu envolvimento inicial naquele caso tivesse sido perto de zero, todos ali deviam saber que sua presença naquela sala não era uma simples coincidência. Pete viu o investigador-chefe Lyons sentado à frente da sala, olhando para trás, em sua direção. Houve um contato visual momentâneo, e Pete tentou decifrar a expressão estampada no rosto do outro. Tanto quanto na noite anterior, no terreno baldio, a fisionomia de Lyons era inexpressiva, o que dava asas à imaginação de Pete. Estaria Lyons desfrutando de uma estranha sensação de triunfo? Parecia injusto alimentar esse pensamento, mas era perfeitamente possível. Apesar da disparidade entre as trajetórias das carreiras dos dois, Pete sabia que Lyons sempre se ressentira do fato de ter sido ele, Pete, quem pegara Frank Carter. Essa ocorrência mais recente queria dizer que o caso, na realidade, jamais estivera encerrado. E lá estava Lyons, no comando de algo que talvez provasse ser um xeque-mate, com Pete reduzido à função de peão.

Ele cruzou os braços, fixou o olhar no chão e esperou.

Amanda chegou no minuto seguinte, atravessando com pressa o recinto apinhado, dirigindo-se à frente da sala. Mesmo recorrendo à visão periférica, Pete pôde constatar que ela estava tensa e cansada. As mesmas roupas da noite anterior, ele notou. Amanda tinha dormido em uma das suítes internas da delegacia ou, mais provavelmente, não tinha dormido nem um minuto. Quando se posicionou sobre uma pequena plataforma, era perceptível um ar desanimado e derrotado em seu semblante.

— Então, pessoal — disse ela —, vocês todos já souberam da notícia. Ontem à noite, recebemos a informação de que o corpo de uma criança tinha sido encontrado perto de Gair Lane. Policiais se deslocaram até lá e preservaram a integridade do local. A identidade da vítima ainda será confirmada, mas acreditamos se tratar de Neil Spencer.

Todos já sabiam disso; no entanto, Pete percebeu o abatimento que percorreu a sala. A temperatura emocional despencou. Entre os policiais ali reunidos, o silêncio, já absoluto, pareceu se tornar ainda mais intenso.

— E também acreditamos no envolvimento de um terceiro. O corpo apresenta um elevado número de ferimentos.

A voz de Amanda quase falhou ao dizer isso, e Pete notou que ela havia titubeado um pouco. A coisa estava pesada demais para ela. Em outras circunstâncias, a reação poderia ser interpretada como fraqueza, mas Pete sabia que não era o caso ali, naquele momento. Viu que ela se recompôs.

— Mas, obviamente, os detalhes sobre esse suposto envolvimento não serão divulgados por enquanto. O lugar está isolado, mas a imprensa já sabe que localizamos o corpo. E isso é tudo que vai saber, até entendermos o que está acontecendo.

Uma mulher de pé ao lado da parede meneou a cabeça. Pete reconheceu no gesto o tipo de ação que ele havia praticado na agonia do vício, ávido por um trago e tentando aguentar o sofrimento.

— O corpo foi removido da cena e uma autópsia será realizada hoje de manhã. O horário da morte foi estimado entre 15:00 e 17:00 de ontem. Supondo que o corpo seja mesmo de Neil Spencer, ele foi encontrado praticamente no mesmo local onde desapareceu, o que pode ser relevante. Também acreditamos que Neil foi morto em outro lugar, supostamente no cativeiro. Vamos torcer para que a perícia nos traga algum dado sobre a localização do cativeiro. Enquanto isso, vamos examinar as imagens de todas as câmeras de segurança da área. Vamos bater nas portas de todas as casas do bairro. Porque eu não vou admitir que esse monstro fique à solta nesta cidade. Não vou permitir mesmo.

Ela ergueu o olhar. Apesar da exaustão e da contrariedade evidentes, havia agora fogo nos olhos de Amanda.

— Todos nós aqui presentes... todos trabalhamos nessa investigação. E por mais preparados que estivéssemos, não foi esse o resultado que esperávamos. Portanto, serei absolutamente clara. A coisa não vai ficar assim. Estamos todos de acordo?

Pete olhou em redor, mais uma vez. Algumas reações de assentimento, aqui e ali; a sala voltava a dar sinal de vida. Ele admirava aquele sentimento e reconhecia a necessidade daquilo naquela hora, mas lembrava-se de ter feito preleções igualmente indignadas vinte anos atrás, e, embora acreditasse em suas próprias palavras à época, hoje sabia que as coisas não apenas empacavam, quer queira quer não, mas que às vezes perseguiam a pessoa para sempre.

— Fizemos tudo o que estava ao nosso alcance — disse Amanda aos presentes. — Não encontramos Neil Spencer vivo. Mas que ninguém se engane. Nós vamos pegar a pessoa que fez isso com ele.

E Pete sabia que ela acreditava no que estava dizendo, com a mesma paixão que ele sentira anos atrás. Porque tinha de ser assim. Quando algo terrível ocorre no turno de alguém, o único jeito de atenuar a dor é fazer o máximo possível para corrigir a situação. É pegar o responsável, antes que outras pessoas sejam vitimadas. Ou, pelo menos, tentar.

Nós vamos pegar a pessoa que fez isso.

Eu queria que fosse verdade.

Vinte e quatro

É impressionante a rapidez com que a vida volta ao normal quando não resta alternativa.

Depois que a polícia se retirou, decidi que não fazia o menor sentido Jake e eu voltarmos a dormir; o resultado foi que, por volta das 8:30, eu já me sentia meio morto de cansaço. Concentrei-me em preparar o café da manhã e aprontá-lo para a escola. Depois do que tinha acontecido, podia parecer absurdo, mas eu não tinha justificativa para mantê-lo em casa. Na verdade, considerando o comportamento de Jake mais cedo diante dos policiais, uma parte abominável minha não queria ficar perto dele naquele momento.

Enquanto ele comia o cereal, ainda se recusando a falar comigo, permaneci na cozinha, me servi de um copo d'água e bebi tudo em um gole só. Eu não sabia direito o que fazer nem como deveria me sentir.

Vistos sob a perspectiva de apenas algumas horas, os eventos da noite pareciam distantes e surreais. Eu tinha certeza do que tinha visto? Talvez eu tivesse apenas imaginado. Mas não, eu *tinha* visto. Um pai melhor — ou até um pai comum — teria conseguido fazer com que a polícia o levasse a sério. Um pai melhor teria um filho que falasse com ele, que não o boicotasse. Que seria capaz de perceber que eu só estava assustado e tentando protegê-lo.

Minha mão apertou o copo.

Você não é teu pai, Tom.

A voz baixinha de Rebecca em minha mente.

Nunca se esqueça disso.

Olhei para o copo vazio na minha mão. Eu o apertava com uma força excessiva. Aquela lembrança horrível voltou a mim — copo quebrando; minha mãe gritando —, e larguei o copo imediatamente, antes de me entregar a um fracasso ainda maior.

Às 8:45, Jake e eu caminhamos juntos até a escola, ele seguindo um pouco atrás de mim, ainda resistindo a qualquer tentativa de interação. Somente quando chegamos ao portão, ele falou comigo.

— Quem é Neil Spencer, papai?

— Não sei. — Apesar do assunto, foi um alívio ele ter se dirigido a mim. — Um menino daqui de Featherbank. Acho que ele desapareceu no começo desse ano; lembro que li alguma coisa sobre o caso. Ninguém sabe o que aconteceu com ele.

— O Owen falou que ele morreu.

— Esse Owen parece ser um ótimo garoto.

Ficou claro que Jake pensou em acrescentar algum comentário, mas então mudou de ideia.

— Ele falou que eu estava sentado na cadeira do Neil.

— Que bobagem. A sua vaga na escola não foi por causa desse menino que desapareceu. Alguém se mudou de casa, como a gente se mudou — falei, franzindo o cenho. — E, em todo caso, a sala de aula das crianças da série passada era outra, né?

Jake me olhou com curiosidade.

— Vinte e oito — disse ele.

— Vinte e oito... o quê?

— Vinte e oito crianças — disse ele. — Comigo são vinte e nove.

— Isso mesmo. — Eu não fazia ideia se isso seria verdade, mas aguentei firme. — Eles têm turmas com trinta alunos aqui. Então, onde quer que o Neil esteja, a cadeira dele está sobrando, reservada.

— Você acha que ele *vai* voltar?

Entramos no pátio.

— Não sei, parceiro.

— Posso te dar um abraço, papai?

Olhei para ele. Pela expressão estampada em seu rosto, era como se a noite passada e aquela manhã jamais tivessem acontecido. Mas ele só tinha sete anos. As discussões sempre eram resolvidas no tempo e nos termos dele. Naquele momento, eu estava cansado demais para não aceitar isso.

— Claro que pode.

— Porque mesmo quando a gente discute...

— A gente se ama. Muito.

Eu me ajoelhei e tive a sensação de que o forte abraço me revigorou um pouco. Que um abraço como aquele, de vez em quando, me empurrava para a frente. E então ele entrou, passando pela Sra. Shelley, sem sequer olhar para trás. Saí portão afora, torcendo para que Jake não se envolvesse em mais encrencas naquele dia.

Mas se ele se envolvesse...

Bem, teria se envolvido.

Deixe o menino ser ele mesmo.

— Oi.

Eu me virei e vi Karen logo atrás de mim, apertando as passadas para me alcançar.

— Oi — falei. — Tudo bem?

— Estou precisando de algumas horas de paz e silêncio.

Ela agora andava par e passo comigo.

— Como o Jake se saiu ontem?

— Foi parar no sinal amarelo — falei.

— Não tenho a menor ideia do que isso quer dizer.

Expliquei para ela o sistema do semáforo. Depois dos eventos da noite anterior, a gravidade e a suposta seriedade da coisa me pareceram tão bobas que quase acabei rindo.

— Isso me parece uma porra de uma maldade sem tamanho — disse ela.

— Foi o que pensei.

Eu me perguntei se haveria algum momento específico em que pais que se conheciam na entrada da escola desistiam de manter um certo grau de dissimulação e passavam a falar palavrão como pessoas normais. Se houvesse, eu me sentia feliz por ter ultrapassado esse momento.

— Mas esse tipo de coisa também funciona como uma medalha de honra — disse ela. — Ele vai fazer inveja aos coleguinhas. O Adam falou que eles ainda não tiveram chance de brincar juntos.

— O Jake falou que o Adam é legal — menti.

— Ele disse também que o Jake falou sozinho um pouco.

— É... ele faz isso às vezes. Amigos imaginários.

— Certo — disse Karen. — Eu entendo perfeitamente. Alguns dos meus melhores amigos são imaginários. Estou brincando, é claro. Mas o Adam teve uma fase assim, e tenho certeza de que eu também passei por isso, quando criança. Você deve ter passado também.

Franzi o cenho. De repente, uma lembrança me voltou à mente.

— O Senhor da Noite — falei.

— Como?

— Meu Deus! Fazia anos que eu não me lembrava dele. — Passei a mão no cabelo. Como pude esquecer? — É... eu tive um amigo imaginário. Quando criança, eu dizia pra minha mãe que alguém entrava no meu quarto à noite e me abraçava. *O Senhor da Noite*. Era assim que eu chamava ele.

— É... uma coisa dessa é bem apavorante. Mas as crianças sempre falam coisas que assustam. Tem um monte de sites na internet dedicados a isso. Você deveria escrever isso e enviar para eles.

— Talvez eu faça isso. — Mas me lembrei de outra coisa. — O Jake tem falado umas coisas estranhas ultimamente. "Se a porta aberta você deixar, o sussurro por ela vai entrar." Você já ouviu esse versinho?

— Hmmm. — Karen refletiu. — Soa ligeiramente familiar; com certeza já ouvi isso em algum lugar antes. Acho que é um daqueles versinhos que as crianças falam quando estão no pátio.

— Certo. Vai ver que foi lá que ele aprendeu, então.

Mas não teria sido *naquele* pátio, obviamente, pois Jake recitara o verso na véspera do primeiro dia de aula. Talvez fosse algum versinho famoso junto à criançada, algo que eu desconhecia — algo aprendido em algum daqueles programas de televisão que eu sintonizava para ele e depois saía de perto, sem dar a menor importância.

Suspirei.

— Só espero que o dia dele seja melhor hoje. Estou preocupado com ele.

— Isso é natural. O que a sua esposa acha?

— Ela morreu no ano passado — falei. — Ele não deve estar lidando bem com essa questão. O que é compreensível, acho.

Karen ficou calada por um instante.

— Sinto muito.

— Obrigado. Não sei como *eu* estou lidando com essa questão, pra ser sincero. Nunca sei se estou sendo um bom pai ou não. Se estou fazendo o melhor que posso por ele.

— Isso também é natural. Tenho certeza de que você faz o melhor que pode.

— Talvez a verdadeira questão seja se o meu melhor é suficiente.

— Mais uma vez, tenho certeza de que é.

Ela parou e enfiou as mãos nos bolsos. Tínhamos chegado a um cruzamento e era evidente, considerando nossa linguagem corporal, que ela seguiria em frente, ao passo que eu viraria à direita.

— Seja como for — disse ela —, pelo jeito, vocês dois têm passado por maus pedaços. Por isso eu acho... e você nem pediu a minha opinião, eu sei, mas... foda-se... que talvez você deva se cobrar menos?

— Talvez.

— Um pouco menos, que seja?

— Talvez.

— Falar é fácil, eu sei. — Ela se recompôs, deixando escapar um sonoro suspiro. — Em todo caso, a gente se vê mais tarde. Tenha um bom dia.

— Você também.

No caminho de casa, fiquei pensando no que ela tinha dito. *Talvez você deva se cobrar menos.* Provavelmente havia nisso alguma verdade, pois, afinal, eu estava tentando sobreviver, tanto quanto qualquer outra pessoa, não é mesmo? Tentando fazer o meu melhor.

Mas, quando cheguei em casa, fiquei zanzando pelo andar de baixo, sem saber o que fazer. Mais cedo, pensei que seria bom dispor de um tempo sem a presença de Jake. Agora, com a casa vazia e silenciosa, eu ansiava por tê-lo o mais perto possível.

Porque precisava zelar por sua segurança.

E eu *não tinha* antecipado o que havia ocorrido na noite anterior.

Essa constatação trouxe consigo uma onda de pânico. Se a polícia não nos ajudaria, eu teria de agir por conta própria. Andando pelos cômodos vazios, tive uma sensação de desespero — uma necessidade urgente de fazer algo, mesmo sem saber o quê. Acabei indo ao meu escritório. O laptop tinha permanecido ligado a noite inteira. Toquei no mouse e a tela se iluminou, exibindo letras.

Rebecca...

Ela saberia o que fazer naquele momento; ela sempre sabia. Eu a imaginei sentada de pernas cruzadas no chão com Jake, brincando toda animada com os brinquedos diante dos dois. E também deitada no velho sofá, lendo para um Jake com a cabeça embaixo do queixo da mãe, os dois corpos tão colados que pareciam formar uma única pessoa. Sempre que ele chamava no meio da noite, Rebecca já estava a caminho de atendê-lo enquanto eu ainda acordava. E era sempre pela mãe que ele chamava.

Deletei as palavras que havia escrito no dia anterior e digitei três novas frases.

Estou com saudade.

Sinto que estou fracassando com nosso filho e não sei o que fazer.

Me desculpe.

Contemplei a tela por um instante.

Chega.

Chega de choramingar. Por mais difícil que fosse, minha missão era cuidar do meu filho, e se o meu melhor não era suficiente, eu precisava me superar.

Voltei até a porta da rua. Ali havia uma tranca e uma corrente, mas era óbvio que aquilo não bastava. Portanto, eu haveria de instalar um ferrolho a uma altura que Jake não pudesse alcançar. Detectores de movimento ao pé da escada. Dava para fazer isso tudo. Nada disso era inviável, apesar do que minhas dúvidas me diziam.

Mas tinha outra coisa que eu poderia fazer primeiro, e então me voltei para a pilha de correspondência que estava na escada, atrás de mim. Mais duas cartas tinham chegado endereçadas a Dominic Barnett, ambas avisos de pagamentos em atraso. Levei-as ao escritório, fechei o Word no laptop e abri o navegador da internet.

Vejamos quem você é, Dominic Barnett.

Eu não sabia ao certo o que esperava descobrir on-line. Uma página no Facebook, talvez — algo com uma fotografia que me esclarecesse se Barnett era o homem que estivera à minha porta no dia anterior — ou, pelo menos, algum endereço que eu pudesse averiguar no mundo real. Qualquer coisa que pudesse me ajudar a proteger Jake e entender o que diabo estava acontecendo na minha casa.

Logo na primeira busca, descobri uma foto. Dominic Barnett não era meu visitante misterioso. Era mais jovem, e tinha uma vasta cabeleira preta. Mas a foto não estava inserida em uma rede social.

Em vez disso, a imagem apareceu ao lado de uma notícia arrolada no topo da página de busca: POLÍCIA CONSIDERA HOMICÍDIO A MORTE DE UM CIDADÃO LOCAL. O escritório girou em volta de mim. Fitei as palavras até que elas começaram a perder o significado. A casa estava quieta, e tudo o que eu ouvia eram as batidas do meu coração.

E então...

Crac.

Olhei para o teto.

Aquele barulho de novo, o mesmo de antes, como se alguém tivesse dado um passo no quarto de Jake. Eu me arrepiei ao lembrar do que tinha acontecido na noite anterior — da figura que imaginei ter visto ao pé da minha cama, com o cabelo de lado, fazendo lembrar a menina que Jake desenhara. Da sensação de alguém puxando meu pé.

Acorde, Tom.

Porém, ao contrário do sujeito à minha porta, aquilo tinha sido fruto da minha imaginação. Afinal, eu estava meio que dormindo. Tinha sido apenas o resquício de um pesadelo do passado, atiçado pelo medo do presente.

Não havia nada na minha casa.

Decidido a parar de pensar naquele barulho, eu me forcei a abrir o artigo.

POLÍCIA CONSIDERA HOMICÍDIO A MORTE DE UM CIDADÃO LOCAL

A polícia informa que está considerando homicídio a morte de Dominic Barnett, cujo corpo foi encontrado em um matagal, terça-feira passada.

Barnett, 42, residente à Rua Garholt, em Featherbank, foi descoberto à margem de um córrego por crianças que brincavam na Reserva Hollingbeck.

Hoje, o investigador-chefe Lyons informou à imprensa que Barnett morreu em consequência de ferimentos "graves" na cabeça. Vários motivos possíveis para o ataque estão sendo analisados, mas itens recolhidos na cena sugerem que não foi latrocínio.

"Eu quero aproveitar essa oportunidade para tranquilizar a população", declarou Lyons. "Barnett era conhecido da polícia, e acreditamos se tratar de um caso isolado. Mesmo assim, aumentamos o patrulhamento na área, e pedimos a quem tiver alguma informação relevante que se apresente imediatamente."

Reli a notícia, e meu pânico aumentou. Pelo endereço, não restava dúvida de que aquele era o Dominic Barnett certo. Ele havia residido naquela casa. Talvez costumasse se sentar exatamente onde eu estava agora, ou dormisse no quarto hoje ocupado por Jake.

E tinha sido morto em abril desse ano.

Tentando manter a calma, busquei mais artigos. Os fatos, um tanto esparsos, surgiam aos poucos, muitos deles nas entrelinhas. *Barnett era conhecido da polícia.* A frase era cautelosa, mas a implicação parecia ser que ele se envolvera com drogas, ou algo assim, e que essa seria a motivação do assassinato. A Reserva Hollingbeck ficava ao sul de Featherbank, do outro lado do rio. A razão da presença de Barnett no local era desconhecida. A arma usada no homicídio foi recuperada uma semana depois, e então, gradualmente, as reportagens foram diminuindo. Com base no que descobri on-line, o assassino nunca tinha sido encontrado.

O que significava que ainda estava à solta.

Essa constatação trouxe consigo uma sensação terrível. Eu não sabia o que fazer. Chamar a polícia de novo? O que eu tinha descoberto não acrescentava muito ao que já havia relatado. Resolvi que chamaria a polícia, porque precisava fazer *alguma coisa*. Mas primeiro eu precisava obter mais informações.

Após alguma ponderação, e com as mãos trêmulas, examinei a papelada relativa à aquisição da casa, encontrei o endereço que procurava, e então peguei minhas chaves. As providências a serem tomadas com a segurança teriam de esperar um pouco mais. Havia uma pessoa capaz de me prestar mais informações sobre Dominic Barnett, e decidi que estava na hora de falar com ela.

Vinte e cinco

Sempre acaba onde começa, Amanda pensou.

Estava examinando as gravações das câmeras de segurança posicionadas no entorno do terreno baldio, e não pôde deixar de lembrar que dois meses antes examinara imagens daquelas mesmas ruas. Naquela ocasião, a esperança era ver alguém sequestrando Neil Spencer. Agora, procurava alguém trazendo o corpo do menino de volta ao local. Mas, até o momento, o resultado de ambas as verificações tinha sido igualmente infrutífero.

Nada.

Ainda era cedo, ela falou com seus botões — mas o pensamento se esvaiu como cinzas em sua cabeça. Já era tarde demais, inclusive para o próprio Neil Spencer. A mente de Amanda voltava continuamente à visão do corpo do menino, embora ficar pensando nos horrores que tinha visto na noite anterior — na sua incapacidade de encontrar Neil a tempo — não ajudasse em nada. Em vez disso, o que ela precisava fazer era se concentrar no trabalho. Um passo de cada vez. Um detalhe de cada vez. Era assim que eles, finalmente, pegariam o filho da mãe que fizera aquilo com o menino.

Mais uma visão da cena.

Ela sacudiu a cabeça, e então olhou para o fundo da sala onde Pete Willis trabalhava em silêncio à mesa que lhe fora designada. Quando teve a oportunidade de se sentar um pouco, Amanda se surpreendeu lançando olhares furtivos em direção a Pete. Em dados momentos, ele pegava o telefone e fazia uma chamada; no restante do tempo, mantinha a atenção inteiramente focada nas fotos e na papelada dispostas à sua frente. Frank Carter sabia de alguma coisa, e Pete examinava registros de visitas que Carter recebera de conhecidos e parceiros na cadeia, tentando descobrir se algum deles poderia ser responsabilizado por levar informações do mundo exterior. Mas era o próprio Pete que agora a fascinava.

Como ele conseguia se manter tão *calmo*?

Mas ela sabia que ele também sofria, no fundo. Amanda se lembrava do estado dele no dia anterior, após a visita a Frank Carter, e no terreno baldio à noite. Se ele parecia agora um tanto absorto era apenas porque estava se distraindo do mesmo jeito que ela tentava se distrair. E se ele conseguia fazê-lo, era simplesmente porque era muito mais experiente que ela.

Amanda queria perguntar a ele qual era o segredo.

Em vez disso, obrigou-se a se concentrar na análise das gravações, mesmo sabendo, no fundo, que não daria em nada, a exemplo do que ocorrera dois meses antes, quando sua equipe identificara e descartara os indivíduos cujas imagens tinham sido captadas pelo pequeno conjunto de câmeras existentes na localidade. Era um trabalho frustrante. Quanto maior era o tempo dedicado à análise, menor era a sensação de progresso. Mas era necessário.

Ela continuou observando as imagens um tanto nebulosas. Quadros paralisados que exibiam homens, mulheres e crianças. Todos precisavam ser entrevistados, ainda que nenhum deles tivesse presenciado nada relevante. O homem procurado era esperto demais para deixar pistas. E o mesmo procedimento seria adotado com os veículos. A certeza demonstrada durante a reunião tinha sido sincera, e, em parte, Amanda ainda alimentava sua convicção, mas no fundo sabia que estavam todos impotentes. Não era difícil dirigir por Featherbank esquivando-se das câmeras de segurança. Sobretudo se a pessoa soubesse o que estava fazendo.

No bloco de notas, ela registrou esse pensamento.

Conhecimento da localização das câmeras?

Mas a verdade era que ela já fizera aquela anotação dois meses antes. A história se repetia.

Sempre acaba onde começa.

Frustrada, largou a caneta, e então se levantou e foi até a mesa onde Pete trabalhava tão concentrado que nem notou sua aproximação.

A impressora ao lado dele reproduzia um fluxo contínuo de fotografias — imagens de visitantes que tinham comparecido à penitenciária. Pete examinava tais imagens em relação a detalhes captados na tela e fazia anotações no verso de cada uma. Sobre a mesa havia também um velho recorte de jornal. Amanda inclinou a cabeça para ler a manchete.

— "Casamento na Prisão para o Canibal de Coxton"? — disse ela.

Pete deu um pulo.

— O quê?

— Esse artigo. — Ela releu a manchete. — O mundo sempre me surpreende. Geralmente, com o que há de pior.

— Ah... é. — Pete apontou para as fotos que estava compilando. — E esses aqui são todos os que visitaram ele. Seu nome verdadeiro é Victor Tyler. Vinte e cinco anos atrás, ele sequestrou uma menina. Mary Fisher.

— Eu me lembro dela — disse Amanda.

As duas tinham praticamente a mesma idade. Embora Amanda não se recordasse do rosto da menina, o nome foi logo associado a histórias sinistras e imagens desfocadas publicadas em velhos jornais. Vinte e cinco anos. Incrível que já tivesse transcorrido tanto tempo, e que as pessoas logo desaparecessem no passado e fossem esquecidas pelo mundo.

— É provável que hoje ela já estivesse casada — disse Amanda. — Isso não é justo, né?

— Não. — Pete retirou da impressora outra foto e examinou a tela por um instante. — Tyler se casou há quinze anos. Louise Dixon. É inacreditável, mas ainda estão casados. Não passaram uma noite sequer juntos, é claro. Mas você sabe como essas coisas são. O fascínio que esse tipo de homem às vezes exerce.

Amanda fez que sim. Criminosos encarcerados, até mesmo os piores, costumam ter correspondentes no mundo exterior. Para um determinado tipo de mulher, são como um afrodisíaco. *Ele não fez aquilo*, elas acreditam. Ou então, ele agora mudou — ou, ainda, acham que conseguirão recuperar o sujeito. É possível que algumas dessas mulheres até gostem da sensação de perigo. Isso não fazia o menor sentido para ela, mas era bem assim mesmo.

Pete fez uma anotação no verso da foto, colocou-a de lado e pegou outra.

— E o Carter tem amizade com esse cara? — perguntou ela.

— O Carter foi o padrinho do casamento dele.

— Bem, deve ter sido uma cerimônia linda. Quem celebrou o casamento? Satanás em pessoa?

Mas Pete não respondeu. Em vez de olhar para a tela, concentrava-se na fotografia que acabara de manusear. Mais um visitante de Tyler, ela supôs, mas aquele tinha captado totalmente a atenção do colega.

— Quem é esse aí?

— Norman Collins. — Pete ergueu os olhos, encarando--a. — Eu conheço ele.

— Vai falando.

Pete prestou as informações básicas. Norman Collins era um residente local interrogado durante a investigação, vinte anos atrás, não por haver qualquer prova concreta contra ele, mas em decorrência de seu comportamento. A julgar pela descrição feita por Pete, Collins seria um daqueles babacas malucos que às vezes fazem questão de se envolver em investigações. A polícia era treinada para saber detectá-los. Figuras assim costumam aparecer em coletivas de imprensa e enterros. Costumam xeretar conversas e fazer perguntas demais. Costumam demonstrar muito interesse, ou simplesmente aparentavam ter algo de errado com eles. E embora tal conduta fosse doentia, ou mesmo repugnante, era também bastante típica de homicidas.

Mas, aparentemente, não era o caso de Collins,

— A gente não tinha nada contra ele — disse Pete. — Menos do que nada, na verdade. Ele tinha álibis sólidos diante de todos os sequestros. Nenhuma ligação com as crianças nem com as famílias. Não tinha ficha corrida. No fim das contas, ele ocupou só um pé de página no caso.

— Mas você se lembra dele.

Pete voltou a examinar a foto.

— Nunca fui com a cara dele — falou.

Aquilo provavelmente não resultaria em nada, e Amanda não queria alimentar novas esperanças; porém, embora método e ponderação fossem recomendados, havia também a questão do instinto. Se Pete se lembrava daquele sujeito, alguma coisa teria deflagrado a lembrança.

— E agora ele aparece de novo — disse ela. — A gente tem algum endereço?

Pete digitou algo no teclado.

— Tem. Ele continua morando no mesmo lugar.

— Certo. Vá até lá e tenha uma conversa com ele. É provável que não dê em nada, mas precisamos descobrir por que ele visitou o Victor Tyler.

Pete olhou para a tela por mais um instante, assentiu e se levantou.

Amanda atravessou a sala. A sargento Stephanie Johnson a alcançou antes que ela chegasse à sua mesa.

— Senhora?

— Por favor, não me chame de senhora, Steph. Parece que sou a avó de alguém. Algum resultado dos questionamentos de porta em porta?

— Ainda não. Mas você queria ser informada sobre relatos de pais preocupados? Informações sobre supostos olheiros, ou coisa desse tipo?

Amanda fez que sim. A mãe de Neil tinha deixado de prestar esse tipo de informação, e Amanda não queria repetir o erro.

— Tivemos uma ocorrência hoje de madrugada — disse Steph. — Um homem telefonou pra dizer que alguém apareceu do lado de fora da casa e ficou falando com o filho dele.

Amanda esticou o braço por cima da mesa de Steph e girou a tela do computador para ler os detalhes. O menino em questão tinha sete anos. Aluno da Escola Rose Terrace. Um homem à porta da frente da casa supostamente falando com a criança. Mas o registro mencionava também que o menino vinha demonstrando comportamento estranho e, nas entrelinhas, ficava evidente que os policiais que atenderam ao chamado não tinham certeza de que o relato tivesse fundamento.

Talvez ela devesse falar com os dois policiais sobre o assunto.

Amanda se afastou da mesa, e então atravessou a sala, olhando à sua volta com a cara fechada. Avistou o sargento John Dyson. Haveria de ser ele mesmo — o preguiçoso, filho da mãe, estava sentado atrás de uma pilha de papéis, mexendo no celular. Quando ela se aproximou e estalou os dedos diante do rosto dele, Dyson deixou o aparelho cair no colo.

— Venha comigo — disse ela.

Vinte e seis

Até a residência da Sra. Shearing, a mulher que me vendera nossa nova casa, foram dez minutos de carro.

Estacionei em frente a um imóvel de dois andares, com um telhado pontiagudo e uma entrada de veículos pavimentada, isolada do calçamento externo por uma grade metálica da qual pendia uma caixa de correio preta. Aquele bairro de Featherbank era bem mais chique do que o que Jake e eu estávamos habitando, na casa da qual a Sra. Shearing fora proprietária e senhoria durante anos.

E, segundo constava, Dominic Barnett fora seu inquilino.

Enfiei a mão pelo gradil e abri o ferrolho do portão. No momento em que empurrei o portão, um cachorro começou a latir furiosamente dentro da casa, e o barulho se intensificou à medida que me aproximei da porta da frente, toquei a campainha e aguardei. Ao segundo toque, a Sra. Shearing abriu a porta, mas manteve a corrente passada, e espiou pela fresta. O cão estava atrás dela: um Yorkshire Terrier diminuto, enfurecido, que não parava de latir para mim. O pelo era mesclado de cinza, e o animal parecia ser quase tão idoso e frágil quanto a dona.

— Pois não?

— Oi — falei. — Lembra de mim, Sra. Shearing? Eu sou o Tom Kennedy. Comprei a sua casa há algumas semanas. A gente se encontrou algumas vezes, quando eu vim ver a casa. Meu filho e eu.

— Ah, foi. É claro. Shhh, Morris. Pra trás! — Morris era o cachorro. Ela ajeitou o vestido e voltou-se para mim. — O senhor me desculpe, ele é meio excitável. O que o senhor deseja?

— É sobre a casa. Será que eu posso conversar com a senhora sobre um de seus ex-inquilinos?

— Entendo.

Ela pareceu um pouco constrangida, como se tivesse um bom palpite sobre quem seria esse tal inquilino e preferisse se poupar. Resolvi esperar calado. Passados alguns segundos de silêncio, a civilidade venceu as reservas, e ela removeu a corrente da porta.

— Entendo — repetiu ela. — Então, é melhor o senhor entrar.

Quando entrei, ela se mostrou um tanto aflita, ajeitando a roupa e o cabelo, e pedindo desculpas pelo estado da casa. Quanto a isso, não havia necessidade, pois a residência era suntuosa e impecável, com um hall do tamanho da minha sala, e uma escada circular, feita de madeira, dando acesso ao andar superior. Segui a Sra. Shearing até uma aconchegante sala de estar, enquanto Morris, todo entusiasmado, corria em volta dos meus calcanhares. Dois sofás e uma poltrona ladeavam uma lareira, vazia e imaculada, e havia armários ao longo de uma das paredes, dentro dos quais se viam peças de cristal através de portas de vidro. Quadros pelas paredes exibiam cenas campestres e de caça. A janela da frente estava coberta por uma luxuosa cortina vermelha, fechada, mantendo a sala indevassável.

— A senhora tem uma bela casa — falei.

— Obrigada. É grande demais para mim, na verdade, ainda mais depois que meus filhos saíram de casa e o Derek... Deus o tenha... faleceu. Mas agora estou velha demais pra me mudar. Uma moça vem uma vez por semana para fazer uma faxina. É um luxo, mas o que eu posso fazer? Por favor, sente-se.

— Obrigado.

— O senhor aceita um chá? Um café?

— Não, eu estou bem.

Eu me sentei.

O sofá era rígido, duro.

— Vocês já estão devidamente acomodados? — perguntou ela.

— Estamos bem.

— É muito bom ouvir isso. — Ela sorriu, afetuosamente. — Eu cresci naquela casa, o senhor sabe, e sempre quis que ela acabasse nas mãos de uma boa pessoa. Uma família decente. O seu filho... o Jake... se bem me lembro... como vai ele?

— Ele começou o ano letivo.

— Na Rose Terrace?

— Sim, senhora.

O mesmo sorriso, mais uma vez.

— É uma ótima escola. Estudei lá quando era criança.

— Tem algum desenho seu naquelas paredes?

— Tem, sim — assentiu ela, com orgulho. — Um vermelho e um azul.

— Que bom. A senhora disse que cresceu na Rua Garholt?

— Foi. Depois que os meus pais morreram, o Derek e eu ficamos com a casa, como investimento. A ideia partiu do meu marido, mas não foi difícil me convencer. Eu sempre gostei daquela casa. Muitas lembranças, o senhor sabe?

— Claro. — Pensei no sujeito que tinha aparecido à minha porta, e tentei fazer uns cálculos. Ele parecia ser bem mais jovem do que a Sra. Shearing, mas não era impossível. — A senhora tem algum irmão mais moço?

— Não, sou filha única. Talvez por isso eu sempre tenha tido tanto apego por aquela casa. Era a *minha* casa, o senhor entende? Só minha. Eu adorava a casa. — Ela fez uma leve careta. — Quando eu era menina, os meus amigos tinham um pouco de medo dela.

— Medo, por quê?

— Ah, ela é esse tipo de casa, sabe? Parece meio estranha, né?

— Acho que sim. — Karen me dissera algo semelhante no dia anterior. Repeti o que dissera a ela, embora, francamente, as palavras começassem a parecer vazias. — Tem personalidade.

— Isso mesmo! — A Sra. Shearing reagiu satisfeita. — É isso mesmo que eu sempre pensei. E é por isso que estou contente em saber que ela está segura e em boas mãos agora, mais uma vez.

Engoli em seco, porque a casa não me parecia nada segura. Então, conforme eu já desconfiava, aquele homem que aparecera à porta, fosse ele quem fosse, tinha mentido quando disse que crescera na casa. E fiquei surpreso com as palavras dela. Segura e em boas mãos *agora.* Queria que a casa *acabasse* nas mãos de uma boa pessoa.

— A casa não esteva segura e em boas mãos antes?

Ela voltou a aparentar um certo desconforto.

— Para falar a verdade, não. Digamos que não fui abençoada com os melhores inquilinos no passado. Mas é tão difícil saber, né? As pessoas podem parecer perfeitamente agradáveis num primeiro momento. E nunca tive motivos concretos para reclamar. Eles pagavam o aluguel em dia. Cuidavam bem da propriedade...

Ela interrompeu a própria fala, como se não fosse capaz de identificar os problemas em si, e preferisse deixar pra lá. Embora ela pudesse se dar ao luxo de deixar para lá, eu não podia.

— Mas?

— Ah, sei lá. Nunca tive nada concreto contra nenhum deles; se tivesse, não teria hesitado em agir. Eram apenas suspeitas. De que, às vezes, houvesse outras pessoas morando na casa.

— Que os inquilinos estivessem sublocando quartos?

— É... e também que coisas repulsivas pudessem estar ocorrendo por lá. — Ela fez uma careta. — Muitas vezes, quando entrava na casa, eu sentia um cheiro estranho... mas, é claro, hoje em dia não se pode mais entrar numa casa alugada sem hora marcada. O senhor acredita? Hora marcada pra entrar numa casa que é nossa propriedade. Tendo que avisar com muita antecedência. A única vez que cheguei lá sem hora marcada, ele não me deixou entrar.

— O Sr. Dominic Barnett?

Ela hesitou.

— É... ele mesmo. Embora o inquilino antes dele não fosse nada melhor. Acho que tive um período de azar com aquela casa.

Azar esse que a senhora passou para mim.

— A senhora sabe o que aconteceu com Dominic Barnett, né? — perguntei.

— Sei, é claro. — Ela baixou o olhar e contemplou as próprias mãos, apoiadas delicadamente sobre o colo, mantendo-se calada por um instante. — E foi terrível. Um destino que eu não desejaria a ninguém. Mas, pelo que tenho ouvido, ele circulava com gente perigosa.

— Drogas — falei, bruscamente.

Mais um momento de silêncio. Em seguida, ela suspirou, como se estivéssemos falando sobre aspectos do mundo que lhe fossem totalmente alheios.

— Nunca houve provas de que ele estivesse vendendo droga na minha propriedade. Mas, é... foi uma coisa muito triste. E acho que eu poderia ter procurado outro inquilino, depois que ele morreu, mas agora estou velha, e resolvi não alugar mais. Decidi que estava na hora de vender a casa e dar um basta. Assim eu poderia dar à minha velha casa uma chance com outra pessoa. Alguém que pudesse se sair melhor com ela do que eu.

— Jake e eu.

— Exatamente! — Ela se iluminou. — O senhor e seu lindo menino! Eu tive propostas melhores, mas hoje em dia dinheiro não é importante pra mim, e vocês dois me pareceram as pessoas certas. Eu queria que a minha velha casa fosse parar nas mãos de uma família jovem, pra voltar a ter outra criança brincando por lá. Eu queria que a casa acabasse cheia de luz e amor de novo. Cheia de cor, do jeito que era quando eu era menina. Estou muito satisfeita em saber que vocês dois estão felizes lá.

Recostei-me.

Jake e eu *não estávamos* felizes lá, obviamente, e eu nutria uma certa indignação com a Sra. Shearing. Eu achava que ela deveria ter me informado sobre o histórico da casa. Mas ela parecia sinceramente contente, como se pensasse, de fato, ter feito a coisa certa, e eu compreendia a motivação dela ao escolher a mim e a Jake como compradores do imóvel, em vez de...

E então, franzi o cenho.

— A senhora disse que teve propostas melhores?

— Ah, tive... bem melhores, na verdade. Um sujeito estava disposto a pagar bem mais do que o preço fixado. — Ela torceu o nariz e sacudiu a cabeça. — Mas eu não gostei dele, nem um pouco. Ele me fez lembrar os outros. E foi insistente, o que me incomodou ainda mais. Não gosto de ser pressionada.

Voltei a me inclinar para a frente.

Alguém esteve disposto a pagar bem mais do que o preço fixado pela casa, e a Sra. Shearing recusara a proposta. O sujeito tinha sido insistente, mandão. E havia algo estranho com ele.

— Esse homem — falei, com cautela —, como ele era? Ele era baixinho? Calvo no topo da cabeça e com cabelo grisalho por aqui?

Fiz um gesto, apontando para minha própria cabeça, mas ela já assentia.

— É esse mesmo. Sempre muito bem-vestido.

E ela fez outra careta, como se, tanto quanto eu, não tivesse se deixado enganar por aquele verniz de respeitabilidade.

— Collins — disse ela. — Norman Collins.

Vinte e sete

De volta à casa, estacionei e fiquei olhando a entrada de veículos.

Eu vinha pensando — ou tentando pensar, pelo menos. A sensação era de que fatos, pensamentos e explicações circulavam em minha mente feito pássaros, visíveis, mas muito velozes para serem capturados.

O sujeito que viera bisbilhotar chamava-se Norman Collins. Apesar do que dissera, não havia crescido naquela casa; no entanto, por alguma razão, com o objetivo de comprar o imóvel, dispusera-se a pagar bem mais do que o preço fixado. Obviamente, a propriedade tinha para ele algum significado.

Mas, qual seria esse significado?

Continuei olhando a entrada de veículos e contemplando a garagem.

Collins estivera xeretando ali quando o surpreendi. Naquela garagem, entulhada de trastes removidos da casa antes que eu me mudasse — itens que, supostamente, tinham pertencido a Dominic Barnett. Teria sido Collins, na noite anterior, tentando convencer Jake a abrir a porta? Se assim fosse, talvez Jake não estivesse correndo perigo, e Collins só quisesse pegar alguma coisa.

A chave da garagem, talvez.

Mas meus pensamentos não avançavam daquele ponto. Saí do carro e fui até a garagem, destranquei o cadeado, abri uma das portas e a prendi com uma velha lata de tinta.

Entrei.

A bagulhada estava toda lá, é claro: a mobília velha; o colchão sujo; as pilhas de caixas de papelão bem no meio.

Olhando para a direita, vi que a aranha seguia tecendo sua teia, cercada agora por mais fragmentos do que antes. Borboletas supostamente devoradas e transformadas em pequenos emaranhados de fios.

Olhei à minha volta. Uma das borboletas permanecia delicadamente empoleirada na janela. Outra, erguendo e baixando as asas devagar, estava pousada na lateral de uma caixa que continha enfeites natalinos. Elas me faziam lembrar do desenho feito por Jake — e do fato de que ele jamais poderia tê-las visto ali dentro. Mas esse mistério eu não teria como esclarecer agora.

E você, Norman?

O que procurava aqui dentro?

Abri um espaço, afastando com o pé algumas folhas secas, peguei a caixa com enfeites de Natal, coloquei-a no chão e comecei a examinar seu conteúdo.

Demorei meia hora para examinar todas as caixas de papelão, esvaziando uma por uma e espalhando os conteúdos pelo piso. Ajoelhado em meio às caixas, senti que o piso de pedra da garagem estava frio, e parecia que os joelhos da minha calça jeans estavam úmidos.

A porta da garagem rangeu atrás de mim, e eu me virei de repente, assustado com o ruído.

Mas a entrada de veículos estava ensolarada e vazia. Não tinha sido nada além da brisa quente, fazendo a porta bater na lata de tinta.

Voltei minha atenção ao que havia encontrado.

Ou seja, nada. Todas as caixas continham o tipo de quinquilharia que, embora sem uso imediato, alguém não quis jogar fora. Havia também os enfeites, é claro; rolos de brocado agora se espalhavam à minha volta, as cores desbotadas pelo tempo. Havia revistas e jornais, sem nada que pudesse unir datas e edições. Roupas dobradas e guardadas, e cheirando a mofo.

Fios velhos e empoeirados. Nada parecia ter sido escondido, apenas empacotado e esquecido.

Tentei controlar minha frustração. Não havia respostas ali.

Mas minha busca tinha perturbado outras tantas borboletas. Cinco ou seis, com as antenas em movimento, escalavam o entulho que eu havia desempacotado, enquanto outras duas se debatiam contra o vidro da janela. Vi que uma delas, pousada no brocado, alçou voo, passou por mim e seguiu em direção à porta aberta; então a idiota deu meia-volta e pousou no chão, sobre um tijolo, diante de mim.

Observei-a por um instante, admirando mais uma vez as cores vibrantes e singulares das asas. A borboleta avançou com determinação pela superfície de tijolos, e então desapareceu em uma fresta entre eles

Olhei para o chão.

Uma grande parte do piso da garagem era feita de tijolos comuns, empilhados aleatoriamente, e foi preciso um instante para que eu me desse conta do que havia diante de mim. Tratava-se de uma vala de serviço, onde alguém poderia se deitar e trabalhar embaixo de um carro. A vala tinha sido preenchida com tijolos para nivelar o piso.

Com curiosidade, levantei o tijolo sobre o qual a borboleta pousara. Ele estava coberto de poeira e teias de aranha.

No buraco deixado pelo tijolo, vi o topo do que parecia ser outra caixa de papelão.

A porta da garagem bateu de novo atrás de mim.

Jesus.

Dessa vez eu me levantei e fui até a entrada de veículos para dar uma olhada. Não havia ninguém por ali; porém, nos últimos minutos, o sol tinha desaparecido atrás de uma nuvem e o mundo parecia mais escuro e mais frio. A brisa estava mais intensa. Olhando para baixo, percebi que ainda segurava o tijolo, e que minha mão tremia de leve.

De volta à garagem, coloquei o tijolo de lado e comecei a remover outros tijolos, expondo, gradualmente, a caixa de papelão ali escondida. Aquela tinha a mesma dimensão das demais, mas estava lacrada com fita adesiva. Peguei minhas chaves e escolhi a de ponta mais afiada; meu coração tinha disparado.

Era por isto aqui que você procurava, Norman?

Passei a ponta da chave pelo meio da fita, e então enfiei os dedos para abri-la. A tampa cedeu com um estalido. Em seguida, espiei dentro da caixa.

Imediatamente me afastei e fiquei de cócoras, incapaz de entender o que eu tinha visto, ou relutante em admitir que havia entendido. Meu pensamento se voltou para o que Jake dissera na noite anterior, depois de falar sozinho na sala de visita. *Eu quero te assustar.* Naquele momento eu havia deduzido que a menina imaginária tivesse voltado à nossa vida.

Uma porta de carro bateu. Olhei para trás e vi que um veículo havia estacionado diante da entrada de acesso à minha garagem, e que um homem e uma mulher caminhavam em minha direção.

Não foi ela, meu filho tinha dito.

Foi o menino no chão.

— Sr. Kennedy? — chamou a mulher.

Em vez de responder, voltei minha atenção à caixa diante de mim.

Aos ossos ali dentro.

Ao pequeno crânio que me encarava.

E à linda borboleta multicor que ali pousara, batendo as asas delicadamente, feito o coração de uma criança adormecida.

Vinte e oito

À época, Pete havia se encontrado com Norman Collins em diversas ocasiões, mas nunca tivera motivos para visitar o sujeito em casa. No entanto, tinha conhecimento da propriedade: um imóvel geminado que pertencera aos pais de Collins, e do qual Collins jamais se mudara. Após a morte do pai, ele residiu na casa com a mãe durante vários anos, e ali permaneceu depois que ela morreu.

Não havia nada errado com aquela situação, é claro, mas o pensamento ainda deixava Pete um tanto incomodado. É esperado que os filhos cresçam, saiam de casa e toquem as próprias vidas; o contrário sugeria uma dependência, ou deficiência, um tanto nociva. Talvez a sensação decorresse do fato de Pete ter conhecido Collins. Lembrava-se de Collins meio molenga, gorducho e pálido, sempre transpirando, como se dentro dele houvesse algo podre, constantemente vazando. Era o tipo de homem que seria capaz de preservar o quarto da mãe intacto por anos a fio, ou de adquirir o hábito de dormir na cama dela.

Contudo, por mais que provocasse arrepios em Pete, Norman Collins não tinha sido cúmplice de Frank Carter.

Mas ainda restava algum consolo. Fosse qual fosse o envolvimento de Collins agora, Pete não o ignorara à época. Embora, oficialmente, o homem jamais tivesse sido considerado suspeito, havia suscitado muita suspeita. Os álibis por ele apresentados, porém, tinham fundamento. Se alguém, de fato, prestou assistência a Carter, era fisicamente impossível que esse alguém tivesse sido Norman Collins.

Então, o que ele tinha ido fazer na penitenciária?

Talvez nada. Mas, de algum modo, Carter tinha obtido informações vindas de fora, e, ao estacionar diante da casa de Collins, Pete sentiu um quê de empolgação. Era melhor não esperar muita coisa, é claro. Mas ele seguia com a intuição de estar na trilha certa, embora ainda não estivesse claro aonde a trilha levava.

Ele se aproximou da casa. O pequeno jardim da frente estava abandonado e cheio de mato. Uma moita perto da entrada estava tão crescida que ele precisou se virar de lado para se esgueirar e chegar à porta da frente. Bateu. A madeira parecia frágil, meio carcomida. A fachada da casa tinha sido pintada de branco algum tempo atrás, mas a tinta estava tão descascada que fez lembrar a Pete o rosto de uma velha lambuzado de maquiagem ressecada.

Estava prestes a bater de novo quando ouviu um movimento do outro lado da porta, que se abriu, mas limitada por uma corrente.

Não se ouviu o ruído da corrente sendo passada, o que significava que Collins tinha por hábito manter a propriedade devidamente trancada, mesmo quando estava em casa.

— Pois não?

Norman Collins não reconheceu Pete, mas Pete lembrava-se dele muito bem. Vinte anos pouco tinham mudado a aparência de Collins, embora o cabelo, tipo monge, estivesse grisalho. O topo da cabeça dele estava sarapintado e rubro, como se algo enfurecido ali dentro precisasse ser expelido. E embora estivesse em casa, descansando, vestia-se de um jeito absurdamente formal: um elegante terno com colete.

Pete mostrou sua identificação.

— Olá, Sr. Collins. Eu sou o investigador Peter Willis. Talvez o senhor não se recorde de mim, mas nós nos encontramos algumas vezes, anos atrás.

O olhar de Collins correu da identificação até o rosto de Pete, e então sua expressão ficou bastante tensa. Ele se recordava, com certeza.

— Ah, sim. É claro.

Pete guardou a identificação.

— Eu posso entrar para uma conversa rápida? Vou tentar não ocupar o senhor por muito tempo.

Collins hesitou, olhando atrás de si, em direção às profundezas sombrias da casa.

Pete já percebia gotas de suor despontando na testa do sujeito.

— O momento não é dos melhores. Do que se trata?

— Eu prefiro conversar dentro de casa, Sr. Collins.

Pete aguardou. Collins era um homenzinho todo formal, e Pete sabia que ele não permitiria que o silêncio se tornasse constrangedor. Passados alguns segundos, Collins cedeu.

— Muito bem.

A porta voltou a se fechar, e em seguida abriu-se totalmente. Pete entrou em um hall quadrado e sem graça, com uma escada que dava acesso a um patamar sombrio. O ar exalava um odor de coisa velha e mofada, mas com um toque adocicado. O cheiro o fez lembrar das carteiras escolares de sua infância, cujo tampo se abria, espalhando um aroma de madeira e chiclete rançoso.

— O que o senhor deseja, investigador Willis?

Ainda estavam ao pé da escada, próximos demais para o gosto de Pete. Próximos assim, ele sentia o cheiro de Collins, suando dentro do terno. Ele fez um gesto em direção à porta aberta, indicando um cômodo que, obviamente, seria a sala.

— Podemos entrar aqui? — Novamente, Collins hesitou.

Pete franziu o cenho.

O que você está escondendo, Norman?

— Claro — disse Collins. — Por aqui, por favor.

Ele conduziu Pete à sala. Pete esperava se deparar com bagunça, mas a sala estava arrumada e limpa, e o mobiliário era mais novo e menos antiquado do que ele imaginara. Havia uma tela de plasma afixada a uma das paredes, enquanto as demais estavam cobertas de quadros e pequenas cristaleiras.

Collins parou no meio da sala e se manteve rígido, as mãos cruzadas diante de si, feito um mordomo. Algo acerca daqueles modos estranhamente formais causava arrepios na nuca de Pete.

— Está... tudo bem, Sr. Collins?

— Ah, sim — assentiu Collins, secamente. — Posso indagar, mais uma vez, do que se trata?

— Há pouco mais de dois meses, o senhor visitou um presidiário chamado Victor Tyler, na Penitenciária Whitrow.

— De fato.

— E qual foi o motivo da visita?

— Falar com ele. O mesmo motivo das demais visitas.

— O senhor já tinha visitado ele antes?

— Com certeza. Diversas vezes.

Collins continuava imóvel, como se estivesse posando. Continuava sorrindo, educadamente.

— Posso perguntar sobre o quê o senhor conversou com Victor Tyler?

— Bem, sobre o crime que ele cometeu, é claro.

— A menina que ele matou?

Collins fez que sim.

— Mary Fisher.

— É... eu sei o nome dela.

Um morto-vivo. Era isso que Collins sempre parecera a Pete — um homenzinho sinistro, obcecado pelo tipo de escuridão do qual outras pessoas fugiam. Collins continuava de pé, sorrindo, como se esperasse, pacientemente, o fim do encontro e a saída de Pete, mas o sorriso se mostrava muito estranho. Collins estava nervoso, Pete pensou. Escondendo algo. E Pete se deu conta de que também tinha ficado imóvel — que uma imobilidade incômoda pairava na sala. Portanto, dirigiu-se a uma das paredes, e contemplou alguns dos quadros e outros itens que Collins havia emoldurado e pendurado.

Os desenhos eram estranhos.

Vistos de perto, ficava evidente que muitos eram bem infantis. O olhar de Pete correu, aqui e acolá, apreendendo desenhos de bonequinhos, aquarelas primárias, e então sua atenção foi atraída por algo mais inusitado. Uma máscara vermelha, representando a cara do diabo. Era o tipo de objeto encontrado em lojas de fantasias, mas, por alguma razão, Collins havia emoldurado a máscara em uma caixa de vidro e a pendurado na parede.

— Item de colecionador... isso aí.

De repente, Collins surgira ao seu lado. Pete conseguiu conter um grito, mas não pôde evitar um passo para o lado.

— Item de colecionador?

— Com certeza. — Collins fez que sim. — Foi usada por um notório assassino ao cometer os crimes pelos quais foi condenado. Custou uma pequena fortuna, mas é uma bela peça, e os registros de procedência são impecáveis. — Collins virou-se, de repente, para Pete. — Tudo absolutamente legítimo e legal, posso garantir. Haverá mais alguma coisa que o senhor deseje saber?

Pete sacudiu a cabeça, tentando entender o que Collins acabara de falar. Em seguida, contemplou alguns outros itens pendurados na parede. Não havia apenas pinturas, ele percebeu. Várias molduras continham bilhetes e cartas. Alguns eram documentos e informativos oficiais, ao passo que outros tinham sido rascunhados à mão, em papel barato.

Pete apontou para a parede, sentindo-se um tanto desanimado.

— E... esses aqui?

— Correspondência — disse Collins, com satisfação. — Algumas são minhas, outras foram adquiridas. Formulários e papelada de casos também.

Pete se afastou, voltando agora para o centro da sala. Então se virou, olhando para um lado e para o outro. À medida que compreendia o que o cercava, a sensação de desconforto se tornou mais intensa, revolvendo-lhe o estômago, roubando--lhe o calor da pele.

Desenhos, lembranças, correspondências.

Artefatos que falavam de morte e homicídio.

Ele estava ciente de que existia no mundo gente propensa à aquisição daquelas coisas macabras, e que havia, inclusive, um próspero mercado on-line dedicado à atividade. Mas ele nunca se vira no meio de uma coleção daquelas. A sala à sua volta parecia pulsar uma ameaça, ainda mais porque, nitidamente, aquilo não era apenas uma coleção, mas uma celebração. A maneira como os itens tinham sido expostos expressava reverência.

Pete olhou para Norman Collins, que permanecia de pé junto à parede. O sorriso tinha desaparecido da fisionomia do homem, que exibia agora uma expressão um tanto alienígena, reptiliana. Collins não quis que Pete entrasse na casa e, nitidamente, pretendera encerrar a conversa antes que Pete notasse os quadros e os enfeites. Mas agora havia em seu semblante um risinho de orgulho, um olhar que dizia que ele estava ciente do quanto a coleção incomodava o visitante, e tal constatação não deixava de ser agradável. Um olhar que dizia que, de certo modo, ele estava acima do investigador.

Tudo absolutamente legítimo e legal, posso garantir.

E assim Pete ficou ali parado, sem saber o que fazer, sem nem saber se haveria algo que pudesse fazer. Então o celular tocou, e ele teve um sobressalto. Pegou o celular e virou de costas, falando baixo e pressionando o aparelho no ouvido.

— Willis falando.

Era Amanda.

— Pete? Onde você está?

— Estou onde disse que estaria. — Ele percebeu a urgência na voz da colega. — Onde *você* está?

— Estou numa casa na Rua Garholt. Descobrimos um segundo corpo.

— Um segundo?

— É... mas os restos mortais desse aqui são bem mais antigos... a ossada parece ter sido escondida há muito tempo.

Pete tentou assimilar o que ouvia.

— A casa foi vendida recentemente. — Amanda parecia um pouco ofegante, como se também ainda estivesse tentando assimilar a situação. — O novo proprietário achou o corpo numa caixa na garagem. Ele tinha registrado uma queixa... de que alguém tinha tentado sequestrar o filho dele ontem à noite. E o teu camarada, Norman Collins, parece que ele andou se esgueirando aqui pelo imóvel. O proprietário inseriu ele na cena. Eu acho que o Collins sabia que o corpo estava aqui.

Pete voltou-se repentinamente, percebendo uma presença. Mais uma vez, Collins se aproximara como que por um passe de mágica. Posicionou-se bem ao lado de Pete, seu rosto chegando tão perto que dava para ver os poros e o vazio no olhar. A atmosfera estava carregada de ameaça.

— O senhor deseja mais alguma coisa, investigador Willis? — sussurrou Collins.

Pete deu um passo atrás, com o coração disparado.

— Leve esse cara pra delegacia — disse Amanda.

Vinte e nove

Estacionei uma rua antes da escola de Jake, pensando que deveria me sentir mais seguro por ter um policial dentro do carro comigo.

Eu me sentia frustrado porque os policiais que haviam atendido ao meu chamado naquela madrugada não tinham tratado com a devida seriedade meu visitante noturno e a tentativa de sequestro do meu filho. Com certeza, a situação agora tinha mudado, mas não havia nesse fato o menor alento. A mudança significava apenas que tudo aquilo estava mesmo acontecendo. Significava que o perigo que Jake corria era real.

O sargento Dyson ergueu o olhar.

— Chegamos?

— É logo depois dessa esquina.

Ele enfiou o celular no bolso da calça. Dyson era um cinquentão, mas tinha percorrido todo o trajeto, desde a delegacia, calado e atento ao celular, como se fosse um adolescente.

— Certo — disse ele. — Quero que você haja exatamente como sempre. Pegue teu filho. Fale com os outros pais, ou seja lá o que você costuma fazer. Não tenha pressa. Eu vou te manter o tempo todo no meu campo de visão, e vou ficar de olho também nas outras pessoas que estiverem por lá.

Tamborilei com os dedos no volante.

— A investigadora Beck me disse que vocês já pegaram o cara.

— Claro — disse Dyson, sacudindo os ombros, e, a julgar pelo gesto, ficou evidente que ele estava apenas cumprindo procedimentos de praxe. — É só uma precaução.

Uma precaução.

A mesma palavra que a investigadora Beck empregara na delegacia. A coisa acelerou depois que a polícia chegou à minha casa e eu mostrei o que havia encontrado. Nesse ínterim, Norman Collins tinha sido preso, fato que deixou muito claro para mim o que poderia ter acontecido com Jake na noite anterior. Mas, com Collins detido, meu filho haveria de estar seguro.

Então, por que a escolta?

Só uma precaução.

A medida não me fez sentir seguro na delegacia, e não me fazia sentir seguro agora. Era um recurso valioso e eficiente ter a polícia comigo, mas, ainda assim, eu sentia que Jake não ficaria seguro enquanto não estivesse colado a mim. Em algum local onde *eu* pudesse zelar por ele.

Dyson "desapareceu" atrás de mim, enquanto eu caminhava em direção à escola, e era surreal pensar que eu estava sendo vigiado por um policial. Mas a verdade era que aquele dia tinha sido totalmente inusitado e irreal. Tudo aconteceu tão rápido, que eu ainda não havia processado o fato de ter encontrado uma ossada humana, provavelmente de uma criança, na minha propriedade.

A ficha ainda não tinha caído. Eu prestara meu depoimento à polícia com bastante frieza, e as declarações estariam digitadas e prontas para serem assinadas por mim depois que eu pegasse Jake na escola. Eu não fazia ideia do que ocorreria depois.

Basta agir normalmente, Dyson me dissera, instrução impossível de seguir naquelas circunstâncias. Mas, quando alcancei o pátio, vi Karen encostada à grade, as mãos enfiadas nos bolsos do casacão, e achei que conversar com ela pareceria algo absolutamente normal. Entrei e encostei-me à grade, ao lado dela.

— Oi — disse ela. — Como está a barra?

— Pesada.

— Rá, rá. — Em seguida, ela me olhou com mais seriedade. — Parece que não é hora de brincadeira, pelo jeito, né? Dia ruim?

Expirei lentamente.

A polícia não havia determinado que eu não mencionasse a ninguém os eventos do dia, mas achei que não seria aconselhável fazê-lo por ora. Além do mais, eu não saberia mesmo por onde começar.

— Posso dizer que sim. As últimas vinte e quatro horas foram bem complicadas. Eu vou te contar tudo, qualquer hora dessas.

— Não vejo a hora. Só espero que esteja tudo bem contigo. Não se ofenda, mas você está com uma cara de bunda. — Ela refletiu sobre o que dissera. — Mas o que eu disse é bastante ofensivo, né? Desculpe. Eu sempre falo a coisa errada. Péssimo hábito.

— Tudo bem. É que eu dormi pouco na noite passada.

— Os amigos imaginários do teu filho estão te fazendo perder o sono?

Eu não pude deixar de rir.

— Nem queira saber quanta verdade existe nessas tuas palavras.

O menino no chão.

Pensei nos ossos que pareciam enferrujados e no crânio com buracos nos olhos e uma rachadura em zigue-zague no topo. Nas lindas cores das borboletas que Jake não poderia ter visto, mas que, de algum modo, tinha desenhado. E por mais que quisesse tê-lo ali fora, ao meu lado, naquele instante, a perspectiva da chegada dele me perturbava um pouco. *Ele* me perturbava. Meu filho sensível, com o sonambulismo e os amigos imaginários, falando com pessoas invisíveis, que lhe ensinavam versos sinistros e tentavam assustá-lo.

Assustavam a mim também.

A porta se abriu. A Sra. Shelley surgiu e começou a identificar pais e chamar os nomes das respectivas crianças. Seu olhar voltou-se, então, para Karen e para mim.

— Adam — disse ela, e logo em seguida ocupou-se de outro menino.

— Hummm — disse Karen —, pelo jeito, vem mais encrenca pro teu lado.

— Considerando o dia que tive, nem vai ser surpresa.

— Até parece que a gente voltou a ser criança, né? A julgar pela maneira como eles falam conosco.

Assenti. Embora não tivesse certeza se meu estado de espírito naquele dia me permitiria lidar com aquela situação.

— Seja lá como for, se cuide — disse Karen, no momento em que Adam chegou ao nosso lado.

— Vou me cuidar.

Observei os dois se afastarem, e então aguardei até que as demais crianças fossem liberadas. Pelo menos Dyson teria bastante tempo para tomar as tais *precauções*, pensei, e o pensamento fez com que eu mesmo passasse a examinar os rostos que estavam no pátio. Mas de que isso adiantava? Reconheci alguns pais, mas eu era novo ali, e tinha falado com poucos. Era provável que, para eles, eu mesmo pareceria uma figura suspeita.

Quando restava somente Jake, a Sra. Shelley me chamou. Jake surgiu ao lado dela, olhando mais uma vez para o chão. Ele parecia tão vulnerável que tive o impulso de resgatá-lo — de pegá-lo no colo e levá-lo para algum local seguro. Senti uma onda de amor por ele. Talvez ele fosse frágil demais para ser um menino comum, para conseguir se encaixar socialmente e ser aceito. Mas, depois de tudo o que havia acontecido, que porra viria agora?

— Mais problema? — perguntei.

— Infelizmente. — A Sra. Shelley exibiu um sorriso tristonho. — Hoje o Jake passou para o sinal vermelho. Ele teve que conversar com a Srta. Wallace, não foi, Jake?

Jake fez que sim, absolutamente infeliz.

— O que aconteceu? — perguntei.

— Ele bateu num menino durante a aula.

— Ah...

— Foi o Owen que começou. — Jake parecia prestes a chorar. — Ele quis pegar a minha Bolsinha de Coisas Especiais. Eu não queria bater nele.

— Pois bem... — A Sra. Shelley cruzou os braços e me dirigiu um olhar contumaz. — Eu não acho que uma criança dessa idade deva trazer aquele tipo de coisa pra escola.

Eu não sabia o que dizer. As convenções sociais ditavam que eu deveria ficar do lado do adulto, ou seja, que eu deveria dizer a Jake que era errado bater nos outros, e que talvez a professora estivesse certa quanto à Bolsinha. Mas não pude. De repente, a situação me pareceu risível e banal demais. Aquela porra daquele sistema de semáforo. O pavor suscitado pela Srta. Wallace. E, sobretudo, a ideia de Jake ser repreendido porque um merdinha o provocara e, com certeza, recebera o que bem merecia.

Olhei para meu filho todo intimidado, com certeza esperando que eu o repreendesse, quando, na verdade, eu queria dizer: *Parabéns. Na tua idade, eu nunca tive coragem pra fazer uma coisa dessa. Espero que você tenha acertado ele bem em cheio.*

Mas as convenções sociais venceram.

— Vou conversar com ele — falei.

— Bom. Porque esse começo de ano não foi dos melhores, não é, Jake?

A Sra. Shelley brincou com o cabelo dele, e as convenções sociais perderam.

— Não encoste a mão no meu filho — falei.

— O quê?

Ela afastou a mão, como se Jake fosse elétrico. Senti uma certa satisfação, apesar de ter falado sem pensar e de não ter a menor certeza do que dizer em seguida.

— A senhora me ouviu — falei. — A senhora não pode punir o menino com o seu sistema de semáforo e depois fingir que é boazinha. Pra ser sincero, eu acho que é terrível fazer uma coisa dessa com qualquer criança, ainda mais com uma criança que, obviamente, está passando por problemas.

— Que problemas? — Ela ficou nervosa. — Se há problemas, a gente pode conversar.

Eu sabia que era tolice buscar um confronto, mas senti prazer em defender meu filho.

Voltei a olhar para Jake, que agora me fitava com curiosidade, como se não conseguisse entender minha reação. Sorri para ele.

Eu gostei de saber que ele tinha se defendido sozinho. Que de alguma forma tinha causado um impacto no mundo à sua volta.

Voltei a olhar para a Sra. Shelley.

— Vou conversar com ele — falei. — Porque é errado bater nos outros. E a gente vai ter uma longa conversa sobre um jeito melhor de enfrentar covardes valentões.

— Ah... é bom saber disso.

— Muito bem. Pegou tudo, parceiro?

Jake fez que sim.

— Que bom — falei. — Porque acho que a gente não vai poder ir pra casa hoje.

— Por que não?

Por causa do menino no chão.

Mas eu não disse isso. Porém, o mais estranho foi eu ter achado que ele já soubesse a resposta à pergunta que ele mesmo havia feito.

— Vamos — falei, com ternura.

Trinta

Encontraram ele, Pete pensou.

Depois de tanto tempo.

Encontraram o Tony.

Sentado no carro, ele viu os peritos forenses entrarem na propriedade de Norman Collins. Naquele momento, era a única atividade na rua. Apesar da crescente presença policial, a imprensa ainda não havia chegado, e os vizinhos que porventura estivessem em casa permaneciam alheios ao que estava acontecendo. Um dos peritos parou no degrau da escada que levava à porta da frente, juntou as mãos às costas, na altura da região lombar, e fez um exercício de alongamento.

Algemado e acomodado no assento traseiro, Collins também observava a ação.

— Vocês não têm autoridade pra fazer isso — disse Collins, vagamente.

— Cale a boca, Norman.

Fechado no interior do carro, Pete era obrigado a sentir o cheiro do homem, mas não tinha a menor intenção de falar com ele. Àquela altura, ele havia prendido Collins por suspeita de receptação de objeto furtado, simplesmente porque — a julgar pela natureza de alguns itens da coleção dele — a acusação teria fundamento, além de proporcionar a oportunidade de uma ação de busca e apreensão na casa dele. Mas era claro que a polícia queria detê-lo por outros motivos. E por mais perguntas que quisesse fazer, Pete não prejudicaria a investigação interrogando Collins naquele momento. O interrogatório tinha de ser feito na delegacia, devidamente gravado e sem furos.

— Eles não vão achar nada — disse Collins.

Pete o ignorou. Porque, evidentemente, já haviam achado, e havia indícios quanto ao envolvimento de Collins. Uma segunda ossada, mais antiga, tinha sido descoberta. Collins sempre fora obcecado por Carter e pelos crimes por ele cometidos; ele tinha visitado um amigo de Frank Carter na penitenciária; tinha sido visto na casa onde o segundo corpo fora localizado. Collins *sabia* que o corpo estava ali — disso Pete tinha certeza. E o mais importante: embora o resultado oficial da identificação só fosse sair mais tarde, Pete também tinha certeza de que a ossada era de Tony Smith.

Depois de vinte anos, você foi encontrado.

Acima de tudo, a descoberta deveria ter trazido consigo uma sensação de alívio e ponto final, visto que fazia tanto tempo que ele procurava o menino. Mas não foi esse o caso. Pete não conseguia deixar de pensar nas tantas buscas realizadas em fins de semana, quando cercas vivas e matagais foram vasculhados a quilômetros de distância dali, enquanto o tempo inteiro Tony estivera bem mais perto do que todos imaginavam.

O que queria dizer que havia algo que ele tinha deixado escapar vinte anos antes.

Baixou o olhar para o tablet em seu colo.

Meu Deus. Como ele queria um trago naquele momento. E não era estranho o modo como a coisa funcionava? As pessoas costumavam ver o álcool como uma espécie de defesa contra os horrores do mundo. Mas o corpo de Tony Smith tinha sido localizado, e era provável que o responsável pelo assassinato de Neil Spencer já estivesse detido, sentado bem atrás dele no carro; no entanto, a vontade de beber estava mais forte do que nunca. Sempre havia muitas razões para beber. E uma única razão para não fazê-lo.

Você pode beber depois. O quanto quiser.

Ele aceitou a ideia de que beberia. Qualquer coisa que possa ajudar — era simples assim. Em uma guerra, usa-se qualquer arma que estiver à mão para se vencer determinada batalha; então as tropas são reagrupadas e lutam a batalha seguinte. E a seguinte. E todas as subsequentes.

Qualquer coisa que possa ajudar.

— Eu não fiz nada de errado — insistiu Collins.

— Cale a boca.

Pete ligou o tablet. Era inevitável: ele precisava descobrir o que deixara escapar anos antes e por quê, e a casa na Rua Garholt, onde os restos mortais de Tony Smith tinham sido localizados, seria o ponto de partida.

Ele reviu os detalhes. Até recentemente, a casa pertencia a uma mulher chamada Anne Shearing. Ela herdara o imóvel dos pais, mas fazia décadas que não residia no local, optando por alugar a propriedade a uma série de indivíduos.

Havia uma extensa lista de inquilinos registrados, mas Pete achava possível descartar inquilinos que residiram ali antes de 1997, quando Frank Carter cometeu os homicídios. O inquilino à época era um homem chamado Julian Simpson, que ocupava o imóvel havia quatro anos e ali residira até 2008. Abrindo outra aba na tela, Pete fez uma busca e descobriu que Simpson tinha morrido de câncer naquele ano, aos setenta. Voltou à aba anterior. O próximo inquilino tinha sido um homem chamado Dominic Barnett, que ocupara a casa até o início do ano corrente.

Dominic Barnett

Pete franziu o cenho. O nome era conhecido. Fazendo outra busca, ele recuperou alguns detalhes, embora não tivesse sido responsável pelo caso. Barnett tinha sido uma figura de menor importância no submundo local, envolvido com drogas e extorsão, conhecido da polícia, mas considerado peixe pequeno num contexto mais geral. Nos últimos dez anos, não havia em sua ficha nenhuma condenação — mas, com certeza, isso não significava que ele tivesse se afastado do crime, e ninguém se surpreendeu quando Barnett apareceu morto. A arma do crime — um martelo — havia sido resgatada com vestígios de impressões digitais, mas não tinha sido possível encontrar o suspeito no banco de dados. E investigações subsequentes também não resultaram na identificação de um suspeito provável. Mas pelo menos a opinião pública tinha sido aplacada. Apesar da ausência de detenções, a polícia acreditava se tratar de um caso isolado, queima de arquivo, e qualquer pessoa seria capaz de ler as entrelinhas da conclusão do caso.

Viva pela espada, morra pela espada.

À época, acompanhando o caso a meia distância, Pete aceitara essa conclusão. Mas agora se questionava. O envolvimento com drogas continuava sendo a provável motivação do assassinato, mas Barnett residira em uma casa onde uma ossada humana tinha sido escondida, e parecia impossível que ele não estivesse ciente disso.

Haveria outra motivação?

Pete ergueu o olhar e observou Norman Collins pelo retrovisor. Com um semblante inexpressivo, Collins fitava a casa pela janela do carro.

Era preciso refletir acerca de três homens: Julian Simpson e Dominic Barnett, que haviam residido na propriedade, e Norman, que parecia saber o que fora escondido ali. Qual seria a ligação entre os três? O que teria acontecido vinte anos atrás, e desde então?

Pete carregou um mapa de Featherbank.

A Rua Garholt constituía uma rota óbvia entre o local onde Tony Smith fora sequestrado e a direção na qual Frank Carter fugira. À época, a perícia estabeleceu que Tony esteve no veículo conduzido por Carter; contudo, se tivesse sido avisado de que sua casa estava sendo vasculhada, Carter poderia ter abandonado o corpo na Rua Garholt antes de fugir. Julian Simpson era o residente do imóvel na ocasião.

Pete não precisou consultar os arquivos do caso para saber que Simpson não tinha sido investigado à época. Todos os supostos conhecidos de Carter foram averiguados, com toda atenção. O nome de Simpson não constava.

E, no entanto.

Simpson teria cerca de cinquenta anos na ocasião dos sequestros, idade que confirmava a descrição inconclusiva fornecida pelo depoimento de uma testemunha. Talvez Simpson fosse cúmplice de Carter. Nesse caso, teria de haver alguma ligação entre os dois, por mais oblíqua, algo que Pete ainda não tinha descoberto.

A sensação de fracasso bateu forte.

Você deveria ter encontrado ele mais rápido.

Não importava o que ele tivesse feito ou não, a culpa sempre seria dele. Pete sabia que arrumaria um jeito de distorcer a coisa, de modo que a culpa lhe coubesse. E a sensação continuava.

Desprezível.

Inútil.

Você pode beber depois.

O celular tocou — Amanda de novo.

— Willis. — Ele atendeu. — Ainda estou na casa do Collins. Vou voltar daqui a pouco.

— Como vai indo a busca?

— Vai indo.

Ele olhou para a casa, ciente de que o foco precisava ser mantido ali. A prioridade agora era incriminar Collins por seu envolvimento no caso, e não descobrir o que Pete tinha ou não deixado escapar vinte anos atrás. Essa análise ficaria para depois.

— Certo — disse Amanda. — O dono da casa e o filho dele estão aqui comigo, e eu preciso de alguém que me ajude com eles. Que veja a questão da hospedagem pra eles hoje à noite. Esse tipo de coisa.

Pete franziu o cenho. Aquilo seria um trabalhinho banal, e ele percebia a implicação da ordem: Amanda era quem iria interrogar Norman Collins. Mas talvez fosse até melhor assim. Mais limpo. Ninguém queria que o histórico de Pete com o suspeito atrapalhasse a investigação em curso. As respostas às perguntas dele surgiriam gradualmente, mas *ele* não precisava ser o interrogador. Ligou o carro.

— A caminho.

— O cara se chama Tom Kennedy — disse Amanda. — O filho é Jake. Dê entrada no Collins primeiro; os dois estão numa das salas de triagem.

Por um instante, Pete não respondeu. Uma de suas mãos estava apoiada no volante. Ele olhou e percebeu que a mão começava a tremer.

— Pete? — chamou Amanda. — Você está me ouvindo?

— Estou. E já estou a caminho.

Ele desligou e largou o celular sobre o banco do carona. Mas, em vez de sair dirigindo, desligou o motor e voltou a manusear o tablet. Estivera tão perdido no passado que não pensara no presente. Sequer levara em conta o atual proprietário do imóvel.

Fracassando, sempre.

Avançou pelos autos, perguntando-se se tinha ouvido mal o que Amanda dissera. Mas lá estava.

Tom Kennedy.

Finalmente. Um nome que ele reconhecia.

Trinta e um

— Acharam ele, papai? — perguntou Jake.

Eu caminhava de um lado ao outro pela sala de espera da delegacia, aguardando que a investigadora Amanda Beck trouxesse o depoimento para minha assinatura, mas as palavras do meu filho fizeram com que eu parasse.

Jake estava sentado em uma cadeira grande demais para um menino do seu tamanho, balançando as pernas, e ao seu lado havia uma garrafinha plástica de refresco de laranja, ainda intacta. O refresco tinha sido cortesia do sargento Dyson, após a nossa chegada. Constava que viria um café para mim, mas estávamos ali havia vinte minutos e a chegada do café parecia tão improvável quanto a de Beck. Jake e eu tínhamos ficado o tempo todo calados. Eu não sabia o que dizer para ele naquele momento, e minhas passadas pela sala tinham servido tanto para quebrar o silêncio ali reinante como para passar o tempo.

Acharam ele, papai?

Eu me aproximei dele e me ajoelhei à sua frente.

— Acharam. Acharam o homem que apareceu lá em casa.

— Não estou falando dele.

O menino no chão.

Encarei meu filho por um segundo, mas ele me olhou sem demonstrar o menor medo, a menor preocupação. Era espantoso que ele pudesse assimilar com tamanha naturalidade tudo o que estava acontecendo, como se fosse absolutamente normal — como se falássemos de um menino que estivera brincando de esconde-esconde, e não de restos mortais escondidos no piso da nossa garagem só Deus sabia há quantos anos, e dos quais ele não teria como saber.

Aquilo não era algo a ser mencionado. Não ali. Meu depoimento à polícia tinha sido honesto, mas incompleto. Eu não havia mencionado os desenhos das borboletas, e nem contado que Jake falava com o menino no chão. Eu não sabia bem o porquê do meu silêncio. Talvez fosse porque eu mesmo não fazia ideia do que estava acontecendo, ou porque queria proteger meu filho. Por pensar que aquilo fosse uma barra a ser enfrentada por um adulto, não por uma criança de sete anos.

— Está, sim, Jake — falei. — Você *estava* falando dele. Certo? Isso aqui é sério.

Ele refletiu.

— Certo.

— A gente vai conversar sobre a outra coisa depois. — Eu me levantei, percebendo que não havia falado o suficiente, e que ele merecia saber mais. — Mas, sim, acharam ele.

Eu achei ele.

— Que bom — disse Jake. — Ele estava me deixando meio assustado.

— Eu sei.

— Mas acho que ele não queria me assustar. — Jake franziu o cenho. — Eu acho que ele estava se sentindo triste e sozinho, e isso estava deixando ele meio malvado. Mas acharam ele, e agora ele não vai mais se sentir sozinho, né? Vai poder ir pra casa. E por isso não vai mais ficar malvado.

— Foi só imaginação, Jake.

— Não foi, não.

— A gente vai conversar sobre isso depois. Certo?

Dirigi a ele o olhar grave ao qual eu recorria sempre que pretendia pôr um ponto final em uma discussão. No restante do tempo, meu olhar era desprovido de autoridade e, no minuto seguinte, um de nós já esbravejava. Mas, naquele dia, ele assentiu. Em seguida, girou na cadeira, pegou o refresco de laranja e bebeu como se nada no mundo o preocupasse.

A porta se abriu atrás de mim. Eu me virei e vi o sargento Dyson entrando, trazendo consigo dois copos de café. O sargento segurou a porta com as costas, permitindo que a investigadora Beck passasse por ele e entrasse na sala. Ela empunhava uma papelada e parecia tão exausta quanto eu: uma mulher com um milhão de coisas para fazer, e decidida a fazer tudo sozinha.

— Sr. Kennedy — disse ela —, me desculpe por ter deixado o senhor esperando. Ah... esse deve ser o Jake.

Ainda distraído com o refresco de laranja, meu filho ignorou a investigadora Beck.

— Jake? — falei. — Você pode dizer oi, por favor?

— Oi.

Voltei-me para Beck.

— O dia não foi fácil.

— Entendo perfeitamente. Isso tudo deve ser bastante estranho pra ele. — Ela se inclinou, aproximando-se de Jake, apoiando as mãos nos joelhos, um tanto sem jeito, como se não soubesse se dirigir a uma criança. — Você já esteve numa delegacia de polícia, Jake?

Ele sacudiu a cabeça, mas não respondeu.

— Bem. — Ela deu uma risada sem graça, e então se levantou. — Espero que seja a primeira e a última vez. Sr. Kennedy, aqui está o seu depoimento. Peço que o senhor leia o documento, veja se está de acordo, e assine. E aqui está seu café também.

— Obrigado.

Dyson me entregou o café, e eu dei alguns goles enquanto lia o depoimento deixado sobre a mesa. Eu havia falado acerca de Norman Collins, relatando o que a Sra. Shearing me dissera sobre ele e Dominic Barnett, e também informara sobre o homem que viera à minha porta e sussurrara coisas para Jake na noite anterior. Aquilo tinha me levado à garagem, no intuito de descobrir o que Collins estaria procurando. Foi assim que descobri os restos mortais.

Olhei para Jake, que agora chupava o canudo, chegando ao fim da garrafa de refresco, produzindo aquele ruído característico, e então assinei a última página.

— Lamento dizer, mas vocês não vão poder voltar pra casa hoje à noite — disse a investigadora Beck.

— Certo.

— E nem amanhã, talvez. É claro que vamos providenciar acomodação pra vocês nesse período. Temos um esconderijo aqui perto.

A caneta pairou acima da minha assinatura.

— Por que vamos precisar de um esconderijo?

— Vocês não precisam — ela se apressou em dizer. — É só um imóvel que temos disponível para ser usado. Mas vou deixar o meu colega, o investigador Pete Willis, falar com vocês sobre isso. Ele vai chegar aqui a qualquer momento, e vou deixar vocês em paz. Na verdade, ele acaba de chegar.

A porta voltou a se abrir, e mais um homem entrou.

— Pete — disse Beck —, esses são o Tom e o Jake Kennedy.

Olhei para o homem, e tudo o mais no mundo pareceu esvanecer. Fazia muito tempo e ele tinha envelhecido bem, e, embora estivesse mais esbelto e saudável do que no passado, os adultos mudam de aparência bem menos que as crianças, e eu o reconheci. O reconhecimento provocou um sobressalto no meu coração, seguido pela eclosão e pelo florescimento de uma centena de lembranças enterradas.

E ele me reconheceu também. Claro que sim. Àquela altura, já teria reconhecido meu nome e se preparado para o encontro. No momento em que, com profissionalismo e formalidade, ele se aproximou de mim, imaginei que ninguém estivesse percebendo a expressão de pesar estampada em seu rosto.

Copo quebrando.

Minha mãe gritando.

— Sr. Kennedy — disse meu pai.

Trinta e dois

Tinha sido um dia *muito* confuso, Jake pensou.

Antes de mais nada, estava exausto — isso era por causa do que tinha ocorrido na noite anterior, mas ele não se lembrava muito bem. Quando tudo aconteceu, ele estava meio adormecido. Mas se lembrava de ter ficado bastante zangado com seu pai, pelo que ele havia escrito, e quando a polícia chegou e seu pai disse que sua mãe estava morta, como se aquilo não representasse nada, Jake perdera a paciência. Não tinha sido uma boa reação, mas ele não teve como evitá-la.

Ao longo do dia, no entanto, a raiva tinha diminuído, e isso, por si só, já era um tanto confuso. Mas o fato é que, às vezes, as discussões se dissipavam como um nevoeiro que surgia com a manhã. Na sala de aula, ele se sentira sozinho e teve vontade de abraçar o pai e pedir desculpas, e ouvir o pai dizer que, na verdade, também queria se desculpar.

Ele achou que as coisas pudessem até melhorar.

E então, Owen e Jake fizeram o que fizeram, e como resultado ele tinha ido parar na sala da Srta. Wallace. A experiência não tinha sido tão negativa, exceto por duas razões importantes. A primeira era que a Bolsinha de Coisas Especiais tinha voltado para a sala de aula, o que queria dizer que talvez estivesse à mercê do cruel Owen, algo que só de pensar já lhe dava pavor.

— Você pode olhar pra mim, por favor? — A Srta. Wallace precisara dizer duas vezes, porque Jake não desviava os olhos da porta fechada da sala.

E a segunda razão: ele sabia que seu pai ficaria decepcionado e zangado por ele ter se metido em mais uma encrenca, o que significava que as coisas demorariam um bom tempo até melhorar. Ou talvez nunca mais melhorassem, pelo visto.

Talvez o pai escrevesse palavras terríveis sobre *ele* também.

Jake desconfiava que fosse essa a vontade do pai.

Mas quando ele voltou à sala de aula, a Bolsinha parecia estar intacta, e ele chegou a pensar que deveria bater em alguém de vez em quando. E, na hora da saída, seu pai não parecia estar zangado. Até bateu boca com a Sra. Shelley! Fato que tinha sido uma demonstração de coragem, Jake pensou. E — o mais importante — o pai tinha ficado do lado dele! Embora o pai não tivesse dito que estava do lado dele, Jake percebeu que estava. Embora ele não tivesse ganhado um abraço, aquilo tinha sido tão bom como um abraço.

E agora eles estavam em uma delegacia.

No começo, tinha sido legal, porque o lugar era bem interessante, e principalmente porque todos tinham sido muito educados, mas agora ele queria ir embora. E então aconteceu mais uma coisa — apareceu mais um policial —, e tudo tinha ficado ainda mais confuso, por causa do comportamento do pai. Ele tinha reagido bem diante dos outros policiais, mas agora estava pálido e assustado — como se aquilo fosse uma sala de aula, e o novo policial, alguém como a Sra. Shelley.

Pensando bem, o novo policial também parecia incomodado. Quando a investigadora saiu, levando o depoimento assinado, a porta foi fechada e o ambiente dentro da sala ficou muito estranho. Era como se todos estivessem colados em seus lugares.

Então, o novo policial se aproximou devagar e olhou para ele.

— Você deve ser o Jake? — disse ele.

— Sou. — Isso era pura verdade. — Sou o Jake.

O homem sorriu, mas foi um sorriso esquisito. O rosto dele era de alguém muito bom, mas tinha algo perturbador naquele sorriso. Em seguida, ele estendeu a mão, e Jake o cumprimentou, conforme mandava a educação. A mão era grande e morna, e o aperto foi suave.

— Muito prazer, Jake. Você pode me chamar de Pete.

— Oi, Pete — disse Jake. — Muito prazer, também. Por que a gente não pode ir pra casa? Aquela policial falou pro meu pai que a gente não vai poder.

Pete franziu o cenho e se ajoelhou diante dele; e então contemplou o rosto do menino como se ali existisse algum segredo. Jake o encarou, para deixar claro que não escondia nada. Nenhum segredo aqui, moço.

— A coisa é bem complicada — disse Pete. — A gente precisa fazer umas investigações na casa de vocês.

— Por causa do menino no chão?

— É.

E então Pete olhou para Tom, e Jake se lembrou de que não deveria ter mencionado o assunto. Mas a verdade era que o ambiente dentro da sala estava tão carregado que ficava fácil esquecer aquele tipo de coisa.

— Eu disse a ele o que eu tinha encontrado — disse o pai.

— Mas como você sabia que era um menino?

O pai ficou parado, como se estivesse preso, como se quisesse avançar ou recuar mas tivesse se esquecido de como o corpo funcionava. Jake teve a estranha sensação de que, caso o pai se lembrasse de como se movimentar, a ação seria para a frente — e bastante agressiva.

— Eu não sabia — disse o pai. — Eu disse um *corpo.* Ele deve ter presumido que era um menino.

— É verdade — Jake se apressou em acrescentar. Ele não queria que seu pai batesse em ninguém, muito menos em um policial, porque naquele momento era o que parecia que ele ia fazer.

Pete se levantou devagar.

— Certo. Bem, vamos às questões práticas. São só vocês dois?

— Só — disse o pai.

— A mãe de Jake...?

O pai ainda parecia zangado.

— Minha esposa faleceu no ano passado.

— Sinto muito. Deve ter sido um golpe pra vocês.

— A gente está bem.

— Dá para ver.

Que coisa confusa! Jake queria sacudir a cabeça. Agora parecia que Pete não era capaz de olhar para o pai. Mas Pete era um policial, e deveria estar no controle, não?

— Nós podemos providenciar uma hospedagem, mas talvez vocês não queiram. Vocês têm algum parente com quem preferem se hospedar?

— Não — disse o pai. — Meu pai e minha mãe já faleceram.

Pete hesitou.

— Certo. Sinto muito por isso também.

— Tudo bem.

E então o pai deu um passo para a frente.

Jake prendeu a respiração.

Mas agora parecia que o pai só *queria* bater em alguém, e não bater de verdade.

— Já faz muito muito tempo que isso aconteceu.

— Certo. — Pete respirou fundo, e continuou sem olhar para o pai. O investigador fitava a parede, e Jake achou que, de repente, ele aparentava ser mais velho do que quando entrou na sala. — Nesse caso, podemos providenciar um local pra vocês ficarem.

— É... isso seria bom.

— E tenho certeza de que vocês vão precisar de algumas coisas. Eu posso acompanhar vocês até sua casa, se quiserem, e vocês podem pegar o que precisarem. Roupas e coisas assim.

— O senhor precisa nos acompanhar?

— Preciso. Lamento. É cena de crime. Preciso registrar tudo o que for removido.

— Certo. Não é a situação ideal, né?

— Eu sei. — Finalmente, Pete olhou para o pai. — Eu lamento.

O pai deu de ombros, e seus olhos ainda faiscavam.

— É o que temos pra hoje. Então vamos logo acabar com isso, né? Jake, você precisa resolver quais brinquedos vai querer, certo?

— Certo.

Jake olhou para os dois homens — o pai e Pete — mas ninguém se mexia, nem parecia saber o que fazer em seguida; então Jake concluiu que, se não fizesse algo, ninguém faria. Sendo assim, depositou a garrafinha vazia de refresco de laranja sobre a mesa, produzindo um baque contundente.

— Meu material de desenho, papai — disse ele. — Só quero isso.

Trinta e três

Pequenos triunfos em dias terríveis. Era preciso agarrar-se a eles, Amanda pensou, sentada na sala de interrogatório diante de Norman Collins. Depois dos horrores que tinha visto na noite anterior, e da sensação de fracasso por não ter localizado Neil Spencer ainda vivo, sentia sede de sangue. E, muitas vezes, os pequenos triunfos eram tudo o que se obtinha.

— Desculpe a interrupção, Norman — disse ela. — Vamos prosseguir.

— Com certeza. Vamos levar isso tudo logo a termo, não é mesmo?

— Perfeitamente. — Ela sorriu, com polidez. — Vamos, sim.

Collins cruzou os braços, exibindo um sorrisinho debochado. O que não a surpreendeu. No instante em que pôs os olhos em Collins, ela compreendeu exatamente o que Pete queria dizer quando afirmou haver algo de estranho com aquele sujeito. Era o tipo de pessoa que a gente, agindo por instinto, atravessa a rua para evitar. Amanda tinha a impressão de que a formalidade exagerada da roupa que ele usava funcionava como uma espécie de disfarce — uma tentativa de inspirar respeitabilidade, mas que apenas camuflava algo desagradável. E ficava evidente naquela postura que ele se sentia distante dos que o cercavam.

Superior mesmo.

Passados vinte minutos de interrogatório, tendo respondido a todas as perguntas por ela formuladas, ele continuava se sentindo superior. Então Steph batera à porta e entrara na sala, e

Amanda havia determinado um intervalo. Agora ela voltou a ligar o gravador e deu início às formalidades iniciais.

Diante dela, Collins suspirou dramaticamente.

Ela olhou para a folha de papel que trouxera consigo. Seria um prazer arrancar aquele sorrisinho debochado da cara daquele filho da puta.

Porém, uma coisa de cada vez.

— Sr. Collins — disse ela —, por uma questão de clareza, vamos repassar, rapidamente, o território que já cobrimos. Em julho do corrente ano o senhor visitou Victor Tyler na penitenciária Whitrow. Qual foi o objetivo da visita?

— Eu me interesso por crimes. Em alguns círculos, sou considerado um especialista. Eu queria falar com o Sr. Tyler sobre as ações por ele praticadas. Do mesmo modo como, sem dúvida, a polícia tem falado com ele ao longo dos anos.

Provavelmente, não do mesmo modo, Amanda pensou.

— Na conversa vocês se referiram a Frank Carter?

— Não.

— O senhor sabia que Tyler é amigo do Carter?

— Não.

— Estranho. Visto que o senhor é especialista, e coisa e tal.

— Não se pode saber tudo. — Collins sorriu.

Amanda tinha certeza de que ele estava mentindo, mas o diálogo entre Collins e Tyler não tinha sido gravado, e ela não tinha como pegá-lo na mentira.

— Certo — disse ela. — Onde mesmo o senhor estava na tarde e na noite de domingo, 30 de julho, desse ano, a noite em que Neil Spencer foi sequestrado?

— Eu já falei. Fiquei em casa quase a tarde inteira. Depois fui a pé até a Rua Town e jantei num restaurante lá.

— É bom que o senhor se recorde com tamanha clareza.

Collins deu de ombros.

— Sou uma criatura metódica. Era domingo. Quando minha mãe estava viva, nós íamos juntos. Agora, janto sozinho.

Amanda assentiu. O proprietário do restaurante havia confirmado a informação, o que indicava que Collins teria um bom álibi para o horário em que Neil Spencer fora sequestrado. E embora a busca na casa de Collins ainda não estivesse concluída, nada tinha sido encontrado até o momento que sugerisse a presença de Neil no local. Amanda tinha certeza de que, de algum modo, Collins estava mais do que envolvido com as ocorrências, mas por ora ele parecia ser inocente quanto ao sequestro de Neil Spencer.

— Rua Garholt, número 13 — disse ela.

— Pois não?

— O senhor tentou adquirir a propriedade.

— De fato. Estava à venda. Não sei por que isso haveria de ser considerado um crime.

— Eu não disse que seria.

— A casa estava sendo anunciada. Eu moro na mesma casa há muito tempo, e quis alçar um voo mais alto. Expandir os horizontes, por assim dizer.

— E então quando sua proposta foi recusada, o senhor invadiu a propriedade.

Collins sacudiu a cabeça.

— De jeito nenhum!

— O Sr. Kennedy afirma que o senhor tentou arrombar a garagem.

— Ele está, simplesmente, equivocado.

— Uma garagem onde a ossada de uma criança foi encontrada.

E Amanda foi obrigada a reconhecer o talento de Collins. Embora, sem sombra de dúvida, soubesse muito bem o que havia sido encontrado, ele se lembrou de pelo menos dissimular surpresa. O gesto não foi nada convincente, mas a tentativa foi válida.

— Isso é... revoltante — disse ele.

— Não sei se acredito em você, Norman.

— Eu não sei nada a respeito disso. — Ele franziu o cenho. — A senhora já falou com a antiga proprietária? Talvez fosse bom fazê-lo.

— Neste momento, estou mais interessada em saber por que *você* estava tão interessado no imóvel.

— E eu já falei: eu não estava. Esse Sr.... Kennedy, é isso? Ele está enganado. Eu jamais estive sequer nas imediações da casa dele.

Amanda o encarou. E Collins se manteve firme, implacável. Era a palavra de uma pessoa contra a de outra. Mesmo que enfileirassem possíveis suspeitos e Kennedy reconhecesse Collins, ela duvidava que o reconhecimento, por si só, bastasse para justificar uma acusação formal.

O fato era que, naquele momento, não era possível provar que ele sabia dos restos mortais encontrados na garagem. E ele parecia ser inocente quanto ao sequestro de Neil Spencer. Com base em alguns itens de sua coleção particular, talvez fosse viável acusá-lo de receptação de objetos furtados, mas nem isso era uma certeza.

E aquele presunçoso filho da puta sabia muito bem de tudo isso.

E achava que estava a salvo.

Amanda olhou mais uma vez para a folha de papel que Steph lhe entregara — o resultado do exame das impressões digitais de Norman Collins. E embora não estivesse mais perto de poder atribuir a Collins qualquer culpa no caso de Neil Spencer, ela sentiu uma onda de entusiasmo. Ansiava por momentos como aquele. Quisera Pete estivesse ali, para saborear com ela aquele pequeno triunfo. Só Deus sabia o quanto ele era merecedor de algo assim.

— Sr. Collins — disse ela —, o senhor pode me dizer onde estava na noite de quinta-feira, 4 de abril, do corrente ano?

Collins hesitou.

— Como?

Amanda aguardou um instante, ainda olhando para a folha de papel. Aquilo, pelo menos, tinha captado a atenção dele. Supostamente, ele esperava mais indagações acerca de suas atividades no dia em que Neil Spencer fora sequestrado, assunto, para ele, bastante inofensivo. Mas Amanda sabia agora que aquela outra data era um imenso buraco negro embaixo dos pés dele.

— Não me lembro muito bem — disse Collins, com cautela.

— Deixe-me ajudá-lo, então. O senhor esteve nas imediações da Reserva Hollingbeck?

— Acho que não.

— Bem, os seus dedos estiveram. O resto do senhor esteve também?

— Eu não...

— Suas digitais foram encontradas no martelo usado no assassinato de Dominic Barnett, ocorrido na Reserva naquela noite.

Amanda ergueu o olhar e teve a satisfação de ver o suor brotando na fronte de Collins. Sujeito caprichoso, presunçoso — mas que podia ser levado ao chão com facilidade. Era interessante vê-lo avaliar as opções, buscando uma saída, constatando, aos poucos, que estava bem mais encrencado do que imaginara.

— Sem comentários — disse ele.

Amanda sacudiu a cabeça. Ele estava no direito dele, claro, mas aquelas palavras sempre a irritavam. Você *não tem* o direito de permanecer calado, ela sempre quis poder dizer para as pessoas. E, naquele momento, ela queria que Collins assumisse a responsabilidade pelo que tinha feito, em vez de se esconder. Isso porque havia outras vidas em jogo.

— É do teu interesse agora me relatar tudo o que você sabe, Norman. — Ela apoiou os antebraços sobre a mesa e tentou fingir solidariedade. — E o interesse não é só *teu*. Você afirma não estar envolvido no sequestro de Neil Spencer. Se estiver falando a verdade, isso quer dizer que o assassino está à solta neste momento.

— Sem comentários.

— E, se não o encontrarmos, esse indivíduo vai matar mais crianças. Eu acho que você sabe muito mais sobre ele do que declarou para nós.

Collins a encarava com o semblante absolutamente pálido. Amanda pensou jamais ter visto um homem desabar tão rapidamente, passando de uma autoconfiança presunçosa para uma poça de autopiedade e aflição.

— Sem comentários — sussurrou ele.

— Norman...

— Eu quero um advogado.

— Bem, a gente pode providenciar isso. — Ela se levantou, de repente, sem disfarçar a raiva que sentia. O nojo. — Talvez você, então, se dê conta da encrenca em que está metido, e que colaborar conosco é tua melhor chance.

— Sem comentários.

— É... eu já ouvi.

Pequenos triunfos.

Mas, enquanto detinha formalmente Norman Collins como suspeito do homicídio de Dominic Barnett, Amanda pensou em tudo o que ela mesma dissera. Se ele estivesse falando a verdade e não fosse responsável pela morte de Neil Spencer, um infanticida permanecia à solta — o que significava que outro menino poderia ser morto em seu turno.

A mente de Amanda voltou para a visão de Neil Spencer no terreno baldio na noite anterior, e toda e qualquer sensação de júbilo que ela porventura sentisse desapareceu totalmente.

Um pequeno triunfo não bastava.

Trinta e quatro

A presença da polícia em minha casa havia se intensificado na minha ausência. Ao chegarmos, encontramos duas viaturas e um furgão estacionados na rua, e policiais e peritos trabalhando na entrada de veículos que estava isolada por fitas. O foco das atividades parecia ser a garagem, mas dois policiais estavam posicionados na calçada, vigiando a propriedade como um todo. E a porta da casa estava aberta — uma visão incongruente para alguém que voltava para a própria casa, e algo que me pareceu invasivo e errado.

Encostei o carro à frente dos demais veículos. O carro do meu pai passou pelo meu e parou logo adiante.

Meu pai, *não*, pensei com meus botões.

Investigador Pete Willis.

Não haveria por que considerá-lo nada além disso, haveria? E a não ser pela maneira como ele se ajoelhara e contemplara Jake, não havia qualquer sinal de que quisesse qualquer tipo de reconhecimento. Para mim, essa situação era mais do que conveniente.

Àquela altura, o impacto do encontro havia diminuído um pouco, mas aquilo era provavelmente como os instantes de silêncio após o início de um terremoto, antes que a gritaria começasse. Eu ainda me lembrava da minha sensação, na delegacia, com meu pai ali, olhando para mim, me *vendo*. Minha mente tinha pulado para aquele momento, tanto tempo atrás, quando o vi pela última vez, e me senti pequeno e impotente. Eu tinha sido transportado. O medo e a angústia. O desejo de sumir para que ele não me visse. Mas então veio a raiva.

Ele não tinha porra nenhuma que se dirigir ao meu filho. E então o ressentimento. O fato de ele ter a chance de se meter na minha vida — e em uma posição de poder — parecia tão injusto que eu mal suportava a pressão.

— Tudo bem, papai?

— Tudo bem, parceiro.

Eu fitava o carro parado diante de mim. O homem ao volante.

Ele é o investigador Pete Willis, pensei, *e ele não significa nada pra você.*

Absolutamente nada.

Ainda mais se eu não permitisse.

— Certo — falei. — Vamos acabar logo com isso.

Ele veio ao nosso encontro na fita de isolamento, exibiu a identificação para os policiais ali posicionados, e então nos conduziu para dentro de casa sem dizer nada. O ressentimento voltou. Eu precisava da permissão dele para entrar na porra da minha casa. Era humilhante ter de segui-lo, como um menininho obediente. E foi ainda pior porque ele parecia estar indiferente a tudo.

Ele levava consigo uma prancheta e uma caneta.

— Eu preciso saber o que pertence a vocês, e o que já estava aqui quando vocês se mudaram e que vocês não tocaram.

— Tudo aqui é meu — falei. — A Sra. Shearing esvaziou todos os cômodos.

— Nós vamos falar com ela, não se preocupe.

— Não estou preocupado.

Fomos de cômodo em cômodo pegando itens básicos. Produtos de higiene pessoal. Roupas para Jake e para mim. Alguns brinquedos que estavam no quarto dele. Muito me irritava ter de consultar meu pai sobre cada item, mas ele apenas assentia e anotava; por fim, parei de consultá-lo. Se isso o incomodou, não sei, porque permaneceu calado. Na verdade, mal olhava para mim. Fiquei me perguntando o que estaria pensando ou sentindo. Mas reprimi esse questionamento, porque aquilo não tinha a menor importância.

Acabamos no meu escritório, no andar de baixo.

— Preciso do meu laptop... — comecei a dizer, mas Jake me interrompeu.

— Quem foi que o papai encontrou na garagem? Foi o Neil Spencer?

Meu pai ficou desconcertado.

— Não. Os restos mortais da garagem são bem mais velhos.

— São de quem?

— Bem, aqui entre nós, eu acho que podem ser de outro menino. Um que desapareceu há muito tempo.

— Quanto tempo?

— Vinte anos.

— Puxa! — Jake fez uma pausa, tentando assimilar um tempo tão longo.

— É... e espero que sejam, porque eu tenho procurado por ele desde aquela época.

Jake ficou abismado, como se aquilo fosse uma proeza, e a situação não me agradou.

Eu não queria que ele se interessasse por aquele homem, de jeito nenhum, e muito menos que ficasse impressionado com ele.

— Eu já teria desistido.

Meu pai exibiu um sorriso tristonho.

— A coisa foi sempre importante pra mim. Todo mundo merece voltar pra casa, você não acha?

— Posso levar isto, investigador Willis? — procedi a desconectar meu laptop, com a intenção de pôr um ponto final naquela conversa. — Eu preciso pro meu trabalho.

— Pode. — Ele desviou o olhar de nós dois. — Claro que pode.

* * *

O "esconderijo" era apenas um apartamento que ficava em cima de uma loja que vendia revistas e jornais, situada em uma extremidade da Rua Town. Visto da rua, o imóvel não prometia muito e, visto de dentro, mostrou-se ainda menos promissor.

Uma escada ligava a porta da frente a um patamar que dava acesso a quatro portas. Havia uma saleta, um banheiro, uma cozinha e um quarto com duas camas de solteiro, tudo minimamente mobiliado. Os únicos sinais de que o apartamento era utilizado pela polícia, em vez de ser alugado por uma bagatela, eram a câmera de segurança posicionada na parede externa, os botões internos de alarme e os vários ferrolhos na porta da rua.

— Acho que vocês vão ter que ficar no mesmo quarto.

Willis entrou no quarto, levando lençóis e cobertores retirados de um armário. Tirei nossas roupas da sacola e as empilhei em cima de uma velha cômoda de madeira, tendo primeiro limpado uma camada de pó. Era óbvio que fazia bastante tempo que o apartamento não tinha visto uma faxina, e o ar estava meio bolorento.

— Tudo bem — falei.

— Eu sei que é pequeno. Nós usamos este apartamento pra alojar testemunhas, mas é quase sempre mulher e criança. — Ele parecia prestes a dizer algo, mas sacudiu a cabeça. — Elas geralmente querem ficar no mesmo quarto.

— Violência doméstica, provavelmente...

Meu pai não respondeu, mas a atmosfera entre nós ficou ainda mais tensa, e eu vi que a alfinetada o tinha atingido. O que havia entre nós permanecia em silêncio, mas se tornava cada vez mais audível, conforme ocorre, às vezes, com o próprio silêncio.

— Tudo bem — repeti. — Quanto tempo a gente vai ficar aqui?

— Não deve ser mais do que um ou dois dias. Nem isso, talvez. Mas o caso parece grave. Nós precisamos cuidar pra não deixar escapar nada.

— O senhor acha que o homem que vocês prenderam matou o Neil Spencer?

— Possivelmente. Como eu disse, acho que os restos mortais que encontramos na casa de vocês são de um crime similar. Sempre se especulou que Frank Carter... o assassino... teria um cúmplice. Oficialmente, Norman Collins nunca chegou a ser considerado suspeito, mas ele parecia interessado demais no caso. Eu nunca achei que ele estivesse diretamente envolvido, mas...

— Mas?

— Talvez eu estivesse enganado.

— É... vai ver que estava mesmo.

Meu pai não disse nada. A percepção de que talvez eu o tivesse atingido novamente me propiciou um certo prazer, mas foi algo pequeno, decepcionante. Ele parecia tão abatido e incomodado. Naquele momento, ele talvez se sentisse tão impotente quanto eu.

— Certo.

Voltamos para a sala, onde Jake estava ajoelhado, desenhando. Havia um sofá, uma poltrona, uma mesinha sobre rodas e um velho televisor equilibrado sobre uma cômoda de madeira, atrás da qual se via uma barafunda de fios. O apartamento era frio e sombrio. Tentei não pensar no que estava se passando em nossa casa — em nossa verdadeira casa — naquele instante. Apesar de todos os problemas surgidos por lá, a casa era um paraíso comparada àquele apartamento.

Mas você vai conseguir se virar. E isso vai acabar logo.

E Pete Willis logo voltaria a sair da minha vida.

— Vou deixar vocês a sós — disse ele. — Foi bom te conhecer, Jake.

— Foi bom te conhecer também, Pete — disse Jake, sem erguer os olhos do desenho. — Obrigado por esse apartamento tão encantador.

Ele hesitou.

— De nada.

Ao sair no patamar da escada, fechei a porta da sala. Havia ali uma janela, mas já havia anoitecido, e a luz que entrava era fraca. Willis demonstrava certa relutância em ir embora, e então ficamos parados, na penumbra, por um instante, o rosto dele à sombra.

— Vocês têm aí tudo de que precisam? — disse ele, por fim.

— Acho que sim.

— O Jake parece ser um bom garoto.

— É — falei. — Ele é.

— É criativo, exatamente como você.

Não respondi. O silêncio entre nós começava a formigar. Até onde era possível enxergar naquela penumbra, a impressão era de que Willis se arrependera de haver falado. Mas então, ele se explicou.

— Eu vi os livros que você escreveu... lá na casa.

— Você não sabia?

Ele sacudiu a cabeça.

— Eu achei que você teria curiosidade — falei. — Que tivesse tentado me localizar, ou coisa assim.

— Você tentou me localizar?

— Não, mas isso é diferente.

Assim que falei, senti raiva de mim mesmo, porque o que eu dissera reintroduzia a questão do equilíbrio de forças, a ideia de que competia a ele me localizar, se preocupar comigo, cuidar de mim, e não o contrário.

Eu não queria que ele achasse que isso era verdade.

Não era.

Ele não significava nada para mim.

— Muito tempo atrás — disse ele —, cheguei à conclusão de que, pra mim, seria melhor ficar fora da tua vida. Tua mãe e eu chegamos junto a essa conclusão.

— É um jeito de ver a coisa.

— Suponho que sim. É o meu jeito de ver a coisa. E cumpri minha palavra. Nem sempre foi fácil. Muitas vezes eu me questionei. Mas foi melhor assim...

Ele interrompeu a própria fala, aparentando uma debilidade inusitada.

Me poupe da tua autopiedade.

Mas não compartilhei meu pensamento. Apesar do que fizera no passado, meu pai, evidentemente, havia evoluído. Já não tinha aparência nem cheiro de alcoólatra. Estava em boa forma física. E, apesar de estressado, exibia um semblante calmo. Lembrei-me, mais uma vez, que aquele homem e eu éramos estranhos. Não éramos pai e filho. Não éramos inimigos.

Não éramos nada.

Ele olhava pela janela, para o dia que aos poucos expirava lá fora.

— Sally... tua mãe. O que aconteceu com ela?

Copo quebrando.

Minha mãe gritando.

Pensei em tudo o que havia acontecido. Em como ela fez o que pôde por mim, diante das tantas dificuldades que enfrentou na condição de mãe solteira. O sofrimento e a infâmia da morte dela. Assim como Rebecca, ela fora levada precocemente, muito antes que ela ou eu merecêssemos aquela perda.

— Ela morreu — falei.

Ele ficou mudo. Por um instante, pareceu arrasado. Mas então, se recompôs.

— Quando?

— Não é da tua conta.

A raiva na minha voz me surpreendeu, mas, aparentemente, não surpreendeu meu pai. Ele ficou parado, absorvendo o impacto do golpe.

— Não — disse ele, em voz baixa. — Acho que não é mesmo.

E então começou a descer a escada, dirigindo-se à porta da rua. Fiquei olhando. Quando ele estava no meio da descida, voltei a falar, com um volume discreto, suficiente apenas para que ele pudesse ouvir.

— Eu me lembro daquela última noite, sabe. Da noite em que você foi embora. Da última vez que você me viu. Eu me lembro de como você estava bêbado. De como tua cara estava vermelha. Do que você fez. Jogando o copo nela. Ela gritando.

Ele parou na escada e ficou absolutamente imóvel.

— Eu me lembro de tudo — falei. — Então, como você se atreve a pedir notícias dela agora?

Ele não respondeu.

E então continuou a descer a escada, em silêncio, me deixando com nada além das batidas nauseadas e raivosas do meu coração.

Trinta e cinco

Ao sair do esconderijo, Pete conduziu o carro em alta velocidade, percorrendo ruas vazias, seguindo diretamente para casa. O armário da cozinha o chamava, e ele haveria de ceder. Agora que a decisão fora tomada, a vontade era mais intensa que nunca, e parecia que a vida dele dependia da chegada àquele destino o mais rapidamente possível.

Ao entrar, ele trancou a porta e fechou a cortina. A casa continuava em silêncio, e parecia tão vazia, com ele lá dentro, como estivera antes de sua chegada. Porque, afinal de contas, o que ele acrescentava ali? Ele olhou à sua volta, contemplando o mobiliário espartano da sala. Era a mesma coisa pela casa inteira — todos os espaços igualmente ascéticos e zelosamente organizados. A verdade era que havia anos que ele morava em uma casa vazia. Os detritos de uma vida carente de significado, uma vida da qual se esquivara, não eram menos tristes porque estava tudo organizado e limpo.

Vazio. Sem sentido.

Desprezível.

A voz soava radiante com a vitória. Pete ficou parado, respirando devagar, ciente do coração acelerado. Mas já estivera naquela situação diversas vezes, e era sempre assim mesmo que a coisa funcionava. Quando a compulsão pela bebida se mostrava mais forte, tudo a intensificava. Qualquer incidente ou juízo, bom ou mau, poderia ser distorcido e servir de pretexto.

Mas era tudo mentira.

Você já esteve nessa situação.

Você consegue superar.

A vontade ficou calada por um instante, mas então começou a uivar dentro da cabeça dele, ciente das artimanhas às quais ele haveria de recorrer. Ele deixara que a vontade o conduzisse até em casa, como que guiado por um piloto automático, deixara que ela acreditasse que ele estava cedendo, mas agora ele voltava a assumir o controle.

A dor girava em seu peito, rodopiando e insuportável.

Você já esteve nessa situação.

Você consegue superar.

A mesa. A garrafa e a fotografia.

Naquela noite, ele acrescentou um copo e, após um instante de hesitação, abriu a garrafa e serviu dois dedos de vodca. E por que não? Era beber ou não beber. A questão não era a distância a que ele chegaria na estrada; a questão era chegar ao ponto final.

O celular vibrou. Ele pegou o aparelho e viu a mensagem enviada por Amanda, atualizando-o acerca do interrogatório de Norman Collins. Tinham conseguido acusar Collins do assassinato de Dominic Barnett, pelo jeito, mas a questão de Neil Spencer continuava obscura, e Collins havia solicitado a presença de um advogado.

— O senhor acha que o homem que vocês prenderam matou Neil Spencer? — Tom tinha indagado.

— Possivelmente — ele respondera, e era óbvio que o sujeito estava, de algum modo, envolvido. Mas, se não fosse Collins o responsável pelo sequestro e homicídio de Neil, o verdadeiro assassino ainda estaria à solta. Qualquer alívio que ele sentiu ao saber da prisão de Collins se evaporou completamente diante desse pensamento, assim como tinha evaporado, vinte anos antes, quando ele viu Miranda e Alan Smith na recepção da delegacia e percebeu que o pesadelo estava longe de chegar ao fim.

Agora aquele problema não deveria ser mais dele. Tom era seu filho, apesar da distância que havia tanto tempo os separava, e a relação de parentesco determinava que ele conversasse com Amanda, no dia seguinte, e se retirasse do caso. Ele achava que seria um alívio poupar-se de tal pressão. No entanto, estando àquela altura profundamente envolvido — tendo sido forçado a confrontar Carter, mais uma vez, e a ver o corpo de Neil Spencer no terreno baldio na noite anterior —, ele queria levar a coisa até o fim, por mais danoso que fosse o processo.

Ele pôs o celular de lado, e então fitou o copo, tentando analisar como se sentiu ao rever Tom depois de tantos anos. O encontro deveria tê-lo sacudido até os ossos, assim ele presumia; contudo, sentia uma serenidade estranha. No decorrer dos anos, anestesiara-se diante do fato de sua paternidade, como se fosse algo aprendido na escola e que não tivesse mais qualquer ligação com sua vida. O sofrimento causado pelas lembranças de Sally já era relativamente insuportável, mas o fracasso diante de Tom fora absoluto, e Pete fizera o possível para nunca pensar no assunto. Era melhor não ter nada a ver com a vida do filho, e sempre que se surpreendia imaginando que tipo de homem o filho se tornara, ele, rapidamente, enxotava quaisquer pensamentos. Eram quentes demais para se tocar.

Mas agora ele sabia.

Ele não tinha o direito de pensar em si na condição de pai, mas era impossível não avaliar o homem que encontrara naquela tarde. Um escritor. Isso fazia muito sentido, é claro. Quando criança, Tom sempre fora criativo, sempre inventava histórias que Pete não era capaz de seguir, ou criava cenários complexos com os brinquedos. Jake se parecia muito com Tom, quando este era menino: uma criança sensível e inteligente. Com base no pouco que Pete ficara sabendo, era evidente que Tom tinha sofrido tribulações e tragédias ao longo da vida, mas estava conseguindo criar Jake sozinho. Não restava dúvida de que seu filho se transformara em um homem digno.

Nada desprezível. Nada inútil, nem fracassado.

O que era bom.

Pete correu a ponta do dedo pela borda do copo. Era bom que Tom houvesse superado a infância infeliz que ele lhe oferecera. Bom que ele houvesse se retirado da vida de Tom antes de envenená-la ainda mais. Porque era óbvio que o fizera. Mesmo depois de tanto tempo, ainda era lembrado. O impacto por ele causado fora terrível o bastante para deixar marcas duradouras.

Eu me lembro daquela última noite.

Pete ainda visualizava o olhar de ódio no semblante do filho, quando este lhe dissera tais palavras. Pegou o copo. Devolveu-o à mesa. A coisa não tinha sido bem assim, tinha? Ele merecia ódio — sabia muito bem disso —, mas o ódio não era gratuito. Na ocasião em que Sally e Tom o abandonaram, Pete bebia quase constantemente, e os dias e as noites eram um borrão, mas ele se lembrava daquela noite com total clareza. A descrição que Tom fizera do ocorrido era impossível.

Fazia alguma diferença?

Talvez não. Ainda que não correspondesse à verdade literal, a memória do filho haveria de produzir uma sensação de veracidade, algo similar à sensação de fracasso que Pete sentia, e, no fim das contas, era esse o tipo de verdade que importava.

Olhou para a conhecida foto sua ao lado de Sally. Tinha sido batida antes de Tom ser gerado, mas Pete achou que, com boa vontade, era possível detectar a consciência da paternidade iminente na expressão facial do jovem. Os olhos semicerrados, querendo se proteger do sol. O meio sorriso que parecia prestes a desaparecer. Era como se o homem na foto já soubesse que haveria de fracassar e perder tudo.

Sally ainda aparentava muita felicidade.

Ele a perdera havia muito tempo, mas alimentara a fantasia de que estivesse viva em algum lugar, levando uma vida feliz, realizada. Ciente de que a perda dele tinha sido um ganho para ela e Tom. Mas agora ele sabia a verdade. Não tinha havido ganho nenhum. Sally estava morta.

A sensação era de que tudo estava morto.

Mais uma vez, pegou o copo, mas dessa vez não o devolveu à mesa, e ficou observando o líquido acetinado. Parecia tão inocente, tão semelhante à água, até ser agitado e exibir a névoa ali escondida.

Já estivera naquela situação. Conseguiria sobreviver àquele momento.

Mas por que se importar?

Olhou em redor da sala, avaliando, mais uma vez, o vazio de sua existência. Era um nada. Um homem feito de ar. Uma vida sem importância. Nada de bom em seu passado poderia ser resgatado, e nada em seu futuro valeria a pena resgatar.

Mas isso não era verdade, era? O assassino de Neil Spencer talvez ainda estivesse à solta. Se o homicídio do menino resultara de uma falha sua, era sua responsabilidade corrigir o erro, independentemente de quaisquer repercussões de natureza pessoal. Querendo ou não, ele agora estava de volta ao pesadelo e era preciso ir até o fim, mesmo que a experiência o derrubasse. Havia a questão do conflito de interesses, sim, mas, se ele cuidasse, talvez ninguém viesse a saber. Duvidava que Tom pretendesse revelar a história passada dos dois.

Era um motivo para se manter sóbrio.

E também...

Obrigado por esse apartamento tão encantador.

Pete sorriu ao se lembrar das palavras de Jake. Foi uma coisa diferente de se dizer, e muito engraçada. Ele era um menino engraçado. Um bom menino. Criativo. Com personalidade. Provavelmente bem levado, assim como Tom era às vezes.

Pete se permitiu ficar pensando em Jake por mais alguns instantes. Imaginou-se conversando com o menino. Brincando com ele, conforme devia ter feito — deveria ter feito — com

Tom, quando este era criança. Era uma bobagem, claro. Aquilo não era nada. Dali a poucos dias, o envolvimento dele com a dupla chegaria ao fim e, com certeza, nunca mais os veria.

Mesmo assim, resolveu que não beberia.

Não naquela noite.

Seria fácil virar o copo, obviamente. Era sempre fácil. Em vez disso, ele se levantou, atravessou a cozinha e esvaziou o conteúdo dentro da pia, devagar. Observou o líquido escoar pelo ralo e, paralelamente à vontade ainda firme em seu peito, voltou a pensar em Jake e experimentou uma sensação que havia anos não sentia. Não havia razão para isso. Não fazia sentido. Mas a sensação estava ali.

Esperança.

QUARTA PARTE

Trinta e seis

Na manhã seguinte, quando deixei Jake na escola, ainda estava impressionado diante da facilidade com que meu filho se adaptara às nossas novas circunstâncias. Na noite anterior, no esconderijo, ele tinha dormido sem a menor queixa, me deixando sozinho na saleta com meu laptop e meus pensamentos. Quando, por fim, fui me deitar, olhei para ele e sua fisionomia estava tão serena que cheguei a me perguntar se ele não estaria mais em paz naquele apartamento do que em nossa nova casa. Eu me perguntei também se ele estaria sonhando com algo.

Mas eu sempre me fazia essa pergunta.

Quanto a mim, embora me sentisse exausto, o ambiente estranho atrapalhou meu sono mais do que nunca; portanto, foi um alívio quando Jake se mostrou bem-comportado e cordato naquela manhã. Talvez ele estivesse pensando naquilo tudo como uma espécie de aventura. Em todo caso, foi um alento. Eu estava tão cansado, com os nervos tão à flor da pele, que acho que não teria condições de enfrentar mais problemas.

Fomos de carro até a escola, e então eu o acompanhei até a entrada.

— Tudo bem, parceiro?

— Tudo bem, papai.

— Certo. Então, vamos lá. — Entreguei a garrafinha de água e a mochila para ele. — Eu te amo.

— Eu também te amo.

Ele se dirigiu à porta, com a mochila balançando às costas. A Sra. Shelley estava à espera. Eu não tinha tido a prometida conversa com Jake. Eu só esperava que o dia fosse um pouco mais fácil para ele, ou, pelo menos, que ele não socasse ninguém.

— Você *ainda* está com uma cara de bunda.

Karen me alcançou e caminhou ao meu lado, enquanto eu saía pelo portão. Ela continuava trajando o casacão, apesar do calor matinal.

— Ontem você ficou preocupada em não me ofender quando disse isso.

— É, mas não ofendi, né? — Ela deu de ombros. — Fiquei pensando nisso à noite, na hora de dormir, e achei que não tinha problema.

— Você deve ter dormido muito melhor que eu...

— Pela tua cara, provavelmente. — Ela enfiou as mãos nos bolsos. — O que você vai fazer agora? Quer tomar um café, ou você tem que correr pra cochilar em algum lugar?

Hesitei.

Não tinha nada para fazer. Eu tinha dito ao meu pai que precisava do meu laptop para trabalhar, mas a probabilidade de conseguir realizar algo naquele estado de espírito era mínima. Aquele era o tipo de dia para se manter a cabeça fora d'água, na expectativa de surgir terra à vista — basicamente, ficar matando o tempo. E olhando para Karen, eu me dei conta de que a companhia dela não era má ideia.

— Claro — falei. — Boa ideia.

Caminhamos até a rua principal, onde ela me conduziu pela frente de uma lojinha de esquina e do correio local, até uma delicatéssen chamada Happy Pig. Havia cenas rurais pintadas na vitrine, e o interior era rústico e cheio de mesas de madeira, fazendo lembrar uma cozinha de fazenda.

— É um pouco pretensioso. — Ela empurrou a porta e um sininho tilintou. — Mas o café é passável.

— Desde que contenha cafeína...

O aroma era bom. Fizemos o pedido no balcão, lado a lado, um tanto constrangidos, e aguardamos em silêncio. Então levamos nossos cafés até uma mesa e nos sentamos.

Karen tirou o casaco. Ela usava blusa branca e calça jeans, e fiquei surpreso ao vê-la tão esbelta, uma vez removida a armadura. Seria uma armadura? Pensei que talvez fosse. Uma série de pulseiras de madeira em seus pulsos chacoalharam levemente quando ela ergueu as duas mãos e ajeitou o cabelo, prendendo-o em um rabo de cavalo.

— Então — disse ela —, *o que* está acontecendo com você?

— É uma longa história. Quanto você quer saber?

— Ah, tudo.

Refleti a respeito. Na condição de escritor, eu acreditava que não se falava sobre uma história até que estivesse concluída. Caso contrário, o ímpeto de escrevê-la diminuía — como se a história quisesse apenas ser contada de alguma forma, e a pressão diminuísse, quanto mais o relato fosse repetido.

Portanto, com isso em mente, resolvi contar tudo a Karen.

Ou, quase tudo.

Ela já sabia sobre a bagulhada na minha garagem e sobre a visita que recebi do tal Norman Collins, mas a tentativa de sequestro de Jake, em plena madrugada, fez com que ela arqueasse as sobrancelhas. Em seguida, falei sobre as informações que obtive com a Sra. Shearing e sobre os eventos do dia anterior. A descoberta do corpo. O esconderijo.

E, finalmente, sobre meu pai.

Até aquele momento eu achava Karen um tanto ou quanto frívola: chegada a sarcasmo e piadinhas. Porém, quando concluí o relato, ela se mostrou horrorizada e extremamente séria.

— Que merda — disse ela, em voz baixa. — A polícia ainda não divulgou detalhes à imprensa... só que um corpo tinha sido encontrado numa propriedade. Eu não fazia ideia que tinha sido na tua.

— Acho que estão mantendo a coisa em sigilo. Até onde pude entender, acreditam que seja a ossada de um menino chamado Tony Smith. Uma das vítimas do Frank Carter.

— Coitados dos pais — disse Karen, sacudindo a cabeça. — Vinte anos. Embora eu ache que, depois de tanto tempo, eles já deviam saber que o filho estava morto. Pode até ser um alívio, pra eles, poder colocar um ponto final nesse assunto.

Eu me lembrei das palavras do meu pai.

— Todo mundo merece voltar pra casa — falei.

Karen desviou o olhar. Era como se quisesse fazer outras perguntas, mas, por algum motivo, não tivesse certeza se deveria fazê-las.

— Esse sujeito que foi preso — disse ela.

— Norman Collins.

— Norman Collins, certo. Como é que *ele* sabia do corpo?

— Sei lá. Supostamente, ele sempre se interessou pelo caso. — Dei um gole no café. — Meu pai acha que ele talvez seja mesmo o cúmplice do Carter.

— E que tenha matado o Neil Spencer também?

— Não sei.

— Espero... bem — ela se corrigiu —, quer dizer... sei que é terrível dizer uma coisa dessa, mas pelo menos pegaram o filho da mãe. Jesus! Se você não tivesse acordado...

— Eu sei. Nem quero pensar nisso.

— Essa porra é assustadora.

Era mesmo. Mas, evidentemente, o fato de não querer pensar na coisa não significava que eu conseguisse deixar de pensar.

— Eu li a respeito dele ontem à noite — falei. — Sobre esse Carter. É meio mórbido, mas eu achei que precisava saber. O Homem-Sussurro. Alguns dos detalhes são medonhos.

Karen assentiu.

— "Se a porta aberta você deixar, o sussurro por ela vai entrar." Eu perguntei ao Adam depois que você mencionou.

É um versinho que as crianças recitam. O Adam nunca tinha ouvido falar no Carter, é claro, mas eu acho que deve ter partido dele. De boca em boca.

— Um alerta contra o bicho-papão.

— É... só que esse é de verdade.

Pensei sobre o tal versinho. Adam tinha ouvido o versinho sem saber do que se tratava, e talvez aquilo fosse conhecido para além de Featherbank. Aquele tipo de coisa costumava circular entre a criançada; portanto, talvez algum coleguinha da escola tivesse recitado o verso, e assim Jake o teria memorizado.

Haveria de ser algo assim, é claro. A menina não teria ensinado versinho nenhum para ele, mesmo porque a menina não existia.

Mas isso não explicava as borboletas. Nem o menino no chão.

Karen pareceu ler minha mente.

— E o Jake? Como é que ele está lidando com tudo isso?

— Bem, eu acho. — Dei de ombros, meio impotente. — Sei lá. Ele e eu... às vezes, a gente tem dificuldade de conversar. Ele não é a criança mais fácil do mundo.

— Não existe isso — disse Karen.

— E eu não sou o homem mais fácil do mundo.

— A mesma coisa. Mas e você? Deve ter sido estranho, ver teu pai depois de tanto tempo. Você não teve mesmo nenhum contato com ele?

— Nenhum. Minha mãe foi embora e me levou com ela quando a coisa ficou insustentável. Eu nunca mais vi ele.

— Insustentável?

— A bebida — falei. — A violência...

Mas então interrompi minha fala. Era mais fácil explicar daquele jeito do que entrando em detalhes; no entanto, a bem da verdade, a não ser por aquela noite derradeira, eu não tinha outras lembranças do meu pai agindo com violência física com minha mãe ou comigo. A bebida, sim, embora eu não entendesse bem a questão à época; tudo o que eu sabia era que ele estava sempre zangado, que sumia durante alguns dias, que o dinheiro era curto, que meus pais brigavam muito. E eu me lembrava do ressentimento e da amargura que emanavam dele — da sensação de ameaça que pairava no ar, como se algo de ruim pudesse acontecer a qualquer momento. Eu me lembro da sensação de medo. Mas dizer que havia violência física seria exagerar.

— Sinto muito por tudo isso — disse Karen.

De novo, dei de ombros, me sentindo um tanto constrangido.

— Obrigado. Mas, sim, foi estranho ver meu pai. Eu me lembrava dele, é claro, mas ele está mudado. Não tem mais cara de alcoólatra. O jeito dele parece diferente. Mais tranquilo.

— As pessoas mudam.

— Mudam, sim. E tudo bem. Nós dois somos hoje pessoas totalmente diferentes do que éramos. Eu não sou mais um menino. Ele não é bem meu pai. Não tem a menor importância.

— Não sei se posso acreditar em você.

— Bem, o que será, será.

— Nisso eu acredito. — Karen bebeu o café e começou a vestir o casaco. — E, por falar nisso, agora vou ter que amá-lo e deixá-lo, infelizmente.

— Você precisa correr pra ir cochilar em algum lugar?

— Não, eu dormi bem, lembra?

— Certo. — Dei mais um gole no café. Karen não parecia inclinada a me dizer aonde se dirigia, e me dei conta de que não sabia quase nada a respeito dela. — A gente ficou o tempo todo falando de mim, né? Não parece justo.

— Porque você é muito mais interessante do que eu, ainda mais agora. Quem sabe, você não escreve sobre essa coisa toda num dos teus livros?

— Talvez.

— É... me desculpe. Eu te pesquisei no Google. — Ela pareceu estar ligeiramente constrangida. — Sou boa em descobrir coisas. Não conta pra ninguém.

— Teu segredo está seguro.

— Que bom. — Ela fez uma pausa, como se quisesse dizer algo mais. Mas então sacudiu a cabeça, nitidamente, mudando de ideia. — A gente se vê mais tarde?

— Com certeza. Te cuida.

Enquanto ela se retirava, dei um último gole no café, me perguntando o que ela pretendera me dizer. E também pensando no fato de ela ter feito uma pesquisa sobre mim no Google. Qual seria o significado disso?

E haveria algo errado com o fato de eu ter gostado de saber?

Trinta e sete

— Você já acabou, meu querido?

O homem meneou a cabeça, por um instante sem saber direito onde estava e o que lhe era perguntado. Então viu a garçonete sorrindo, olhou para a mesa e percebeu que já tinha bebido o café.

— Já — disse ele, reclinando-se na cadeira. — Desculpe, eu estava a quilômetros de distância.

Ela voltou a sorrir, enquanto recolhia a xícara vazia.

— Deseja mais alguma coisa?

— Talvez, daqui a pouquinho.

Ele não pretendia pedir mais nada, mas, embora o estabelecimento não estivesse lotado, convinha ser educado e observar o protocolo social. Não queria ser lembrado como alguém que permanecera no local por mais tempo do que o desejável. Não queria era ser lembrado — ponto final.

E nisso ele era muito bom — embora, na verdade, as pessoas facilitassem seus esforços nesse sentido. Tantas pessoas pareciam absortas em sua própria existência, como se transitassem sonâmbulas pela vida, alheias ao mundo que as cerca. Hipnotizadas por seus celulares. Ignorando quem passa por elas. As pessoas eram autocentradas e indiferentes, e desatentas ao que estivesse na periferia. Quem não se destacasse desaparecia da mente das pessoas, feito um sonho.

Ele fitou Tom Kennedy, sentado duas meses adiante.

Kennedy estava de costas e, agora que a mulher se afastara, o homem poderia olhar fixamente para ele, se quisesse. Enquanto ela estivera ali, bem de frente, ele tinha bebericado o café e fingido examinar o celular, como se fizesse parte dos móveis e utensílios da delicatéssen. Mas ficara o tempo todo alerta, é claro. As conversas que nos cercam podem se mesclar, se assim permitirmos, tornando-se um zumbido impenetrável; no entanto, se mantivermos a atenção, podemos identificar uma conversa e segui-la com facilidade. Bastava manter a concentração, como quem sintoniza, meticulosamente, uma estação de rádio, até que a estática desapareça e surja um som claro.

Como ele estava certo, agora pensou.

Às vezes, a gente tem dificuldade de conversar.

Ele não é a criança mais fácil do mundo.

Bem, o homem tinha certeza de que Jake haveria de desabrochar sob *seus* cuidados. Ele propiciaria ao menino o lar merecido, bem como o amor e o zelo necessários. E então ele próprio haveria de se sentir igualmente são e íntegro.

E se não fosse assim...

O tempo tinha um jeito de anestesiar os sentimentos. Hoje em dia ele achava muito mais fácil pensar sobre o que fizera com Neil Spencer. Os calafrios que sentira na ocasião desapareceram havia muito tempo, e ele agora conseguia lidar com as lembranças com mais frieza — na realidade, havia nisso quase um prazer. Porque o menino tinha merecido, não tinha? E se houve momentos de tranquilidade e felicidade ao longo dos dois meses iniciais, quando tudo parecia correr bem, houve também uma sensação de calma e justiça depois daquele dia derradeiro, uma sensação igualmente alentadora.

Mas não.

O desfecho não seria o mesmo.

Tom Kennedy se levantou e se dirigiu à porta. O homem voltou a olhar para o celular, digitando algo preguiçosamente na tela no momento em que Kennedy passou por ele.

O homem permaneceu sentado mais alguns instantes, pensando no que tinha ouvido. Quem seria Norman Collins?

O nome era totalmente desconhecido. Um daqueles outros, ele supunha, mas não fazia ideia por que motivo o tal Collins fora detido agora. Mas, para ele, vinha bem a calhar. Serviria para despistar a polícia. Kennedy ficaria com os nervos menos à flor da pele. O que significava que ele só teria de escolher o momento certo, e tudo sairia bem.

Levantou-se.

Quanto mais barulho, mas fácil era sair sem ser notado.

Trinta e oito

Faz tanto tempo que eu procuro por você.

Pete saiu do carro e entrou no hospital; então desceu de elevador até o subsolo, onde ficava a unidade municipal de patologia. Uma das paredes do elevador era espelhada, e ele viu que estava com um bom aspecto. Calmo, inclusive. Dentro dele talvez só houvesse cacos, mas do lado de fora era como um belo embrulho cujo conteúdo só chacoalhava ao ser sacudido.

Não se lembrava de já ter se sentido tão apreensivo como naquele momento.

Fazia vinte anos que procurava por Tony Smith. Em certa medida, ele se perguntava se a ausência do menino não lhe servira de esteio — se não lhe propiciara um objetivo e um motivo para seguir adiante, ainda que tal motivação sempre se mantivesse oculta em seus pensamentos. Apesar de tudo, por mais que Pete tentasse não pensar no assunto, o caso, para ele, jamais fora encerrado.

Então precisava estar presente no momento em que fosse encerrado.

Sempre detestara as salas de autópsia daquela unidade. O cheiro de antisséptico jamais camuflava totalmente a fedentina, e a iluminação agressiva e as superfícies metálicas só serviam para ressaltar os cadáveres cobertos de manchas espalhados por lá. A morte era algo tangível naquele local, tornando-se exposta e banal. As salas falavam de pesos e medidas, e continham pranchetas com rabiscos que detalhavam questões de química e biologia, tudo extremamente frio e clínico. Todas as vezes que visitava aquele local, Pete se dava conta de que os aspectos mais relevantes da vida humana — as emoções, o caráter, as experiências — tornam-se evidentes em sua própria ausência.

O patologista, Chris Dale, o conduziu até uma maca do lado oposto do ambiente. Enquanto seguia o homem, Pete sentia-se fraco, como se fosse perder os sentidos, e precisou resistir ao impulso de dar meia-volta e ir embora.

— Eis o nosso menino.

Dale falou em voz baixa. Era conhecido junto à corporação pelo modo seco e indiferente com que lidava com a polícia, resguardando seu respeito para aqueles aos quais sempre se referia como seus "pacientes".

O nosso menino.

O modo como Dale enunciara a frase deixava claro que os restos mortais estavam agora sob sua proteção. Que as indignidades a eles impostas tinham chegado ao fim, e que o corpo seria agora devidamente cuidado.

O nosso menino, Pete pensou.

A ossada estava exposta no formato de uma criança, mas o tempo havia separado vários ossos, e não restava o menor vestígio de carne. Pete tinha visto inúmeros esqueletos ao longo dos anos. De certo modo, era mais fácil encarar esqueletos do que cadáveres de vítimas recentes, que pareciam seres humanos, mas que, em sua imobilidade sepulcral, *não eram*. Já um esqueleto era algo tão distanciado da experiência cotidiana que podia ser visto com menos emoção. No entanto, a realidade sempre calava fundo: o fato de que as pessoas morrem e, em relativamente pouco tempo, ficam reduzidas a ossos que jazem imóveis onde forem deixados.

— Ainda precisamos fazer a autópsia completa — disse Dale. — Está marcada pra mais tarde. O que eu posso dizer, por enquanto, é que se trata da ossada de um menino de cerca de seis anos. Não posso nem aventar a causa da morte, por ora, e talvez jamais descobriremos, mas o óbito ocorreu há bastante tempo.

— Vinte anos?

— Pode ser. — Dale hesitou, sabendo o que estava por trás da pergunta formulada por Pete; em seguida, apontou para uma segunda maca ao lado deles. — Temos também estes itens aqui, recolhidos no local. E temos a caixa, é claro... os restos mortais foram trazidos dentro da caixa, a fim de preservá-los melhor. As roupas estavam por baixo dos ossos.

Pete deu um passo à frente.

As roupas eram velhas, e sobre elas havia fragmentos de teias de aranha, mas Dale e sua equipe as tinham retirado com cautela de dentro da caixa e elas estavam agora meticulosamente dobradas e empilhadas. Pete não precisou tocar nas roupas para reconhecê-las.

Short azul de corrida. Camisa polo preta.

Ele se virou e voltou a olhar para o corpo. O caso o ocupara durante tantos anos, mas aquela era a primeira vez que Pete via Tony Smith. Até aquele momento, houvera apenas fotografias de um menino, imagens congeladas para sempre no tempo. Fossem as circunstâncias ligeiramente diversas, Pete poderia ter passado por Tony Smith, aos vinte e seis anos, na rua, naquele mesmo dia, sem jamais ter ouvido seu nome. Ele fixou o olhar na estrutura pequena, fragmentada, que antes sustentara o corpo de um ser humano com todas as possibilidades inerentes ao seu potencial.

Tantas esperanças e sonhos, e veja o que fui fazer.

Pete afastou da mente as palavras de Frank Carter e, por alguns segundos, continuou a olhar para o corpo, querendo assimilar a enormidade do momento. Mas percebeu que nada havia ali, assim como Tony Smith também não estava presente naquele vazio de ossos sobre a maca. Dedicando a vida a resolver o mistério do paradeiro daquele menino desaparecido,

Pete fora mantido em órbita durante muito tempo. Agora, o centro de gravidade tinha se esvaído, mas a trajetória parecia inalterada.

— Encontramos várias dessas dentro da caixa — disse Dale.

Pete se virou e viu o patologista inclinando-se para a frente, enfiando as mãos nos bolsos, enquanto fitava a caixa de papelão na qual Tony Smith fora encontrado. Aproximando-se, Pete constatou que a atenção do homem se dirigia a uma borboleta presa às teias de aranha. Era evidente que a borboleta estava morta, mas as cores estampadas nas asas permaneciam claras e vívidas.

— É um tipo de borboleta chamado Mariposa de Cadáver — disse Pete.

O patologista olhou-o com surpresa.

— Eu não sabia que o senhor era conhecedor de borboletas, investigador.

— Eu vi um documentário — disse Pete, dando de ombros. Sempre achava que via televisão e lia apenas para passar o tempo, e ficou um tanto surpreso ao constatar que algum conhecimento se solidificara. — Tenho que arrumar coisas pra fazer à noite.

— Nisso eu posso acreditar.

Pete vasculhou a memória, buscando detalhes. Aquela espécie de borboleta era nativa da região, embora relativamente rara. O programa acompanhara um grupo de sujeitos excêntricos que seguia por campos e áreas de vegetação rasteira à procura dessa tal espécie. Por fim, encontraram uma. A Mariposa de Cadáver era atraída por carniça. Pete nunca tinha visto essas mariposas, mas, desde que assistira ao documentário, passara a procurá-las durante as varreduras de vias rurais e matagais que costumava realizar nos fins de semana, se perguntando se a presença do inseto não seria uma indicação de que ele estava procurando no local certo.

O celular vibrou dentro do bolso; ele pegou o aparelho e encontrou uma mensagem enviada por Amanda. Pete fez uma leitura rápida: informações recentes sobre o caso. Depois de uma noite na cadeia, Norman Collins parecia disposto a repensar sua postura de "nada a comentar" e se mostrava pronto a abrir o bico. Amanda queria que Pete retornasse à delegacia o mais rapidamente possível.

Pete guardou o celular, mas permaneceu imóvel por um instante, contemplando a caixa de papelão à sua frente. Havia camadas sobrepostas de fita adesiva: um recipiente que, com toda certeza, tinha sido fechado e aberto diversas vezes no decorrer dos anos. A caixa seria encaminhada à perícia, na esperança da localização de impressões digitais. O olhar de Pete percorreu, então, a superfície da caixa, imaginando as mãos invisíveis que a manipularam durante tanto tempo. Ele visualizava dedos pressionados sobre a caixa, como se o papelão fosse a pele que encobria os ossos ali escondidos.

Algo valorizado por colecionadores.

Por um instante, ele se perguntou se quem manuseava a caixa imaginaria a presença das batidas de um coração. Ou se haveria de se deleitar com a ausência de qualquer pulsação.

Tinta e nove

Sentado diante de Amanda e Pete na sala de audiência, o advogado de Norman Collins respirou fundo.

— Meu cliente está disposto a confessar o assassinato de Dominic Barnett — disse ele. — Mas nega, categoricamente, qualquer envolvimento no sequestro e no homicídio de Neil Spencer.

Amanda o encarou e ficou aguardando.

— No entanto, meu cliente está disposto a prestar um depoimento completo e honesto a respeito dos restos mortais encontrados na Rua Garholt ontem. Ele não quer que a polícia desperdice seus recursos financeiros com ele, o que poderia colocar alguma outra criança em risco, e ele acredita que o que tem a dizer poderá auxiliar vocês na localização do indivíduo de fato responsável pelo assassinato.

— Uma atitude pela qual ficamos muito gratos.

Amanda sorriu educadamente, embora soubesse reconhecer papo furado quando ouvia um. Sentado em silêncio do outro lado da mesa, Collins parecia enfraquecido e constrangido. Não tinha estrutura para suportar o encarceramento, e uma noite apenas sob custódia já havia acabado com o ar presunçoso que tinha exibido no dia anterior. O fato de que ele finalmente iria falar propiciou pouca satisfação a Amanda, porque era óbvio que a decisão fora motivada por interesse próprio, e não pela vontade de salvar vidas. Não havia ali qualquer natureza benéfica; simplesmente ele tivera tempo para perceber que o fato de colaborar com a polícia — informando sua versão da história — poderia, a longo prazo, ser mais vantajoso para ele.

Se colaborasse e fosse visto como alguém disposto a ajudar, sua situação talvez melhorasse.

Mas não era o momento de demonstrar repúdio. Não se Collins *pudesse mesmo* ajudar.

Ela recostou na cadeira.

— Então... pode falar, Norman.

— Não sei por onde começar.

— Você sabia que os restos mortais do Tony Smith estavam naquela casa, não sabia? Vamos começar por aí.

Collins permaneceu calado por alguns segundos, o olhar fixo no tampo da mesa que os separava, recompondo-se. Amanda olhou para Pete, sentado ao lado dela, e viu que Pete também se recompunha. Estava preocupada com ele. Pete se mostrava mais quieto que nunca, e mal falara com ela desde que chegara à delegacia. Ele quase lhe dissera algo, mas, por algum motivo, desistira de fazê-lo. Aquele momento seria difícil para Pete, disso ela sabia. Acabara de ver o que provavelmente seriam os restos mortais de Tony Smith, um menino que ele procurava havia muito tempo, e agora estava prestes a ouvir a verdade sobre o que acontecera. Os anos talvez o tivessem deixado mais calejado, mas ela não queria nem pensar na possibilidade de reabertura das velhas feridas dele.

— Eu sei o que vocês acham dos meus interesses — disse Collins, em voz baixa.

Amanda voltou sua atenção para ele.

— E sei o que muita gente acha dos meus interesses. Mas o fato é que sou bastante respeitado no meu campo. E, ao longo dos anos, construí minha reputação de colecionador.

Colecionador.

Ele fez a coisa parecer benigna — quase respeitável —, mas Amanda tinha visto detalhes dessa coleção. Que tipo de indivíduo seria atraído por aquele material que passara tantos anos adquirindo? Amanda visualizava Collins e gente como ele feito ratos correndo pelos subterrâneos escuros da internet. Fechando negócios e fazendo planos. Roendo os fios da sociedade. Quando Collins erguesse o olhar para Amanda, o desprezo que ela sentia estaria sem dúvida evidenciado em seu rosto.

— Meus interesses não têm nenhuma diferença dos interesses das outras pessoas — disse ele, na defensiva. — Eu constatei há muito tempo que meu hobby era considerado excêntrico pela maioria das pessoas e nojento por algumas. Mas tem gente que compartilha do meu interesse. E, no decorrer dos anos, eu demonstrei que sou confiável, o que me permitiu o acesso a itens mais importantes do que outras pessoas.

— Você é um negociante sério?

— Um negociante sério que negocia com coisa séria. — Ele lambeu os lábios. — E como ocorre nesse tipo de negociação, há círculos abertos e círculos fechados. Meu interesse no caso do Homem-Sussurro era bem conhecido nos círculos fechados. E anos atrás fui informado que uma determinada... experiência talvez me fosse viabilizada. Desde que eu estivesse disposto a pagar, é claro.

— Que *experiência* foi essa?

Ele a encarou por um momento, e então respondeu como se fosse a coisa mais natural do mundo.

— Passar um tempo com o Tony Smith, é claro.

Silêncio.

— Como? — disse ela.

— Primeiro fui instruído a visitar Victor Tyler na prisão. Tudo foi providenciado por intermédio do Tyler. O Frank Carter sabia, mas não quis se envolver diretamente. O combinado era que os interessados passassem pelo crivo do Tyler. Fiquei feliz quando passei no teste. Assim que o pagamento chegou às mãos da esposa do Tyler, fui encaminhado a um determinado endereço. — Collins fez uma careta. — Não me surpreendi quando constatei que se tratava do Julian Simpson.

— Por quê?

— Ele era um sujeito desagradável. Com maus hábitos de higiene pessoal. — Collins tocou a fronte com os dedos. — Não era muito bom da cabeça. As pessoas costumavam debochar dele, mas, na verdade, tinham medo. E aquela casa... Lugar estranho, né? Eu me lembro que as crianças se desafiavam, pra ver quem teria coragem de entrar no jardim. Tiravam fotos umas das outras lá. Mesmo antes... quando eu era criança... as pessoas diziam que aquela era a casa sinistra das redondezas.

Amanda voltou a olhar para Pete. Sua fisionomia se mostrava inescrutável, mas ela imaginava o que ele estaria pensando. O nome de Julian Simpson não tinha sido ventilado no caso à época. A polícia nada sabia sobre o homem, nem sobre a casa sinistra. E isso era perfeitamente compreensível. Havia indivíduos como Simpson em todas as comunidades, e a reputação dessas pessoas junto aos jovens não se baseava, necessariamente, em fatos tangíveis, e não justificava a preocupação dos adultos.

Mas, em todo caso, Amanda sabia que Pete se culpava.

— E o que aconteceu depois? — perguntou ela, dirigindo-se a Collins.

— Eu fui até a casa na Rua Garholt — disse ele. — Depois de fazer mais um pagamento a Simpson, fui instruído a aguardar numa sala. Passado algum tempo, ele voltou, trazendo uma caixa de papelão fechada com fita adesiva. Ele cortou a fita, com cuidado. E então... lá estava ele.

— Só pra ficar registrado, Norman?

— Tony Smith.

Amanda quase não conseguiu formular a pergunta.

— E o que você fez com a ossada do Tony?

— O que eu fiz? — Collins pareceu, sinceramente, atônito. — Eu não *fiz* nada. Não sou nenhum monstro... não sou como alguns dos outros. E eu não ia querer danificar uma peça como aquela, mesmo se tivesse autorização pra fazê-lo. Não, eu só fiquei olhando. Rendendo a minha homenagem. Absorvendo a atmosfera. Talvez vocês achem difícil de entender, mas aquele foi um dos momentos mais marcantes da minha vida.

Jesus, Amanda pensou.

Ele parecia um homem recordando um amor perdido.

Dentre todos os cenários que ela imaginara quanto ao que ocorrera, a resposta dele foi, ao mesmo tempo, a mais banal e a mais aterrorizante. Os momentos desfrutados por Collins junto aos restos mortais de uma criança assassinada tinham sido semelhantes a uma experiência religiosa, e visualizá-lo convicto de ter uma ligação especial com a ossada guardada dentro da caixa era algo tão medonho que ela mal conseguia vislumbrar.

Ao lado dela, Pete se inclinou para a frente devagar.

— Você disse "não sou como alguns dos outros".

O relato pesava sobre Pete, que já dava sinais de exaustão, um cansaço que lhe dominava a alma, Amanda pensou.

— Quem eram os outros, Norman? E o que eles faziam?

Collins engoliu em seco.

— Foi depois que Dominic Barnett assumiu... depois que Julian morreu. Acho que os dois eram amigos, mas o Barnett não demonstrava o mesmo nível de respeito. As coisas deterioraram durante a gestão dele.

— Foi por isso que você o matou? — perguntou Amanda.

— Pra proteger a peça! E Barnett não me permitia mais acesso... não depois da última vez. Tony precisava ser preservado.

— Fale sobre *os outros*, Norman — disse Pete, paciente.

— Foi depois que o Barnett assumiu. — Collins hesitou. — Eu tinha feito várias visitas ao longo dos anos, e, pra mim, a coisa era sempre igual. Eu rendia a minha homenagem e queria ficar a sós com o Tony. Mas, depois que o Barnett assumiu, começaram a aparecer outros por lá. E eles não eram tão respeitosos como eu.

— O que eles faziam?

— Eu não vi nada — disse Collins. — Fui embora... fiquei enojado. E o Barnett se recusou a devolver meu dinheiro. Até debochou de mim. O que mais eu podia fazer?

— Por que você ficou tão enojado? — perguntou Pete.

— Na última noite que eu fui, havia cinco ou seis pessoas lá, todas fascinadas pelo caso. Uma mescla de tipos... vocês ficariam espantados... e tive a impressão de que alguns deles tinham vindo de longe. Ninguém conhecia ninguém. Mas ficou evidente que alguns estavam ali por razões diferentes das minhas. — Collins engoliu em seco. — O Barnett pôs um colchão no meio da sala. Tinha uma luz vermelha. Foi...

— Algo sexual? — sugeriu Amanda.

— É... acho que sim. — Collins sacudiu a cabeça e baixou o olhar, fitando o tampo da mesa, como se aquilo estivesse além até de sua própria capacidade de compreensão. — Não com o corpo... uns com os outros. Mas isso já era medonho. Eu não poderia participar de uma coisa daquela.

— Então você foi embora?

— Fui. Nas minhas visitas anteriores, era como se eu estivesse numa igreja. Era silencioso, muito lindo. Eu sentia a presença de *Deus.* Mas daquela vez, com aquela luz, aquela gente...

Ele interrompeu de novo a própria fala.

— Norman?

Por fim, ele ergueu o olhar.

— Foi como se eu estivesse no inferno.

— Você acredita nele? — perguntou Amanda.

Estavam de volta à sala dos investigadores. Pete se inclinava sobre a mesa, examinando fotos de indivíduos que tinham visitado Victor Tyler no decorrer dos anos — imagens obtidas a partir de registros feitos por câmeras de segurança. Amanda também as contemplava. Havia homens e mulheres. Jovens e idosos.

“Uma mescla de tipos”, dissera Collins. “Vocês ficariam espantados.”

— Eu não acho que Collins tenha matado Neil Spencer — disse Pete, apontando para as fotos. — Mas quanto a isso aqui...

E então se calou, expressando a mesma descrença que ela sentia. Ao longo de sua carreira, Amanda testemunhara tanto horror que o talento das pessoas para a crueldade já não lhe chocava. Estivera em muitas cenas de crime e vira gente se aglomerando e carros diminuindo a velocidade para ver a carnificina. Ela entendia a atração que a morte exercia sobre as pessoas. Mas não aquilo.

— Você sabe por que ele era chamado de Homem-Sussurro? — perguntou Pete, em voz baixa.

— Por causa do Roger Hill.

— Isso mesmo. — Ele fez que sim com a cabeça, devagar. — Roger foi a primeira vítima de Carter. A casa onde ele morava estava sendo reformada e, antes de ser sequestrado, Roger disse aos pais que tinha ouvido alguém sussurrando do outro lado da janela. Carter era o dono da firma que forneceu o andaime para a reforma externa. Foi isso que fez com que a gente suspeitasse dele.

— Ele estava aliciando a vítima.

— Pois é... Carter teve ali uma baita oportunidade, mas o estranho é que os pais dos outros meninos relataram que seus filhos também tinham ouvido sussurros. Não havia nenhuma ligação óbvia com Carter, mas todos ouviram sussurros.

— Vai ver que ouviram mesmo.

— Pode ser. Ou pode ser que, como a coisa já estava nas páginas dos jornais, as pessoas tenham se influenciado. Quem sabe? Seja como for, a coisa pegou. O Homem-Sussurro. Sempre odiei esse apelido.

Ela aguardou que ele prosseguisse.

— Porque eu queria que ele fosse esquecido, sabe? Não queria que ele tivesse um título. Mas, agora, parece combinar bem. Porque o tempo todo, ele tem sussurrado. E as pessoas... estas pessoas... têm ouvido. — Ele espalhou as fotografias. — E acho que uma delas ouve mais atentamente do que as outras.

Amanda voltou a contemplar as fotos. Ele estava certo, ela pensou. A julgar por tudo o que Collins havia declarado, era evidente que muitas das pessoas ali fotografadas tinham percorrido um longo caminho em direção ao cúmulo da maldade. Não seria improvável que uma delas, incentivada pelos sussurros de Frank Carter, tivesse se destacado nessa caminhada. Os melhores dentre aqueles indivíduos eram psicopatas, mas um deles era algo pior.

Um discípulo.

Ali, no meio daquelas pessoas, ela refletiu, a polícia encontraria o assassino de Neil Spencer.

Quarenta

Naquela noite, depois que Jake foi dormir, fiquei na sala do esconderijo com uma taça de vinho branco e meu laptop.

Embora ainda estivesse processando os eventos ocorridos nos dias anteriores, eu sabia que precisava escrever. Em tais circunstâncias, escrever parecia impossível, mas o dinheiro que me restava não duraria para sempre. Ainda mais urgente que isso, eu sentia que era importante estar trabalhando em alguma coisa, não só para me distrair do que vinha acontecendo, mas porque sempre fora assim. Isso era o que eu era. E o que eu precisava reconquistar.

Rebecca.

Deletei o restante e comecei a partir do nome dela. No outro dia, minha ideia tinha sido começar a registrar meus sentimentos e confiar que algum tipo de narrativa iria emergir do nevoeiro. Mas era difícil identificar meus sentimentos naquela hora, quanto mais tentar traduzi-los em algo tão simples como palavras.

Minha mente voltou a algo que Karen tinha dito no café, naquela manhã: "Quem sabe, você não escreve sobre essa coisa toda num dos teus livros?" E ao fato de que ela havia pesquisado meu nome na internet. Agora eu sabia como me sentia a respeito disso, porque a lembrança havia me trazido uma leve empolgação. Ela estava interessada em mim. Será que eu estava atraído por ela? Estava. Só não sabia se tinha o direito de estar. Olhei para o nome de Rebecca, na tela. A empolgação se dissipou, substituída por culpa.

Rebecca.

Digitei, com velocidade.

Eu sei exatamente o que você acharia disso, porque você sempre foi muito mais pragmática do que eu. Você iria querer que eu seguisse em frente com a minha vida. Que eu fosse feliz. Você ficaria triste, é claro, mas me diria que a vida é assim mesmo. Na verdade, é bem provável que me dissesse que não fosse tão idiota.

Mas a questão é que eu não sei se já *estou pronto* para deixar você ir embora.

Talvez *eu* é que ache que não devo ser feliz. Que não mereço...

A campainha tocou.

Fechei o laptop e desci a escada, aflito para que a campainha não tocasse de novo e despertasse Jake. Esfreguei os olhos, grato por não ter chorado. Ainda mais porque, ao abrir a porta, deparei-me com meu pai.

— Investigador Willis — falei.

Ele assentiu, prontamente.

— Posso entrar?

— O Jake está dormindo.

— Achei que estivesse mesmo. Mas não vou demorar. E não vou fazer barulho; prometo. Eu só quero te atualizar sobre o andamento da investigação.

Em certa medida, eu relutava em deixá-lo entrar, mas essa postura era infantil. E, em todo caso, ele era só um policial. Quando aquilo tudo chegasse ao fim, eu jamais precisaria voltar a vê-lo. O fato de ele parecer tão abatido, quase reverente, também ajudou. Naquele momento, a bem da verdade, eu me sentia mais forte que ele. Acabei de abrir a porta.

— Tudo bem.

Ele me seguiu escada acima, e entramos na sala.

— Já estamos concluindo os trabalhos na casa — disse ele. — Você e o Jake vão poder voltar pra lá amanhã de manhã.

— Que bom. E quanto ao Norman Collins?

— Foi acusado do assassinato de Dominic Barnett. Ele confirmou que os restos mortais encontrados na casa pertencem à única vítima de Carter que a gente não tinha localizado. Tony Smith. O Collins sabia de tudo, o tempo inteiro.

— Como?

— É uma história comprida. Os detalhes não vêm ao caso neste momento.

— Não vêm? E quanto ao Neil Spencer? E quanto à tentativa de sequestrar o Jake?

— Estamos investigando.

— Isso é animador. — Peguei minha taça de vinho e dei um gole. — Ah, foi mal... esqueci as boas maneiras... o senhor quer uma taça?

— Eu não bebo.

— Mas bebia.

— É por isso que não bebo mais. Tem gente que pode beber, e tem gente que não pode. Demorei um pouco pra constatar isso. Eu acho que você pode.

— É.

Ele suspirou.

— E acho também que, em consequência de tudo o que aconteceu ao longo dos anos, sua vida não deve ter sido fácil. Mas você me parece ser um homem capaz de fazer muita coisa muito bem. Isso é bom. Eu fico feliz.

Eu queria rebater tudo aquilo. Não só por ele não ter o direito de me avaliar, mas porque as próprias palavras não se aplicavam. Ele estava enganado — eu não era capaz de fazer nada muito bem, e nem estava no controle da minha vida. Mas, é claro, eu jamais demonstraria qualquer tipo de fraqueza diante de meu pai; portanto, não disse nada.

— Pois é — disse ele —, sim, eu costumava beber. Por muitas razões... razões, não desculpas. Eu estava com muitos problemas naquela época.

— Como o problema de ser um bom marido.

— É.

— Como o problema de ser pai.

— Isso também. A responsabilidade. Eu nunca soube ser pai. Nunca quis ser pai. E você era um bebê difícil... mas ficou bem melhor depois que cresceu. Sempre foi uma criança criativa. Já naquela época você costumava inventar histórias.

Eu não me lembrava disso.

— É mesmo?

— É. Você era sensível. O Jake se parece muito contigo.

— O Jake é sensível demais, eu acho.

Meu pai sacudiu a cabeça.

— Não existe isso.

— Existe, se a sensibilidade torna a vida difícil. — Pensei em todas as amizades que deixei de fazer. — E você nem sabe. Porque não estava lá.

— É, não estava mesmo. E, como eu disse, foi até melhor.

— Bem, nessa a gente pode concordar.

Dito isso, parecia não restar mais o que dizer. Ele deu meia-volta, como se estivesse prestes a ir embora, mas hesitou e, em seguida, voltou-se para mim.

— Mas eu fiquei pensando naquilo que você falou ontem à noite — disse ele. — Que você me viu tacar o copo na tua mãe, na noite em que eu saí de casa.

— E daí?

— Você não viu nada disso — disse ele. — Isso não aconteceu. Você nem estava em casa naquela noite. Você estava dormindo na casa de um amigo da escola.

Eu quase falei, mas me contive. Era minha vez de hesitar. Meu primeiro instinto foi que meu pai estava mentindo; só podia ser mentira, porque eu me recordava daquela noite nitidamente. E eu nem tinha amigos. Mas seria isso verdade àquela época? E apesar do que meu pai tinha sido no passado, não me parecia que fosse um mentiroso. Na verdade, por menos que eu quisesse admitir, ele aparentava ter se tornado extremamente honesto consigo mesmo quanto aos seus próprios defeitos. Talvez, com o passar dos anos, isso tivesse se transformado em uma necessidade.

Examinei minhas lembranças.

Copo quebrando.

Meu pai esbravejando.

Minha mãe gritando.

Eu visualizava a imagem com total clareza, mas estaria equivocado? Para mim, a cena era mais vívida do que qualquer outra lembrança de infância. Seria vívida até demais? Teria sido mais uma emoção do que uma recordação propriamente dita? Uma espécie de resumo dos meus sentimentos, em vez de um evento específico que, de fato, ocorrera?

— Mas, na verdade, a coisa aconteceu mais ou menos assim — disse meu pai, em voz baixa. — Pra minha vergonha eterna, eu agi mesmo daquele jeito. Eu não taquei o copo *nela*, porque o mais ridículo era que eu estava com raiva do próprio *copo.* Mas passou bem perto.

— Eu me lembro de ter visto o copo.

— Não sei... pode ser que a Sally tenha te contado.

— Ela nunca falava mal de você — revelei, sacudindo a cabeça. — Você sabe disso, né? Mesmo depois de tudo o que aconteceu.

Ele sorriu, melancolicamente. Era visível que, sim, ele acreditava no que eu tinha dito e que isso o fazia se lembrar do quanto perdera.

— Então, não sei o que houve — disse ele —, mas ainda tem algo que eu quero te dizer, se é que vai adiantar alguma coisa. Não é nada de mais, mas... Você disse que aquela foi a última vez que eu te vi. Isso também não é verdade.

Apontei para o esconderijo.

— Obviamente...

— Eu estou me referindo àquela época. Tua mãe me botou pra fora, e foi melhor assim. Eu respeitei a atitude dela. Pra ser sincero, foi quase um alívio... pelo menos, era o que eu merecia. Mas depois houve ocasiões em que, se eu estivesse sóbrio, a Sally me deixava entrar em casa. Isso foi antes de vocês dois se mudarem. Ela não queria te perturbar, nem te deixar confuso, e eu também não queria. Então era sempre depois que você ia dormir. Eu entrava no teu quarto, enquanto você estava dormindo, e te dava um abraço. Você nunca acordou. Nunca ficou sabendo. Mas eu te visitei.

Fiquei calado.

Porque, de novo, não acreditava que meu pai estivesse mentindo, e as palavras dele tinham me abalado. Eu me lembrei do Senhor da Noite, meu amigo imaginário da infância. O homem invisível que entrava no meu quarto e me abraçava enquanto eu dormia. Pior ainda, eu me lembrei de como as visitas me davam uma sensação de *conforto*. De que não eram algo que me deixasse amedrontado. De que, depois que o Senhor da Noite desapareceu da minha vida, eu me senti abandonado, como se tivesse perdido uma parte importante de mim.

— Não estou inventando desculpas — disse meu pai. — Eu só quero que você saiba que a situação era complicada. Que *eu* era complicado. Sinto muito.

— Tudo bem.

E então não havia mesmo mais o que dizer.

Ele desceu a escada, e eu ainda estava abalado demais para fazer alguma coisa além de deixá-lo ir embora.

Quarenta e um

Na manhã seguinte, cuidei para que Jake se aprontasse mais cedo do que de hábito, para termos tempo de passar em casa antes de eu levá-lo até a escola. Meu pai já estava do lado de fora do esconderijo, em seu carro, esperando por nós. Ele abriu a janela enquanto nos aproximávamos.

— Oi — disse meu pai.

— Bom dia, Pete — disse Jake, com um ar solene. — Como vai você?

O semblante do meu pai se iluminou, entretido pelo tom excessivamente formal que meu filho adotava às vezes. A resposta foi no mesmo registro.

— Muito bem, obrigado. Como vai você, Jake?

— Vou bem. Foi interessante ficar aqui no esconderijo, porém não vejo a hora de voltar pra casa.

— Imagino.

— Mas não de ir pra escola depois.

— Posso imaginar. Mas a escola é muito importante.

— É — disse Jake. — Parece que sim.

Meu pai começou a rir, mas então olhou para mim e parou. Talvez tenha achado que interagir com Jake daquele jeito me incomodasse. O estranho era que, embora tivesse me incomodado naquela tarde na delegacia, já não me incomodava muito mais. Eu gostava quando as pessoas ficavam impressionadas com meu filho; eu sentia orgulho dele. Uma grande bobagem, é claro. Afinal, Jake era uma pessoa autônoma, e não uma realização minha, mas a sensação sempre vinha, e, em se tratando do meu pai, era mais intensa que de costume. Eu não sabia por quê. Será que eu queria esfregar a paternidade na cara dele, ou seria algum desejo subconsciente de impressioná-lo? Não me agradava o que ambas as opções diziam a meu respeito.

— A gente se vê lá — falei, e me virei. — Vamos, Jake.

A viagem não era longa, mas foi demorada por causa do trânsito matinal. Jake ficou no banco de trás, às vezes chutando o encosto do banco do carona e assobiando uma melodia. De vez em quando, eu olhava pelo espelho retrovisor e o contemplava, ele com a cabeça de lado, olhando pela janela, conforme costumava fazer, como se estivesse confuso diante do mundo exterior e pouco interessado no que via.

— Papai, por que você não gosta do Pete?

— Você quer dizer o investigador Willis. — Contornei a curva que dava acesso à nossa rua. — E não se trata de não gostar dele. Eu não o conheço. Ele é um policial, não um amigo.

— Mas ele é legal. Eu gosto dele.

— Você também não o conhece.

— Mas se você não conhece ele e não gosta dele, por que eu não posso *não* conhecer ele e *gostar* dele?

Eu estava cansado demais para enfrentar esse tipo de argumentação.

— Não é que eu não goste dele.

Jake não respondeu, e eu não queria prosseguir com o debate. As crianças captam muito bem o clima entre as pessoas, e meu filho era mais sensível que a maioria. Provavelmente percebia que eu estava mentindo.

No entanto, seria mesmo mentira? Nossa conversa na noite anterior tinha me tocado, e talvez por causa disso era mais fácil agora, para mim, me identificar com meu pai — vê-lo como um homem que, assim como eu, tinha achado a paternidade algo difícil de enfrentar. Além disso, ele já não era o homem do qual eu me recordava, assim como eu já não era mais aquela criança.

Quanto tempo demora, e quanto é preciso mudar, até que a pessoa que você odiava desapareça, substituída por uma nova pessoa?

Pete era outra pessoa.

Não era que eu não gostasse dele. A verdade era que eu não o conhecia.

Quando chegamos à nossa casa, já não havia o menor sinal da polícia — até a fita isolante tinha sido retirada. E não havia a grande presença da imprensa que tanto me preocupava: apenas um pequeno grupo de pessoas conversando. E não se mostraram muito interessadas ao me verem estacionando na entrada de veículos. Mas Jake ficou interessado.

— A gente vai aparecer na *televisão*? — disse ele, empolgado.

— De jeito nenhum.

— Ah...

Pete tinha seguido nosso carro por todo o trajeto. Estacionou atrás de nós e saiu às pressas do veículo. Os repórteres se aproximaram dele, e eu me inclinei para observar enquanto se falavam.

— O que está acontecendo, papai?

— Só um minuto.

Jake também queria espiar a cena.

— Aquela é a...? — disse ele.

— Ah, merda!

Seguiu-se um instante de silêncio no carro. Fixei a visão no pequeno grupo de pessoas reunidas em volta do meu pai, sem reparar direito que ele explicava a situação com um leve sorriso nos lábios e um dar de ombros conciliador, e que alguns dos repórteres faziam que sim com a cabeça. O fato era que minha atenção se voltara para um profissional específico.

— Você falou palavrão, papai.

Jake parecia estar fascinado.

— É... falei. — Desviei o olhar, evitando ser visto por Karen, que, em meio aos repórteres, empunhava um bloco de notas. — E, sim, aquela é a mãe do Adam.

— A gente vai aparecer na televisão, Pete? — perguntou Jake.

Eu fechei a porta da rua depois que entramos e passei a corrente.

— Eu já te disse, Jake. Não vamos, não.

— Mas eu queria perguntar ao Pete também.

— Não — disse Pete. — Vocês não vão. É como teu pai disse. Era sobre isso que eu estava conversando com aquele pessoal lá fora. Eles são repórteres, e por isso estão interessados no que aconteceu aqui, mas eu disse pra eles que a coisa não tem nada a ver com vocês dois.

— Mas tem, um pouco — disse Jake.

— Bem, um pouco. Mas não muito. Se vocês tivessem conhecimento de mais fatos, ou estivessem envolvidos no caso, seria diferente.

Cravei os olhos em Jake, na esperança de que ele percebesse que não era o momento de fazer qualquer outro comentário referente ao menino no chão.

Ele me olhou e fez que sim, mas não estava muito disposto a evitar o assunto.

— Foi *o papai* que achou ele.

— É mesmo — disse Pete. — Mas essa informação não foi passada àquelas pessoas lá fora. Até onde eles sabem, vocês dois não fazem parte dessa história. Por enquanto, acho que esse é o melhor jeito de manter as coisas.

— Tudo bem — disse Jake, um pouco decepcionado. — Eu posso dar uma olhada pra ver o que eles fizeram?

— Claro.

Ele desapareceu no andar de cima. Pete e eu aguardamos diante da porta da rua.

— O que eu disse está valendo — falou ele, após um instante. — Vocês não precisam se preocupar. A imprensa não vai querer atrapalhar o processo. Eu não posso impedir vocês de falarem com jornalistas, obviamente, mas tudo o que eles sabem é que os restos mortais foram encontrados aqui; portanto, acho que eles não vão se interessar por vocês. E vão ser bastante cuidadosos quanto ao Jake.

Assenti, com uma ponta de náusea. Talvez a imprensa só tivesse conhecimento do fato mencionado por Pete, mas no dia anterior eu havia contado tanta coisa para Karen que mal conseguia me lembrar de tudo o que dissera. Ela já sabia que um estranho tentara sequestrar Jake no meio da noite. Que eu tinha encontrado os restos mortais. Que Pete era meu pai — meu pai violento. E tive certeza de ter dito coisas das quais já nem me recordava.

"Sou boa em descobrir coisas", dissera ela.

Naquele momento, era apenas um bate-papo com uma amiga; eu não fazia ideia de estar dando com a língua nos dentes diante da porra de uma repórter.

E agora aquilo me magoava.

Ela deveria ter aberto o jogo. Cheguei a pensar que estivesse sinceramente interessada em mim, mas agora eu já não tinha tanta certeza disso. Por um lado, ela não tinha como saber que eu estava envolvido no caso. Mas, por outro, em nenhum momento durante a nossa conversa ela insinuara não ser a pessoa adequada para ouvir todo o meu relato.

Meu pai franziu o cenho.

— Tudo bem com você?

— Tudo.

No entanto, mais tarde, eu precisaria verificar os danos causados por aquela conversa. Nesse ínterim, eu é que não iria revelar essa questão ao meu pai.

— A gente vai ficar seguro aqui? — perguntei.

— Vai. O Norman Collins não vai ser solto tão cedo; e, mesmo que fosse, não existe aqui nada mais que seja do interesse dele. E de nenhum dos outros.

— Dos outros?

Ele hesitou.

— Sempre teve gente interessada nesta casa. O Collins me disse que era a casa sinistra das redondezas. As crianças costumavam se desafiar pra ver quem teria coragem de entrar no jardim. Tiravam fotos... coisas assim.

— A casa sinistra. Estou cansado de ouvir isso.

— É só coisa de criança — disse Pete. — Os restos mortais do Tony Smith se foram. Esse era o único interesse do Collins. Nada a ver contigo ou com Jake.

Nada a ver comigo ou com Jake. Mas eu não parava de pensar na cena de Jake ao pé da escada naquela noite, e aquele homem falando com ele pela abertura da caixa de correio. Eu não conseguia me lembrar das palavras exatas, mas do suficiente para saber que o sujeito estava tentando fazer com que Jake abrisse a porta, e nada me convencia de que ele estivesse interessado apenas na chave da garagem.

— E o Neil Spencer? — perguntei. — O Collins foi acusado do assassinato dele?

— Não. Mas nós temos agora vários suspeitos. Estamos fechando o círculo. E, acredite, eu não deixaria vocês dois voltarem pra cá se não achasse que estariam seguros.

— Você não poderia me impedir.

— Não. — Ele desviou o olhar. — Mas eu argumentaria ao máximo, ainda mais com Jake morando aqui. O rapto do Neil Spencer foi oportunismo; ele estava andando desacompanhado. Esse não é o tipo de homem que vai querer chamar atenção. É claro que você deve ficar de olho no Jake, mas não há razão pra supor que vocês estejam correndo perigo.

Ele próprio estaria convicto? Eu tinha minhas dúvidas, mas, naquele dia, era difícil captar o que ele estava pensando. Parecia esgotado. Quando o vi pela primeira vez, era evidente que ele gozava de boa forma física, mas hoje ele não escondia a idade que tinha.

— Você está com cara de cansado — falei.

Ele assentiu.

— Estou cansado. E tenho que fazer uma coisa que não me agrada.

— O quê?

— Deixa pra lá — disse ele, simplesmente. — O importante é que a coisa precisa ser feita.

Percebi que o caso estava pesando sobre ele, e que o estresse começava a se tornar aparente. *O importante é que a coisa precisa ser feita.* Agora, diante de mim, eu via um homem sobrecarregado, lutando para suportar o peso. A aparência dele retratava um esgotamento bastante semelhante ao que eu costumava sentir.

— A minha mãe — falei, de repente.

Ele olhou para mim e esperou, sem perguntar nada.

— Ela morreu — completei.

— Você já me contou isso.

— Você falou que queria saber o que aconteceu. A vida dela foi difícil, mas era uma boa pessoa. Eu não poderia ter tido mãe melhor. Foi câncer. Ela não merecia o que aconteceu, mas não sofreu. Foi tudo muito rápido.

Era mentira. A morte da minha mãe tinha sido lenta e sofrida. E eu não fazia a menor ideia do porquê da mentira. A mim não cabia mitigar o desgosto ou o sentimento de culpa que Pete sentisse. Mas, em certa medida, fiquei feliz em ver que o peso que ele carregava pareceu diminuir um pouco.

— Quando?

— Cinco anos atrás.

— Então ela chegou a conhecer o Jake?

— Chegou. Ele não se lembra, mas, sim.

— Bem, isso pelo menos foi bom.

Seguiu-se um momento de silêncio. E então Jake desceu a escada e desviamos a atenção um do outro, ao mesmo tempo, como se a tensão que nos unia houvesse se rompido.

— Está tudo do mesmo jeito, papai — disse Jake, mas com um tom meio desconfiado.

— Nós sabemos fazer buscas com cuidado — disse Pete. — E sabemos deixar tudo arrumado depois.

— Admirável.

Jake virou-se e se dirigiu à sala.

Pete sacudiu a cabeça.

— Esse aí é uma figura e tanto.

— É... isso ele é.

— Vou te manter a par de qualquer fato novo — disse ele. — Mas, por enquanto, se precisar de alguma coisa... seja lá o que for... eis aqui o número do meu telefone.

— Obrigado.

Observei meu pai descer pela entrada de veículos, um pouco cabisbaixo, e manuseei o cartão que ele me entregara. Enquanto ele entrava no carro, olhei para os repórteres reunidos do outro lado. A maioria tinha ido embora. Entre os que restavam, procurei por Karen.

Mas ela havia se retirado.

Quarenta e dois

Esta vai ser a última vez, Pete pensou. *Lembre-se disso.*

Sentado na sala de reuniões particulares da penitenciária, ele se apegava a este pensamento enquanto aguardava a chegada do monstro. Estivera lá muitas vezes no decorrer dos anos, e em todas as ocasiões ficara bastante abalado. Porém, depois desse dia, não haveria mais motivo para voltar ali. Tony Smith — sempre o foco das visitas passadas — tinha sido encontrado, e, caso Frank Carter se recusasse a falar sobre o homem que agora procuravam, Pete já decidira que se retiraria da sala sem olhar para trás. E nunca mais teria de se sujeitar ao sofrimento que sentia após se encontrar com Carter.

Esta vai ser a última vez.

Pensar naquilo ajudava, mas só um pouco. A atmosfera na sala silenciosa era de expectativa e ameaça, e a porta trancada ao fundo sinalizava perigo. Isso porque Carter também devia saber que aquele provavelmente seria o derradeiro encontro dos dois, e Pete tinha certeza de que Carter tiraria o máximo proveito de cada minuto que passassem juntos. Até então, o receio diante desses encontros sempre fora de natureza mental e emocional. Pete jamais sentira qualquer medo físico. Naquele momento, porém, a largura da mesa que os separava e a robustez das correntes que prendiam o sujeito representavam um alívio. Pete até se perguntou se, inconscientemente, todas aquelas horas passadas na musculação não teriam sido uma preparação para um eventual momento de confronto.

Ele teve um sobressalto ao ouvir a porta sendo destrancada.

Mantenha a calma.

Seguiu-se a rotina de sempre: os guardas entraram primeiro; Carter não se apressou. Pete se empertigou, concentrando-se no envelope que trouxera consigo, e que agora estava sobre a mesa. Fitou o envelope e aguardou, ignorando o brutamontes que finalmente se aproximou e desabou na cadeira diante dele. As posições seriam trocadas, pelo menos uma vez: Carter que esperasse. Pete ficou calado até que os guardas saíssem e ele ouvisse a porta ser fechada. Somente então ergueu o olhar.

Carter também fitava o envelope, no rosto uma expressão de curiosidade.

— Você escreveu uma carta pra mim, Peter?

Pete não respondeu.

— Muitas vezes eu tive vontade de te escrever uma carta — disse Carter, erguendo o olhar e sorrindo. — Você teria gostado?

Pete reprimiu um calafrio. Eram pequenas as chances de Carter descobrir seu endereço, mas a ideia de receber qualquer correspondência dele, mesmo que encaminhada por terceiros, era insuportável.

De novo, permaneceu calado.

Carter sacudiu a cabeça em sinal de desaprovação.

— Eu te disse na última vez, Peter. É esse o teu problema, sabe? Eu me esforço pra falar contigo. Eu faço de tudo pra te contar coisas e ser útil. E, às vezes, parece que você nem está ouvindo.

— Sempre acaba onde começa — disse Pete. — Agora eu entendo.

— Mas é um pouco tarde pro Neil Spencer.

— Meu interesse é descobrir como você soube disso, Frank.

— E, como já disse, é esse o teu problema. — Carter inclinou-se para trás. A cadeira rangeu sob seu peso. — Você não escuta. Sinceramente, eu vou lá me importar com a porra de um garoto? Nem era disso que eu estava falando.

— Não?

— De jeito nenhum. — Ele voltou a se inclinar para a frente, de repente mais focado, e Pete precisou conter o impulso de recuar. — Ah... e tem mais uma. Lembra que você falou que o pessoal no mundo lá fora ia me esquecer?

Pete puxou pela memória, e então fez que sim.

— Você disse que não seria assim.

— Isso mesmo. Rá, rá! E agora você entende, né? Percebe como estava enganado. Porque, todo esse tempo, tinha um monte de gente lá fora com muito interesse em mim... e você nem sabia.

Os olhos de Carter cintilaram. Pete podia imaginar o prazer do detento, durante todos aqueles anos, ciente de que fãs como Norman Collins visitavam a casa onde os restos mortais de Tony Smith tinham sido deixados, tratando o local como se fosse um santuário. Mais do que isso, Carter deve ter se deliciado por guardar esse segredo durante todo aquele tempo, sabendo que, enquanto Pete procurava incessantemente pelo menino desaparecido, outros haviam encontrado Tony com tanta facilidade.

— É, Frank. Eu estava enganado. Agora eu sei. E tenho certeza de que essa experiência toda fez muito bem pro teu ego. O Homem-Sussurro. — Ele fez uma careta. — Tua lenda sobrevive.

Carter abriu um sorrisinho debochado.

— Em vários sentidos.

— Então vamos falar de alguns dos outros.

Carter ficou calado, mas olhou para o envelope e o sorriso se alargou. Não seria ludibriado a falar sobre o assassino de Neil Spencer. Pete sabia que, para descobrir algo, teria de ler nas entrelinhas, e por isso era preciso fazer o cara continuar falando. E embora Carter se mostrasse deliberadamente vago em relação a outros assuntos, Pete tinha certeza de que falaria com satisfação sobre os indivíduos que visitaram a casa no decorrer dos anos, pelo menos agora que o segredo fora descoberto.

— Então — disse Pete —, por que Victor Tyler?

— Ah... o Vic é um bom sujeito.

— Essa é a tua visão. Mas o que eu quero saber é... por que se valer de um intermediário pra montar o esquema?

— Não seria muito bom me expor, né, Peter? — Carter sacudiu a cabeça. — Se todo mundo pudesse ver Deus, quanta gente ia se dar o trabalho de ir à igreja? É melhor manter uma certa distância. É melhor pra ele também, é claro. Mais seguro. Suponho que você tenha vasculhado as minhas visitas durante todos esses anos, né?

— Eu sou a única pessoa que você recebe.

— E que honra, né? — Ele riu.

— E o dinheiro?

— O dinheiro?

— Tyler foi pago... ou a mulher dele, pelo menos, recebeu dinheiro. Simpson também foi pago, e Barnett, depois dele. Mas você não.

— E eu lá me importo com dinheiro? — Carter pareceu ofendido. — Agora, tudo o que eu quero na vida é de graça. O Vic... como eu disse, é um bom sujeito, um cara decente. E o Julian também foi correto comigo. É justo que eles tenham uma recompensa. Não conheci o Barnett, e pouco me importo. Mas é bom que aquela gente tenha pagado pra visitar o local. Eles tinham que pagar, porra! Eu tenho o meu valor, né?

— Não.

Carter voltou a rir.

— Talvez, depois que você prender todo mundo, eles acabem aqui dentro comigo. Seria emocionante pra eles, né? Aposto que eles iam ficar felizes.

Não tanto quanto você, Pete pensou.

Ele pegou o envelope e retirou as fotografias que trouxera consigo: uma pequena pilha de instantâneos de pessoas que tinham visitado Victor Tyler, imagens obtidas através das gravações de uma câmera de segurança ao longo dos anos. Uma imagem de Norman Collins estava no topo da pilha, e Pete a empurrou lentamente pelo tampo da mesa em direção a Carter.

— Você conhece esse homem?

Carter mal olhou para a foto.

— Não.

Uma segunda foto.

— E esse homem?

— Eu não conheço nenhum desses filhos da puta, Peter — disse Carter, revirando os olhos. — Quantas vezes eu vou ter que te dizer isso? Você não escuta. Se você quer saber quem é essa gente, vá falar com o Vic.

— Nós vamos.

Na realidade, ele e Amanda tinham interrogado Tyler uma hora antes, e Tyler desfrutara da situação muito menos do que seu amigo Carter parecia desfrutar. Tyler havia se mostrado irritado e se recusara a colaborar. Pete achou que a reação fosse compreensível, visto que a esposa de Tyler também estava implicada, mas o silêncio não beneficiaria nenhum dos dois. Além disso, os visitantes já identificados — dentre os quais Pete tinha certeza de que encontrariam o assassino de Neil Spencer — estavam sendo localizados e interrogados.

Todos menos um.

Pete empurrou outra foto pelo tampo da mesa. Era a imagem de um homem mais jovem, de vinte e tantos anos, talvez trinta e poucos. Estatura e porte médios. Óculos de armação preta. Cabelo castanho caído nos ombros. O sujeito tinha visitado Tyler diversas vezes, sendo que a visita mais recente ocorrera na semana anterior à morte de Neil Spencer.

— E esse homem aqui?

Carter não olhou para a foto. Encarou Pete e sorriu.

— É nesse que você está interessado, né?

Pete não respondeu.

— Você é tão previsível, Peter. Tão óbvio. Você me engabela com dois, e então ataca com o que te interessa, pra ver a minha reação. Esse é o teu cara, né? Ou, pelo menos, você pensa que é esse, né?

— Você é muito esperto, Frank. Você conhece esse sujeito?

Carter encarou Pete por mais um instante. Enquanto isso, esticou as mãos algemadas e puxou a foto para perto de si. O movimento foi meio assustador, como se as mãos fossem operadas por algo separado do corpo dele. A cabeça não se mexeu. A expressão facial não se alterou.

Em seguida baixou o olhar, examinando a imagem.

— Ah... — disse ele, em voz baixa.

Pete viu o tórax imenso do homem arfar, enquanto ele respirava lentamente, assimilando os detalhes da foto.

— Me fale desse sujeito, Peter — disse Carter.

— Estou mais interessado no que você sabe.

Pete aguardou, pacientemente. Por fim, Carter ergueu os olhos, e então, com um dedo gigantesco, tocou na superfície da fotografia.

— Esse aqui é um pouco mais esperto do que os outros, né? Usou um nome falso nas visitas, mas tinha um documento de identidade. Você já verificou e descobriu que era falso.

Era verdade. O sujeito apresentara uma identidade durante as visitas: o nome era Liam Adams, ele tinha vinte e nove anos e residia com os pais a cinquenta quilômetros de Featherbank. A polícia tinha ido à propriedade naquela mesma manhã e se deparado com uma cena de total perplexidade — e horror — por parte dos pais de Liam.

Porque o filho do casal tinha morrido uma década antes.

— Vai falando — disse Pete a Carter.

— Você sabe como é fácil comprar uma identidade nova, Peter? É muito mais simples do que você imagina. E, como eu disse, esse aí é esperto. Hoje em dia, se a gente quer mandar uma mensagem pra alguém, é preciso ser esperto, né? Esse aí... — Carter baixou o tom de voz. — Esse sujeito é cauteloso.

— Fale mais sobre ele, Frank.

Porém, em vez de responder, Carter voltou-se para a fotografia por mais alguns segundos, examinando-a. Era como se olhasse para uma pessoa de quem muito ouvira falar e que agora, por fim, tinha uma oportunidade de ver. Então fungou, repentinamente desinteressado no que via, e empurrou a foto de volta pelo tampo da mesa.

— Eu já te disse tudo o que sei.

— Eu não acredito.

— E, como eu disse, esse é sempre o teu problema.

Carter sorriu, mas seu olhar agora se tornara vazio.

— Você não escuta, Peter.

Pete só deixou extravasar a frustração quando retornou ao carro, onde Amanda estava à sua espera. Ele entrou, desabou sobre o banco do carona e bateu a porta com força. As fotos que carregava caíram no espaço dos pés.

— Merda.

Pete se inclinou e recolheu todas, embora apenas uma fosse importante. Enfiou as demais de volta no envelope e deixou a que importava de fora, apoiada nos joelhos. Um sujeito usando o nome de um adolescente morto, com óculos de armação preta e cabelo castanho, que poderiam perfeitamente ser um disfarce ou características agora já descartadas. O sujeito poderia ter praticamente qualquer idade. Poderia ser praticamente qualquer pessoa.

— Pelo jeito — disse Amanda —, Carter não foi muito objetivo?

— Foi charmoso como sempre.

Pete passou a mão no cabelo, irritado consigo mesmo. Tinha sido a última vez, sim, e ele sobrevivera. Mas, como sempre, nada obtivera da conversa, embora Carter soubesse de alguma coisa.

— Filho da mãe — disse ele.

— O que aconteceu? — perguntou Amanda.

Ele se recompôs e então relatou a conversa em detalhes. Aquilo de que ele não escutava Carter era balela; era óbvio que ele o escutava. Todas as conversas com Carter o impregnavam. As palavras funcionavam de maneira oposta ao suor, entrando na pele e o deixando todo melado por dentro.

Quando ele acabou, Amanda refletiu.

— Você acha que Carter conhece esse homem?

— Não tenho certeza. — Pete baixou o olhar, contemplando a fotografia. — Talvez. É certo que ele sabe *alguma coisa* a respeito dele. Ou, talvez, nem saiba, e só está se divertindo em me ver tentando decifrar cada porra de palavra que ele diz.

— Você está falando mais palavrão que o normal, Pete.

— Estou com raiva.

Você não escuta.

— Repita o relato pra mim — disse Amanda, com paciência. — Não o dessa visita. O da anterior. Foi quando ele falou que você não estava escutando, certo?

Pete hesitou e então tentou se lembrar.

— Sempre acaba onde começa — disse ele. — Começou no terreno baldio; então, Neil Spencer seria devolvido pra lá. Mas Carter disse que não era bem isso o que ele queria dizer.

— Então, o que ele queria dizer?

— Quem sabe? — Pete sentiu vontade de elevar as mãos para o céu. — Depois teve o sonho com o Tony Smith. Mas aquilo não era verdade. Ele inventou aquilo pra me provocar.

Amanda permaneceu calada por alguns segundos.

— Mesmo assim — disse ela —, o que ele inventou deve ter algum sentido. E você mesmo disse... que era por isso que você visitava ele. Você sempre tinha a esperança de que ele desse com a língua nos dentes sem querer.

Pete quase protestou, mas ela estava certa. Se o sonho não fosse verídico, Carter o teria inventado, descrevendo-o exatamente conforme o fizera. E era possível que alguma verdade houvesse escorregado ali.

Agora ele relembrou o sonho.

— Ele não tinha certeza se era o Tony.

— No sonho?

— É. — Pete assentiu. — A camisa estava cobrindo o rosto do menino; daí ele não pôde ver direito. Ele disse que era daquele jeito que ele gostava.

— Como no caso do Neil Spencer.

— É.

— Fato que jamais foi levado a público. — Amanda sacudiu a cabeça, exprimindo frustração. — E Carter era sádico. Por que não haveria de querer ver o rosto das vítimas?

Pete não tinha resposta para essa pergunta. Carter sempre se negara a falar sobre suas motivações. Mas, embora os assassinatos jamais apresentassem quaisquer elementos sexuais explícitos, Amanda tinha razão: Carter tinha sido tremendamente violento com as crianças, e não havia dúvida de que fosse sádico. Quanto ao motivo de cobrir a cabeça das vítimas, havia inúmeras explicações possíveis. Se a pergunta fosse formulada a cinco supostos psicopatas — e isso tinha sido feito à época — seriam obtidas cinco respostas distintas. Talvez fosse para facilitar a imobilização das vítimas. Ou para abafar o som. Para desorientá-las. Assustá-las. Impedi-las de vê-lo. Impedi-lo de vê-las. Uma das razões pelas quais esse tipo de interrogatório não passava de uma tremenda perda de tempo era que os interrogados quase sempre apresentavam motivações diferentes para um mesmíssimo comportamento, e...

Pete hesitou.

— Aqueles filhos da mãe são todos iguais — disse ele, em voz baixa.

— Como?

— Foi isso que o Carter me disse. — Ele franziu o cenho. — Algo assim, pelo menos. Quando estava falando da criança do sonho. "Aqueles filhos da mãe são todos iguais. Qualquer um deles serve."

— Continue.

Mas ele voltou a se calar, tentando refletir sobre as implicações e sentindo que, de repente, algum tipo de entendimento estava ao seu alcance. Pouco importava para Carter quem estivesse sofrendo. Mais do que isso, ele não queria, de jeito nenhum, expor o rosto das vítimas.

Mas por quê?

Para que *ele* não as visse.

Seria porque imaginava outra pessoa no lugar da vítima? Pete voltou a examinar a fotografia — contemplando o sujeito que poderia ser qualquer pessoa — e se lembrou da expressão estranha no rosto de Carter. Ele tentara disfarçar, mas ficara curioso diante do homem ali fotografado. Mais uma vez, era como se olhasse para alguém por quem se interessara durante muito tempo, e finalmente conseguisse ver a pessoa. Isso levou Pete a pensar em algo mais. Que ele mesmo tanto se esforçara para não pensar em Tom no decorrer dos anos, mas que não fora capaz de deixar de avaliá-lo quando se encontraram. Que, embora traços do menino ainda fossem visíveis, o homem era muito diferente da criança da qual se recordava.

Porque as crianças mudam muito.

Eu já te disse tudo o que eu sei.

E agora Pete se lembrou de outra criança. Outro menino — pequenino, amedrontado, malnutrido —, se escondendo atrás da barra da saia da mãe no momento em que Pete destrancou a porta do anexo da casa de Frank Carter.

Um menino que hoje estaria com vinte e tantos anos.

Traga a minha família pra mim, Pete se lembrou. *Aquela cadela e aquele merdinha.*

Ele olhou para Amanda, finalmente compreendendo.

— Foi isso que eu não escutei.

Quarenta e três

Pouco antes da hora do almoço, alguém bateu à porta.

Ergui os olhos, antes voltados para a tela do laptop. A primeira coisa que eu tinha feito naquela manhã, depois de deixar Jake na escola, foi uma pesquisa sobre Karen no Google. Tinha sido fácil encontrá-la: havia referências a Karen Shaw em centenas de artigos on-line no jornal da cidade, inclusive reportagens que cobriam o sequestro e o homicídio de Neil Spencer. Li o material com uma crescente sensação de náusea, não apenas com receio do que ela pudesse ter escrito — com base em todos os detalhes que eu lhe revelara no café no dia anterior —, mas também com uma sensação de ter sido enganado. Eu tinha me permitido imaginar que ela estivesse sinceramente interessada em mim, e agora me sentia um babaca, como se tivesse sido ludibriado.

Bateram de novo: uma batida hesitante, como se quem estivesse lá fora não soubesse, ao certo, se queria que eu ouvisse ou não. E pensei que já sabia quem teria vindo ao meu encontro. Deixei o laptop de lado e fui até a porta.

Karen, ali mesmo, no batente.

Eu me encostei na parede e cruzei os braços.

— Você está chateado com o que aconteceu?

Eu fiz que sim, diante do casacão. Ela se contraiu.

— Eu posso entrar um instante?

— Pra quê?

— Eu só... quero explicar. Não vou demorar.

— Não é preciso.

— Eu acho que é.

Ela parecia arrependida — até envergonhada —, mas eu me lembrei que minha mãe dizia que explicações e desculpas funcionam, quase sempre, em benefício da pessoa que as apresenta. Portanto tive vontade de dizer a Karen que cuidasse de seus próprios sentimentos em outra hora. Mas a vulnerabilidade que ela aparentava naquele momento estabelecia um contraste tão marcante com seu jeito em nossos encontros anteriores que não consegui falar nada. Minha impressão era de que ela tinha vindo porque a questão era, de fato, importante.

Eu me afastei da parede.

— Tudo bem.

Fomos até a sala. Fiquei um tanto envergonhado por causa do estado do ambiente: o prato com restos do meu café da manhã estava em cima do sofá, ao lado do laptop, e as canetas e os desenhos de Jake jaziam espalhados pelo piso. Mas eu não pretendia pedir desculpas pela bagunça. Não importava o que ela pensasse, não é mesmo? Antes daquela manhã, teria importado — não havia como negar. Uma tolice, mas verdade.

Ela parou no fundo da sala, ainda embrulhada no casacão, como se não tivesse certeza de ter sido convidada a entrar.

— Você quer beber alguma coisa?

Ela sacudiu a cabeça.

— Eu só quero explicar o que aconteceu hoje de manhã. Eu sei a impressão que você deve ter tido.

— Eu nem sei que impressão terá sido. E nem o que pensar.

— Foi mal. Eu deveria ter te contado.

— É.

— E eu quase contei. Talvez você não acredite, mas, ontem de manhã, eu quase tive um troço. No café, sabe, enquanto você me contava aquela coisa toda.

— Mas você deixou que eu falasse.

— Bem, é que você não me deu a menor chance. — Ela arriscou um leve sorriso: um lampejo da Karen que eu conhecia melhor. — Sinceramente, parecia que você precisava desabafar e, sob esse aspecto, eu fiquei feliz em poder ser útil. Mas foi duro ouvir aquilo tudo, sendo jornalista.

— Foi mesmo?

— Foi. Porque eu sabia que não poderia usar nada daquilo.

— Ah, poderia, sim.

— Bem, a rigor, sim, acho que poderia. Mas não seria justo com você e com o Jake. Eu não faria uma coisa dessa com vocês. Tem mais a ver com ética pessoal do que ética profissional.

— Certo.

— E essa porra é sempre assim, francamente. — Ela deu uma risada melancólica. — O caso mais importante da história desse lugar desde que me mudei pra cá, e eu tenho informações que ninguém mais tem. E não posso usá-las.

Não comentei. Era verdade que ela não havia usado meu relato — ainda não, pelo menos. Seu artigo mais recente fora postado naquela manhã e incluía os mesmos detalhes apresentados pelos outros veículos de comunicação. O que eu dissera a Karen ia muito além do que tinha sido divulgado à imprensa, e a questão, obviamente, tinha a ver com a rotina de trabalho de uma jornalista. Contudo, por mais tentador que fosse, ela ainda não revelara nada. Eu poderia acreditar nela, agora, quando afirmava que não o faria? Eu achava que sim.

— Você já falou com algum outro jornalista? — perguntou ela.

— Não. — Quase repeti a fala do meu pai, quanto a não saber de nada, mas, nas atuais circunstâncias, teria sido uma mentira sem propósito. — Os outros foram embora cedo. Houve algumas chamadas pro meu telefone fixo, mas não atendi.

— É irritante.

— Eu nunca atendo o telefone fixo mesmo...

— Não, eu também não gosto de telefone...

— É mais porque ninguém telefona pra mim.

Não era piada, mas ela sorriu. Tudo bem, pensei. À medida que falávamos, a conversa foi se tornando mais tranquila, e a tensão presente na sala havia diminuído. Fiquei quase surpreso ao constatar o alívio que esse fato me trouxera.

— Será que eles vão continuar tentando? — perguntei.

— Depende do que acontecer. Pela minha experiência, se eles não te deixarem em paz, é melhor falar logo com alguém. — Ela ergueu uma das mãos. — Não precisa ser eu. Na realidade, por mais que me doa dizer isso, até prefiro que não seja eu.

— Por quê?

— Porque a gente é amigo, Tom, e isso compromete a objetividade. Como eu disse, quase tive um troço ontem. Você sabe que eu não te convidei para um café porque farejei uma reportagem, né? Foi uma surpresa total o que você me contou. Como é que eu poderia saber? Mas a questão é a seguinte: se você divulgar um relato, o interesse vai diminuir. Mas vamos ver o que vai acontecer.

Refleti sobre a questão.

— Mas eu posso falar contigo?

— Pode, sim. E, sabe de uma coisa? Fora isso tudo, seria legal a gente sair pra tomar mais um café, não é mesmo?

— Talvez eu possa descobrir alguns podres seus.

Ela sorriu.

— É, talvez você possa.

Refleti por um segundo.

— Tem certeza de que não quer beber alguma coisa?

— Infelizmente, tenho... eu não estava fazendo gênero. Não posso demorar mesmo. — Ela estava prestes a sair da sala quando pensou em algo. — Que tal hoje à noite? Talvez eu consiga que minha mãe fique com Adam. A gente pode tomar um drinque, ou algo assim?

A mãe cuidaria de Adam.

Não o marido, ou o companheiro.

Eu acho que já imaginava que Karen fosse solteira, mas agora não tinha certeza se a confirmação feita por ela havia sido de propósito ou por acidente. Em todo caso, eu queria muito aceitar. Meu Deus, que coisa incrível seria sair para tomar um drinque com uma mulher! Eu nem me lembrava da última vez que isso tinha acontecido. Acima de tudo, percebi que queria muito sair para tomar um drinque *com ela*. Percebi que tinha passado a manhã inteira magoado e abobalhado por um motivo mais que óbvio.

Mas, evidentemente, não seria possível.

— Eu teria dificuldade em conseguir alguém pra ficar com o Jake — falei.

— Certo. Eu entendo. Espere um instante. — Ela enfiou a mão dentro do casaco e retirou um cartão. — Eu me dei conta de que você não tem meu número. Meus dados estão aí. Se você quiser entrar em contato, é claro.

Eu queria.

— Obrigado. — Peguei o cartão. — Também tenho um cartão.

— Nem precisa. É só me enviar uma mensagem de texto, que eu salvo teu número.

— Claro. Com certeza.

Ela parou diante da porta da rua.

— Como vai o Jake?

— Milagrosamente bem — falei. — Não faço ideia de como isso aconteceu.

— Eu sei. Como eu disse, você é duro demais consigo mesmo.

Em seguida, ela seguiu pela calçada. Fiquei observando enquanto Karen se afastava, e então olhei para o cartão que ela me entregara. Pensando. Era o segundo cartão que me davam naquele dia, e ambos eram complicados, cada qual ao seu modo. Mas, meu Deus! Tomar um drinque com Karen seria tão bom. Era algo que as pessoas costumavam fazer, e deveria ser possível, para mim, fazer o mesmo.

Quando voltei à sala, peguei o celular e refleti mais sobre a situação.

Hesitante. Inseguro.

É só me enviar uma mensagem de texto, que eu salvo teu número.

No fim das contas, não foi a primeira mensagem que enviei.

Quarenta e quatro

Na delegacia, a sala de operações fervilhava. Enquanto a maioria dos policiais prosseguia com as ações em curso, um pequeno número se concentrava na missão de localizar o filho de Frank Carter, Francis, e esse fato novo havia incentivado toda a equipe. A energia renovada que reinava dentro da sala era tangível. Depois de dois meses correndo em círculos e seguindo pistas falsas, parecia que um novo caminho havia sido aberto.

Não que o novo caminho chegasse, necessariamente, a algum lugar, Amanda lembrou a si mesma. Era sempre melhor não exagerar nas expectativas.

Mas era sempre difícil não fazê-lo.

— Não — disse Pete.

Ele acrescentou mais uma folha de papel à pilha que estava sobre a mesa entre eles dois.

— Não — respondeu ela, acrescentando, por sua vez, uma folha à pilha.

Depois do processo e da condenação de Frank Carter, Francis e a mãe tinham se mudado e, em consequência da infâmia inerente ao caso, receberam novas identidades — uma oportunidade para reiniciar a vida, livres da sombra do monstro com o qual tinham vivido. Jane Carter se tornara Jane Parker; Francis se tornara David. Posteriormente, os dois saíram de circulação. Os nomes eram comuns, genéricos, motivo pelo qual, supostamente, tinham sido selecionados. A tarefa diante de Amanda e Pete agora era localizar o David Parker certo, dentre os milhares que existiam no país.

Próxima folha. Aquele David Parker tinha quarenta e cinco anos. O que eles procuravam teria vinte e sete.

— Não — disse ela.

E assim prosseguiu a tarefa.

Enquanto examinavam os nomes, falavam pouco. Pete se concentrava nas folhas diante de si, e Amanda supunha que a atenção que ele demonstrava nos documentos era um jeito de se distrair. Com certeza, aquela conversa que ele tivera com Frank Carter o teria abalado tanto quanto as demais, mas agora havia uma tensão extra. Pete tinha conhecido Francis quando este era criança. Para todos os efeitos, salvara o menino. Começando a conhecer Pete melhor, ela podia imaginar o que se passava na cabeça dele naquele momento. Perguntas cruéis estariam circulando por sua mente. E se as ações de Pete, no passado, tivessem plantado a semente que resultara em todo aquele horror? E se, apesar de suas melhores intenções, tudo o que havia ocorrido fosse, de algum modo, culpa sua?

— Não temos certeza se Francis está envolvido — disse ela.

— Não.

Pete acrescentou outra folha de papel à pilha.

Amanda suspirou, desanimada por constatar que nada que dissesse agora arrancaria Pete de seus pensamentos. Mas o que ela dissera era verdade. Por mais terrível que fosse a maneira como Francis Carter fora criado, ela já tinha visto várias pessoas emergirem de infâncias horrendas e sofridas e se tornarem adultos decentes. Havia tantos caminhos para sair do inferno quanto havia pessoas no mundo.

Além disso, ela conhecia a investigação anterior o suficiente para saber que Pete não fizera nada de errado — que trabalhara no caso tão bem quanto qualquer outro policial, indo até além de suas obrigações na busca obstinada por Jane Carter. Pete tinha seguido seus instintos, focando a atenção em Frank Carter e, por fim, pegando o sujeito. É verdade que não conseguira salvar Tony Smith, mas é impossível salvar todo mundo. Sempre haveria equívocos que passavam despercebidos.

E voltando seu pensamento para Neil Spencer, Amanda se deu conta de que era preciso se lembrar da possibilidade de ocorrência desses equívocos. Ela não queria crer que as coisas que escapavam — coisas que sequer se apresentavam diante do investigador — pudessem pesar tanto que fossem capazes de sufocar um indivíduo.

Ela voltou a atenção para a papelada e seguiu examinando, sistematicamente, a lista de David Parkers.

— Não.

A pilha aumentava.

— Não.

As palavras formavam um padrão previsível. *Não. Não. Não.* Somente depois de ter examinado três folhas consecutivas sem ouvir resposta, Amanda percebeu que Pete estava calado há mais tempo do que deveria estar. Ela olhou para ele, esperançosa, mas notou que o colega não prestava mais atenção na papelada que havia sobre a mesa. Em vez disso, ele olhava fixamente para a tela do celular.

— O que foi? — disse ela.

— Nada.

Mas, evidentemente, era alguma coisa. Na realidade, Amanda mal acreditava no que via. Porque Pete parecia estar sorrindo. Seria possível? Era um sorriso sutil, mas ela se deu conta de que nunca tinha visto algo semelhante antes. Ele sempre se mostrava grave e sisudo — sombrio, como uma casa cujo proprietário teimasse em não acender as luzes. Naquele momento, entretanto, um dos cômodos parecia estar iluminado. Uma mensagem de texto, ela supôs. Talvez uma mulher? Ou um homem, é claro; afinal, ela pouco sabia sobre a vida particular de Pete. Em todo caso, ela gostou de ver aquela expressão inusitada do rosto dele. Era um alento muito bem-vindo, considerando a constante intensidade do colega, com a qual ela já se acostumara e sobre a qual tanto se preocupava.

Ela queria que aquela luz permanecesse acesa.

— O que foi? — perguntou ela, dessa vez num tom mais provocador.

— É só alguém perguntando se eu estou livre hoje à noite. — Ele pôs o celular sobre a mesa, e o sorriso desapareceu. — Mas, é claro, não estou.

— Não seja ridículo.

Pete olhou para ela.

— Estou falando sério — disse ela. — Tecnicamente falando, esse caso é meu, não teu. Eu vou ficar aqui o tempo que for necessário, mas você vai pra casa no fim do expediente.

— Não.

— Sim. E você pode fazer o que bem quiser quando chegar em casa. Eu te mantenho a par de qualquer novidade.

— Tem que ser eu.

— De jeito nenhum. Mesmo que a gente encontre o David Parker certo, não se sabe *como* ele está envolvido, nem *se* ele está envolvido. Vai ser apenas uma conversa. E eu acho que será melhor pra ele e pra você se outra pessoa se encarregar da tarefa. Eu sei o que esse caso significa pra você, mas não se pode viver no passado, Pete. Outras questões têm importância também. — Ela meneou a cabeça em direção ao celular. — Às vezes, no fim do expediente, a gente precisa deixar a coisa na saída. Você está entendendo o que eu quero dizer?

Ele se manteve em silêncio por um instante, e ela pensou que ele fosse voltar a protestar. Mas ele assentiu.

— Não se pode viver no passado — repetiu ele. — Você tem razão quanto a isso. Mais razão do que imagina.

— Ah, eu sei como eu tenho razão. Pode acreditar.

Ele sorriu.

— Tudo bem, então.

Em seguida, Pete pegou de novo o celular e começou a digitar uma resposta, meio sem graça, como se não recebesse muitas mensagens e não tivesse o hábito de responder. Ou talvez aquela mensagem específica o tivesse deixado nervoso. Em todo caso, Amanda ficou feliz por ele. O leve sorriso retornara ao rosto do colega, e era bom ver aquele sorriso. Sabê-lo possível.

Ele está vivo, ela constatou, observando-o. Era isso.

Depois de tudo pelo que tinha passado, Pete parecia um homem que finalmente havia se empolgado com algo que estava por acontecer.

Quarenta e cinco

Combinei com meu pai de ele chegar às sete da noite, e ele foi tão pontual que presumi que havia chegado mais cedo e aguardado do lado de fora. Talvez a pontualidade fosse em respeito a mim — à ideia de que, se ele estava tendo acesso à minha intimidade e à de Jake, tudo deveria correr de acordo com a minha vontade —, mas a verdade é que eu achava que ele devia ser pontual com todas as pessoas. Um homem para quem a disciplina era algo importante.

Estava bem-vestido, com uma calça social e camisa de manga comprida, como se tivesse vindo diretamente do trabalho, mas parecia revigorado e o cabelo estava molhado, então era óbvio que tinha tomado banho e trocado de roupa. E seu hálito estava neutro. Enquanto ele me seguia casa adentro, me dei conta de que havia verificado isso de forma inconsciente. Se ele ainda bebesse, já teria tomado alguns tragos, e ainda daria tempo de eu cancelar o encontro.

Jake estava ajoelhado no chão da sala, debruçado sobre um desenho.

— O Pete chegou — falei.

— Oi, Pete.

— Você pode pelo menos fingir que olhou pra cima?

Jake suspirou e pôs a tampa na caneta que estava usando. Os dedos estavam lambuzados de tinta.

— Oi, Pete — repetiu ele.

Meu pai sorriu.

— Boa noite, Jake. Obrigado por me deixar cuidar de você um pouco hoje à noite.

— De nada.

— Nós dois somos gratos — falei. — Vai ser só por uma ou duas horas, no máximo.

— Pode ficar o tempo que você quiser. Eu trouxe um livro.

Olhei para o livrão que ele trazia. Não dava para ver o suficiente da capa para ler o título, mas havia uma foto de Winston Churchill em preto e branco. Era o tipo de obra digna, importante, que exigiria de mim bastante disciplina para chegar até a última página, e me senti um tanto constrangido. Meu pai havia se transformado, física e mentalmente, em um homem sereno e circunspecto. Ao me comparar com ele, eu não consegui evitar um sentimento de inadequação.

Mas era tolice.

Você é duro demais consigo mesmo.

Meu pai colocou o livro em cima do sofá.

— Você pode me mostrar a casa?

— Você já esteve aqui.

— Exercendo uma outra função — disse ele. — Este é teu lar. Prefiro que você me leve num tour.

— Certo. A gente vai dar um pulinho lá em cima, Jake.

— É... eu sei.

Ele já voltara a desenhar. Conduzi meu pai ao andar de cima, mostrando-lhe o banheiro e o quarto de Jake.

— Normalmente ele toma banho nesse horário, mas hoje não precisa — falei. — Em meia hora, mais ou menos, ele sobe pra dormir. O pijama está em cima do edredom. O livro está logo ali. Costumamos ler um capítulo antes de apagar a luz, e estamos na metade desse aí.

Meu pai olhou para o livro com curiosidade.

— *O Poder dos Três?*

— É... de Diana Wynne Jones. É um pouco antiquado, mas ele gosta.

— Muito bem.

— E, como eu disse, não vou demorar muito.

— Você vai fazer alguma coisa legal?

Hesitei.

— Só vou tomar um drinque com uma amiga.

Não quis entrar em detalhes. Para começo de conversa, e por mais estranho que pareça, me senti meio adolescente em admitir que eu tinha combinado algo que poderia ser considerado um encontro romântico com uma mulher. Evidentemente, meu pai e eu tínhamos pulado essa fase complicada do meu crescimento; portanto, talvez meu constrangimento fosse natural. Não tivemos a oportunidade de estabelecer uma linguagem capaz de lidar — ou não — com esse assunto.

— Tenho certeza de que vai ser legal — disse ele.

— É.

Eu também achava que seria, e esse pensamento gerou mais uma sensação adolescente: frio na barriga, as tais borboletas no estômago. Não que fosse um encontro romântico de verdade, claro. Era bobagem sair pensando que fosse. Seria o caminho certo para uma decepção. E tanto Karen quanto eu tínhamos filhos em nossas respectivas casas; ou seja, nada muito romântico poderia acontecer. Nesse particular, como era que as pessoas davam conta? Eu não fazia a menor ideia. Fazia tanto tempo que eu não tinha um encontro com uma mulher, que parecia mesmo um adolescente.

Borboletas.

Eu me lembrei, então, que não tinha trancado a porta da rua depois que meu pai entrara. Foi ridículo, mas minha ansiedade foi imediatamente substituída por uma ponta de medo.

— Vamos — falei. — Vamos descer logo.

Quarenta e seis

O teto rangia enquanto o pai e Pete andavam pelo andar de cima. Estavam conversando, Jake sabia, mas não conseguia distinguir as palavras. Deviam estar falando sobre ele, é claro, instruções sobre a hora de ir para a cama, coisas assim. Tudo bem. Ele queria ir dormir o quanto antes.

Porque queria muito que aquele dia chegasse ao fim.

Por isso era bom dormir. Era como *apagar* tudo.

Discussões, preocupações, fosse lá o que fosse.

A gente podia estar com medo ou chateado com alguma coisa, e pensar que seria impossível dormir, mas, em algum momento, pegava no sono e, quando acordava na manhã seguinte, a sensação tinha desaparecido por um tempo, feito um temporal que havia passado durante a noite.

Ou talvez fosse algo parecido com ser anestesiado antes de uma grande cirurgia. O que, às vezes, acontecia, conforme o pai lhe dissera. Os médicos colocam a gente para dormir, para não ver as coisas terríveis que têm de fazer, e depois a gente acorda bem.

Naquele momento, o que ele queria era que o medo fosse embora.

Mas *medo* não era a palavra certa. Quando a gente tem medo, é de alguma coisa específica — como de levar uma bronca; o que ele sentia naquele momento era mais como um passarinho que não tivesse onde pousar. Desde aquela manhã, havia uma sensação de que alguma coisa ruim iria acontecer, só que ele não sabia o quê. Mas a única coisa que Jake tinha certeza agora era de que não queria que o pai saísse naquela noite.

Mas a sensação não era real; então, quanto mais cedo ele fosse dormir, melhor. Ele sentiria medo — ou fosse lá qual fosse a palavra certa —, mas, quando acordasse de manhã, o pai teria voltado para casa, e tudo ficaria bem.

— Não, você tem razão pra ficar com medo.

Jake deu um pulo.

A menina estava sentada ao lado dele, as pernas esticadas. Ele não a via desde o primeiro dia de aula, mas as casquinhas do machucado no joelho dela ainda estavam vermelhas, e o cabelo, como sempre, jogado para o lado. Pela expressão da menina, Jake percebeu que, mais uma vez, ela não queria brincar — que também sabia que alguma coisa estava errada. Parecia estar com mais medo que ele.

— Ele não devia sair — disse ela.

Jake voltou a contemplar seu desenho. Ele sabia que, assim como a sensação, a menina não era real. Mesmo que parecesse. Mesmo que ele quisesse tanto que ela fosse.

— Não vai acontecer nada de ruim — sussurrou ele.

— Vai, sim. Você *sabe* que vai.

Ele sacudiu a cabeça. Era importante ser sensato e maduro, porque o pai confiava que ele agiria como um bom menino. Então Jake continuou a desenhar, como se ela não estivesse mesmo ali. E, de fato, não estava.

Ainda assim, sentia que ela estava muito zangada.

— Você não quer que ele vá se encontrar com ela.

Jake continuou a desenhar.

— Você não quer que alguém tome o lugar da tua mãe, quer?

Jake parou de desenhar.

Não, é claro que ele não queria. E isso não aconteceria, não é? Mas era inegável que havia algo estranho no comportamento do pai quando ele falou sobre o que ia acontecer aquela noite. Mais uma vez, era difícil achar uma palavra para descrever a sensação, mas tudo parecia meio fora do normal e errado, como se alguém estivesse escondendo alguma coisa dele. Mas ninguém haveria de substituir sua mãe. E seu pai não ia querer uma coisa dessa.

Mas então ele se lembrou das coisas que o pai tinha escrito.

No entanto, eles tinham conversado sobre o assunto, não é? Era tipo o que tinha nos livros; não era real. E, além disso, o pai andava muito triste ultimamente, e isso talvez ajudasse. Era importante. Jake precisava deixar que o pai fosse o pai, para que voltasse a ser ele mesmo para Jake.

Precisava ser corajoso.

No instante seguinte, a menina encostou a cabeça no ombro dele, e ele sentiu o cabelo seco e áspero roçar em seu pescoço.

— Estou com tanto medo — disse ela, em voz baixa. — Não deixa ele sair, Jake.

Ela estava prestes a falar mais alguma coisa, mas ele ouviu passos na escada, e a menina desapareceu.

Quarenta e sete

Quando voltamos ao andar de baixo, Jake ainda estava sentado diante do desenho com a caneta na mão. Mas tinha parado de desenhar e olhava para o vazio. Na verdade, parecia prestes a chorar. Eu me aproximei e me agachei ao seu lado.

— Tudo bem contigo, parceiro? — Ele fez que sim, mas não acreditei. — O que foi?

— Nada.

— Hmmm. — Franzi o cenho. — Acho que dessa vez não estou acreditando em você. Está preocupado com a noite de hoje?

Ele hesitou.

— Talvez um pouco.

— Bem, dá pra entender. Mas está tudo bem. Pra ser sincero, eu achei que você até gostaria da companhia de outra pessoa, pra variar.

Então ele olhou para mim e, embora ainda parecesse pequeno e frágil, acho que nunca tinha visto uma expressão tão madura no rosto dele até aquele momento.

— Você acha que eu *não quero* a tua companhia? — perguntou ele.

— Ah, Jake. Venha cá.

Eu me acomodei de modo que ele pudesse sentar no meu joelho para um abraço. Ele se pendurou em mim, e então pressionou seu corpinho contra o meu.

— Eu não acho nada disso. Não foi isso que eu quis dizer.

Mas tinha sido. Até certo ponto, pelo menos. Um dos meus maiores receios desde a morte de Rebecca era não ser capaz de me comunicar com ele. De sermos estranhos um para o outro. E, em certa medida, eu achava que ele estaria melhor sem mim e minhas tentativas desastradas diante da paternidade — que, quando ele entrava na escola sem olhar para trás, era essa a sensação que ele tinha o tempo todo.

Eu me perguntava se ele sentia o mesmo em relação a mim. Talvez minha saída naquela noite o levasse a pensar que eu não quisesse a sua companhia. Que eu o matriculara no Clube 567 para me livrar dele. Embora eu precisasse do meu tempo e espaço, nada poderia ser menos verdadeiro.

Que coisa triste, pensei. Nós dois com o mesmo sentimento. Nós dois tentando achar um ponto de encontro, mas, de um jeito ou de outro, sempre falhando.

— E eu quero a *tua* companhia — falei. — Não vou demorar... prometo.

Ele me abraçou com um pouco mais de força.

— Você tem mesmo que sair?

Respirei fundo.

A resposta, eu supunha, era não, eu não precisava sair, e comecei a relutar, se minha saída fosse deixá-lo tão abalado.

— Não tenho, não — falei. — Mas vai ficar tudo bem... eu prometo. Você já vai pra cama, vai dormir e, quando acordar, eu já vou estar de volta.

Jake ficou calado, refletindo sobre o que eu acabara de dizer. Mas o tempo todo a ansiedade dele parecia penetrar em mim. Apreensão. Quase pavor — um medo súbito de que algo ruim fosse acontecer. Era uma besteira, e não havia razão para pensar isso. Mesmo assim, eu poderia ficar em casa, e estava prestes a dizer isso, quando ele concordou, antes que eu tivesse a oportunidade de fazê-lo.

— Tudo bem.

— Certo — falei. — Até mais. Eu te amo, Jake.

— Eu também te amo, papai.

Jake se afastou de mim, e eu me levantei. Meu pai tinha aguardado diante da porta o tempo todo, e me dirigi a ele.

— Está tudo bem com o Jake?

— Está. Ele vai ficar bem. Mas, se houver qualquer problema, você tem o número do meu celular.

— Tenho, sim. Mas vai ficar tudo bem. É só meio estranho pra ele, acho. — Ele elevou ligeiramente o tom de voz. — A gente vai se dar muito bem, Jake. Você vai ser bonzinho comigo, né?

Jake, que voltara a desenhar, fez que sim com a cabeça.

Observei-o por um instante, agachado e concentrado no desenho, e senti por ele uma onda indescritível de amor. Esse sentimento se solidificou numa determinação. Nós entraríamos nos trilhos, ele e eu. Tudo ficaria bem. Eu queria a companhia dele, e ele queria a minha, e, de algum modo, juntos, descobriríamos um jeito de fazer a coisa funcionar.

— Uma ou duas horas — repeti, me dirigindo a meu pai. — Não mais que isso.

Quarenta e oito

— Já estamos quase lá — disse o sargento Dyson.

— Eu sei — disse Amanda.

Ela pedira a Dyson que conduzisse a viatura, até mesmo para impedi-lo de ficar mexendo no celular durante pelo menos uma hora. Estavam a oitenta quilômetros de Featherbank, seguindo pelo campus de uma grande universidade. Ao dobrarem uma esquina, chegaram a uma área que, sem dúvida, era o coração da cidade, com casas de tijolos vermelhos amontoadas em ruas estreitas. Cada casa tinha três ou quatro andares: edificações em que cinco ou seis pessoas podiam residir juntas, como em uma república estudantil, ou nas quais senhorios podiam alugar quartos independentes, criando grupos de desconhecidos que permaneciam desconhecidos. Um quilômetro e meio quadrado de indivíduos completamente diferentes entre si. Um local onde era barato e fácil desaparecer.

E era ali que David Parker, antes conhecido como Francis Carter, escolhera residir.

A identificação era sólida: a idade e a aparência física batiam com as características do indivíduo que tinha visitado Victor Tyler na prisão. Eles o haviam identificado uma hora antes do fim do turno de Pete, fato que deixara Amanda apreensiva, pois ficara com medo de ele querer alterar quaisquer que fossem os planos que havia feito mais cedo e insistir em acompanhar a diligência. E deu para perceber que ele bem que ficou com vontade de fazer isso. Mas, em vez disso, Pete observou calado enquanto Amanda tomava providências junto à força local para realizar uma visita ao endereço. E, no fim do turno, ele foi embora sem reclamar — apenas desejou boa sorte a Amanda e pediu-lhe que o mantivesse informado sobre qualquer novidade. Amanda achou até que, uma vez tomada a decisão, ele pareceu ficar aliviado.

Quisera ela poder dizer o mesmo a seu próprio respeito — em certa medida, gostaria que Pete estivesse ao seu lado naquele momento. Isso porque, embora tudo o que os dois tinham conversado na delegacia fosse verdadeiro — não dispunham de provas concretas de que Francis Carter estivesse envolvido no caso; aquela visita seria, a rigor, mera rotina —, ela sentia certa apreensão. Um friozinho na barriga, algo entre medo e empolgação. A sensação dizia que ela estava chegando perto. Que alguma coisa estava prestes a acontecer, e que era preciso se manter atenta e pronta a agir.

Dyson começou a descer por uma ladeira íngreme. Ali cada casa era mais baixa que a anterior, de modo que os telhados formavam o desenho da lâmina de um serrote, tendo o céu como pano de fundo. Francis Carter — ou David Parker — alugara um apartamento de um dormitório no porão de uma casa do tipo república.

Esse fato se encaixava?

Amanda achava que, por um lado, sim, por outro, não. Se Parker era o homem que procuravam, ele haveria de querer seu próprio apartamento por uma questão de privacidade. Ao mesmo tempo, como poderia manter uma criança ali, ao longo de dois meses, sem ninguém ver nem ouvir nada? Ou teria Neil sido mantido em outro local?

O carro diminuiu a velocidade.

Você já vai descobrir.

Dyson estacionou diante de um poste de iluminação pública cuja luz parecia desbotar as cores do mundo, e ambos saíram da viatura. A casa tinha quatro andares e era como se estivesse espremida entre as duas construções adjacentes. Nada de luzes acesas na frente. Havia um muro baixo de tijolo e um portão de ferro oxidado, que Amanda abriu silenciosamente, entrando na propriedade. À esquerda via-se um jardinzinho um tanto caótico, demasiado pequeno e feioso para despertar o interesse de alguém que dele se dispusesse a cuidar; mais adiante, um lance de degraus dava acesso à porta da casa. No fundo do jardim, um segundo lance de degraus conduzia ao subsolo, a uma área onde mal cabia uma pessoa de pé. Do topo desse segundo lance, Amanda avistou uma janela. A porta do apartamento ocupado por Parker estaria diretamente abaixo da porta principal da casa, fora de visão.

Ela desceu a escada, tendo o jardim à sua esquerda sido substituído por um muro de tijolos cuja sombra encobria os degraus. O ar ali estava mais frio; a sensação era de quem descia ao interior de um mausoléu. A janela era um quadrado escuro e sujo, com teias de aranha nos cantos. À sombra, a porta da frente do apartamento de Parker mal ficava visível.

Ela bateu firme à porta e chamou em voz alta.

— Sr. Parker? David Parker?

Nada de resposta.

Esperou mais alguns segundos e então voltou a bater.

— David? — chamou ela. — Você está aí?

Novamente, nada além de silêncio. Ao lado de Amanda, Dyson olhava pela janela, mantendo as mãos em volta dos olhos para tentar enxergar melhor.

— Não dá pra ver nada. — Ele se afastou da vidraça imunda. — O que a gente faz agora?

Amanda tocou na maçaneta e se surpreendeu quando ela girou, produzindo um rangido.

A porta se abriu ligeiramente.

De imediato, um fedor de mofo exalou do interior do apartamento.

— Um perigo, deixar a porta destrancada desse jeito, num bairro desse — falou Dyson.

Mas ele não estava próximo o bastante para sentir o cheiro que ela sentia. *De fato, um perigo*, ela pensou, mas talvez não no sentido que ele sugeria. O recinto estava totalmente às escuras, e o friozinho na barriga de Amanda tornou-se mais intenso que nunca. A sensação dizia a ela que algo perigoso estaria à espreita ali dentro.

— Fique atento — disse ela a Dyson.

Em seguida pegou uma lanterna e entrou, com cuidado, mantendo a manga do paletó sobre o nariz e a boca, a outra mão varrendo o local com o facho de luz. O ar estava tão empoeirado que era como se grãos de areia flutuassem na luminosidade. Amanda fez o facho girar e captou lampejos da bagunça ali instalada: móveis cinzentos estragados; roupa embolada sobre um carpete gasto; folhas de papel espalhadas em cima de uma velha mesa de madeira. As paredes e o teto exibiam manchas de umidade. Ao longo da parede à direita, havia uma espécie de cozinha e, ao passar com o facho de luz por cima de pratos e potes sujos, Amanda viu coisas se arrastando, produzindo grandes sombras enquanto desapareciam de vista.

— Francis? — chamou ela.

Mas era evidente que não morava mais ninguém ali. O local tinha sido abandonado. Alguém tinha ido embora, fechando a porta sem se dar o trabalho de trancá-la, e nunca mais voltara. Ela acionou o interruptor de luz, para cima e para baixo. Nada. O aluguel de um ano tinha sido pago adiantado, mas, pelo visto, não as contas dos serviços públicos.

Dyson parou ao lado dela.

— Meu Deus.

— Espere aqui — disse ela.

Em seguida avançou com toda cautela, desviando da nojeira espalhada.

Havia duas portas ao fundo. Ao abrir uma, encontrou o banheiro, e correu o facho de luz de um lado ao outro, contendo a ânsia de vômito. A fedentina ali era muito pior que na sala. A pia estava cheia de uma água pútrida, e havia toalhas molhadas pelo chão, todas manchadas de mofo.

Ela fechou a primeira porta e dirigiu-se à segunda. Aquela daria acesso ao quarto. Preparando-se para o que pudesse encontrar, girou a maçaneta, empurrou a porta e iluminou o interior.

— Alguma coisa?

Amanda ignorou a pergunta e cruzou, em estado de alerta, a soleira da porta.

Havia poeira no ar ali dentro também, mas era nítido que aquele cômodo não tinha sido tão negligenciado e descuidado quanto o restante do apartamento. O carpete era macio e aparentava ser mais novo. Embora não houvesse mobiliário, Amanda identificou marcas sobre o carpete correspondentes aos locais antes ocupados pelos móveis: um retângulo mais liso se formara embaixo de onde teria ficado uma cômoda; um quadrado isolado teria ficado embaixo de algo que ela não imaginava o que seria; quatro pequenos quadrados espaçados o bastante entre si teriam correspondido às marcas dos pés de uma mesa comprida, encostada em uma das paredes. As marcas desses quadrados eram profundas — era provável que sobre a mesa houvesse algo pesado.

Mas não havia marcas que sugerissem a presença de uma cama.

Então ela notou algo e, rapidamente, direcionou o facho de luz à parede do fundo. Era perceptível que aquela parede tinha sido recém-pintada, mas fora também rebocada. Ao longo da base, alguém acrescentara desenhos. Folhas de relva pareciam crescer no piso, com algumas flores espalhadas, além de abelhas e borboletas voando.

Amanda se lembrou das fotos que tinha visto do interior do anexo da casa de Frank Carter.

Meu Deus.

Lentamente, ela elevou o facho de luz.

Próximo ao teto, um sol carrancudo de olhos negros a encarava.

Quarenta e nove

Teu pai gostava desses livros quando criança.

Pete quase disse isso quando se ajoelhou ao lado da cama de Jake e pegou o livro. A luz do quarto era tão suave, e Jake parecia tão miúdo deitado embaixo das cobertas que, por um instante, Pete foi transportado a um outro tempo. Lembrava-se de ter lido para Tom quando ele era menino. Os livros de Diana Wynne Jones figuravam entre os favoritos do filho.

O Poder dos Três. Pete não recordava o conteúdo, mas logo reconheceu a capa, e as pontas dos dedos formigaram no momento em que ele a manuseou. Era uma edição bastante antiga. A capa e a contracapa estavam com as bordas desgastadas, e a lombada do livro ficara tão vincada que mal dava para ler o título ali impresso. Seria aquele exemplar o mesmo que ele tinha lido tantos anos atrás? Sim, ele pensou. Tom guardara o livro e agora o lia para o próprio filho. Não era apenas uma história sendo passada, ao longo do tempo, de pai para filho, mas as próprias páginas que a continham.

Pete ficou maravilhado.

Teu pai gostava desses livros quando criança.

Mas se conteve e não falou nada. Não só Jake desconhecia a relação entre ele e Tom, como também a revelação do fato não lhe cabia, e jamais caberia. Tudo bem. Se pretendia alegar que tinha mudado no decorrer dos anos e já não era o péssimo pai causador das piores recordações de Tom, não poderia reivindicar nenhuma das melhores recordações.

Se aquele sujeito do passado tinha ido embora, todo o seu ser teria ido embora, substituído por um novo homem.

— Então vamos lá. — A luz suave do quarto fez a voz dele soar serena e afável. — Onde vocês pararam?

Mais tarde, em silêncio, ele se sentou no andar de baixo, sem tocar no livro que trouxera consigo. A ternura que sentira lá em cima o acompanhara, e por ora ele queria absorvê-la.

Fazia tanto tempo que se enterrara em distrações: tinha recorrido a livros, comida e televisão — a rituais, de modo geral — como um jeito de estalar os dedos ao lado de sua própria mente e distraí-la, para que não vislumbrasse rumos perigosos. Mas, naquele momento, essa sensação estava ausente. As vozes que o importunavam tinham se calado. A vontade de beber não estava viva naquela noite. Ele podia senti-la próxima, como uma vela apagada que ainda solta um fio de fumaça, mas o fogo e o brilho haviam se extinguido.

Tinha sido tão legal ler para Jake. O menino se mantivera em silêncio e atento, e então, depois de uma ou duas páginas, tinha pedido para ler. Embora sua leitura fosse um tanto vacilante, seu vocabulário era surpreendente. E seria impossível não sentir a paz que reinava no quarto. Por mais problemas que Pete houvesse gerado na infância de Tom, este não os passara adiante.

Pete voltou ao quarto de Jake quinze minutos depois e o encontrou ferrado no sono. Permaneceu no quarto por um instante, admirando a visível tranquilidade do menino.

Eis o que você perde por beber.

Havia repetido esse pensamento inúmeras vezes enquanto contemplava a fotografia de Sally, e sua mente viajava pelas lembranças da vida que havia perdido. Na maioria das vezes, o pensamento surtia efeito, mas não em todas as ocasiões, e os últimos meses tinham sido os piores. De algum jeito, conseguira resistir. Agora, olhando para Jake, sentia-se imensamente feliz por ter resistido, como se houvesse se esquivado de uma bala perdida. Embora incerto, o futuro estava ali.

Eis o que você ganha por parar de beber.

Esse pensamento era muito melhor. Era a diferença entre o arrependimento e o alívio, entre uma lareira apagada e cheia de cinzas frias e um fogo crepitante. Aquilo ele ainda não tinha perdido. Talvez ainda não o tivesse achado completamente também. Mas não o tinha perdido.

De novo no andar de baixo, ele leu durante algum tempo, mas se distraiu com pensamentos ligados à investigação e, várias vezes, verificou o celular, para ver se havia alguma novidade. Não havia. Pete supunha que Amanda já houvesse chegado ao local da visita, e que Francis Carter estivesse sob custódia, ou sendo interrogado, e tinha esperança de que fosse esse o caso. Se Amanda estivesse ocupada demais para comunicar novidades era bom sinal.

Francis Carter.

Ele se lembrava perfeitamente do menino. Embora, é claro, Francis Carter fosse uma pessoa totalmente diferente hoje: um homem adulto, formado a partir daquele menino, mas diferente dele. Pete havia interagido com Francis em poucas ocasiões vinte anos antes; a maioria dos encontros precisou ser atentamente monitorada por policiais bem treinados. Francis era uma criança miúda, pálida, assustada, e se mantinha cabisbaixo, fitando o tampo da mesa e respondendo monossilabicamente, quando muito. A extensão do trauma causado pela convivência com o pai ficara evidente. Tratava-se de uma criança vulnerável que tinha comido o pão que o diabo amassou.

Então as palavras de Carter voltaram à sua mente.

A camisa dele estava puxada por cima da cabeça, então não dava pra ver direito... do jeito que eu gosto.

Para ele, não havia diferença entre as crianças; qualquer uma servia. E não queria ver o rosto delas. Mas por quê? Seria porque Carter queria imaginar que as vítimas eram seu próprio filho?, Pete se perguntava. Um menino no qual ele jamais poderia tocar sem ser pego, de modo que todo o seu ódio precisava ser descarregado em outras crianças?

Por um momento, Pete ficou absolutamente imóvel.

Se fosse esse o caso, como se sentiria uma criança diante disso? Que era um lixo, e que merecia morrer também, talvez. Sentiria culpa em relação às vidas perdidas por sua causa. Uma vontade sincera de reparar danos. Um ímpeto de ajudar crianças cujas situações fossem semelhantes à sua, porque, assim procedendo, poderia iniciar um processo de cura.

Esse sujeito é cauteloso.

Carter, referindo-se ao homem cuja fotografia Pete lhe mostrara.

Sorrindo para ele.

Você não escuta, Peter.

Neil Spencer passara dois meses no cativeiro, mas fora bem tratado o tempo todo. Alguém havia cuidado dele — até que algo saiu errado, Neil foi morto e seu corpo abandonado no local exato onde fora abduzido. Pete se lembrava do que havia pensado quando o corpo do menino foi encontrado no terreno baldio naquela noite. Era como se alguém tivesse devolvido um presente que se tornara indesejado. Agora, o pensamento era outro.

Talvez fosse como um experimento malsucedido.

No andar de cima, Jake começou a gritar.

Cinquenta

Eu tinha combinado de me encontrar com Karen em um pub a poucas ruas de distância da minha casa, perto da escola. Era o pub do vilarejo, chamado, simplesmente, o Featherbank, e me senti um peixe fora d'água quando cheguei lá. Fazia calor naquela noite, e a parte externa, junto à rua, estava lotada. Olhando pelas janelas, constatei que o interior também parecia fervilhar. A exemplo do que sentira ao entrar no pátio da escola no primeiro dia de aula de Jake, minha impressão era de estar entrando em um local onde todos se conheciam, e que nada tinha a ver comigo, e jamais teria.

Avistei Karen diante da bancada do bar e me dirigi para lá, abrindo caminho em meio à aglomeração, cercado por todos os lados de corpos suados e risadas. Naquela noite, o casacão de Karen havia desaparecido. Ela usava jeans e uma blusa branca. Fiquei ainda mais nervoso quando me vi ao lado dela.

— Oi — falei, elevando a voz acima da barulheira.

— Oi! — Ela sorriu, se aproximou de mim e disse: — Você chegou em boa hora. O que vai querer beber?

Examinei as opções de chope e escolhi uma aleatoriamente. Ela pagou, me entregou o copo, e então se afastou da bancada, sinalizando para que eu a seguisse pelo meio da multidão até o fundo do pub. Enquanto a seguia, eu me perguntei se não havia entendido mal o propósito daquela noite, e se ela não estaria apenas me conduzindo até um grupo de amigos. Mas havia uma porta, logo adiante da bancada, e ela abriu essa porta, que dava acesso a outra área externa, esta mais exclusiva e cercada de árvores nos fundos do pub. Havia mesas redondas, de madeira, espalhadas pelo gramado, e uma pequena área de lazer, onde algumas crianças brincavam, atravessando pontezinhas feitas de cordas, enquanto os pais bebiam ao redor. Havia menos gente ali, e Karen me conduziu até uma mesa vazia, no extremo oposto da porta.

— A gente poderia ter trazido os meninos — falei.

— Sim, se fôssemos loucos — disse ela, e sentou-se. — Imaginando que você não seja incrivelmente irresponsável, suponho que tenha conseguido arrumar alguém pra ficar com o Jake?

Eu me sentei ao lado dela.

— Arrumei. Meu pai.

— Puxa! — disse ela, espantada. — Depois de tudo o que você me contou, deve ser estranho.

— É esquisito, sim. Normalmente, eu não teria pedido a ele, mas... bem... Eu queria sair pra tomar um drinque, e a cavalo dado não se olha os dentes.

Ela arqueou as sobrancelhas.

Fiquei corado.

— Eu estava me referindo a ele, não a você.

— Rá! A propósito, isso aqui é extraoficial. — Ela encostou a mão no meu braço, e manteve o toque por mais alguns segundos do que o necessário. — Estou feliz que você tenha conseguido vir — disse ela.

— Eu também.

— E, por falar nisso, saúde!

Tocamos nossos copos.

— Então você não tem nenhuma preocupação com relação a ele?

— Ao meu pai? — Fiz que não com a cabeça. — Sinceramente, não. Não nesse nível. Eu não sei como me sinto a respeito disso, pra ser sincero. Não é uma coisa permanente. Não é nem bem uma coisa, na verdade.

— É. Faz sentido ver as coisas assim. As pessoas se preocupam muito com a natureza de tudo. Às vezes, é melhor deixar as coisas acontecerem. E o Jake?

— Ah, é provável que ele goste mais do meu pai do que de mim.

— Tenho certeza de que isso não é verdade.

Eu me lembrei de como Jake estava quando saí de casa, e lutei para conter o sentimento de culpa.

— Talvez — falei.

— Como eu já te disse, você se cobra demais.

— Talvez — repeti.

Dei um gole no chope. Em parte, eu ainda estava ansioso, mas percebi que isso não tinha nada a ver com a companhia de Karen. Na realidade, era surpreendente como eu começava a me sentir relaxado, e como parecia natural sentar perto dela, um pouco mais perto do que amigos costumam ficar. Não, minha ansiedade era porque eu ainda estava preocupado com Jake. Era difícil parar de pensar nele. Difícil me livrar da intuição de que, por mais que eu quisesse estar naquele pub, era muito mais importante, para mim, estar em um outro local naquele momento.

Dei mais um gole no chope e disse a mim mesmo que não fosse tão bobo.

— Você disse que tua mãe está com o Adam?

— É.

Karen revirou os olhos, e então começou a explicar sua situação. Tinha voltado para Featherbank no ano anterior, principalmente porque sua mãe residia na cidade. Embora jamais houvesse grande afeto entre as duas, sua mãe era boa para Adam, e Karen concluíra que o apoio materno a ajudaria no processo de recomeçar a vida.

— O pai do Adam não está mais em cena?

— Você acha que eu sairia contigo se ele estivesse?

Karen sorriu

Dei de ombros, sem saber o que dizer, e ela facilitou as coisas para mim.

— Não, ele não está. E talvez isso pese um pouco pro lado do Adam; mas, às vezes, é até melhor pra criança, mesmo que ela não perceba na ocasião. O Brian... meu ex... digamos que ele era como teu pai, em certos sentidos. Em vários sentidos.

Ela deu um gole, e, embora o silêncio que se seguiu não fosse constrangedor, pareceu a ambos um bom momento para deixar de lado aquele assunto. Algumas conversas precisam ser postergadas, se é que devem acontecer. Nesse ínterim, fiquei vendo as crianças que subiam nos brinquedos instalados ao fundo do jardim. A noite já havia chegado. O ar se tornara mais escuro, e vagalumes cintilavam entre as árvores à nossa volta.

Mas ainda estava quente. Ainda estava agradável.

No entanto...

Desviei o olhar. Minha bússola interna já havia apontado a localização da minha casa, e eu nem estava muito distante de Jake: provavelmente a algumas centenas de metros em linha reta. Mas aparentava ser longe demais. Voltando a olhar para as crianças, tive a sensação de que não apenas o local se tornara um tanto sombrio, mas a luz me parecia um tanto estranha. Era como se tudo estivesse meio fora de eixo.

— Ah — disse Karen, enfiando a mão na bolsa —, acabo de me lembrar que trouxe uma coisa. É meio estranho, mas você pode autografar pra mim?

Meu livro mais recente. A visão do livro me fez lembrar o quanto eu estava atrasado com a continuação da história, e senti um leve pânico. Mas, evidentemente, tratava-se de um gesto de gentileza, algo até meio bobo, e então forcei um sorriso.

— Claro.

Ela me entregou uma caneta. Abri o livro na folha de rosto e escrevi.

Para Karen.

Parei. Eu nunca sabia o que escrever.

Foi muito bom ter te conhecido. Espero que você não ache o livro uma merda.

Quando se autografa um livro, tem gente que só lê a dedicatória mais tarde.

Karen não era uma dessas pessoas. Ela riu ao ver o que eu tinha escrito.

— Tenho certeza de que não vou achar isso. E quem disse que eu vou ler? Isso aqui vai direto pro eBay, parceiro.

— Tudo bem, mas, se eu fosse você, não contaria com a grana da venda pra garantir a aposentadoria.

— Não se preocupe... não farei isso.

O ar ao redor tornou-se ainda mais sombrio. Voltei a olhar para o local onde as crianças brincavam e vi uma menina de vestido azul e branco olhando para mim. Nossos olhares se cruzaram e tudo o mais naquele jardim desapareceu, como em um plano de fundo. E então ela sorriu e correu em direção a uma das pontezinhas feitas de cordas, sendo seguida por outra menina, rindo.

Sacudi a cabeça.

— Tudo bem contigo? — perguntou Karen.

— Tudo.

— Hmmm. Não sei se acredito em você. É o Jake?

— Acho que sim.

— Você está preocupado com ele?

— Sei lá. Talvez. Não deve ser nada, mas é que hoje é a primeira vez que eu saio à noite sem ele. E estou me divertindo bastante, francamente. Mas me sentindo...

— Muito, muito estranho?

— Um pouco... é.

— Eu entendo. — Ela sorriu, solidária. — Comigo foi a mesma coisa, quando comecei a deixar o Adam com a minha mãe. É como se um fio amarrasse a gente até em casa, e parece que o fio vai arrebentar. A gente tem vontade de voltar.

Assenti, embora minha sensação fosse bem mais intensa do que a que ela descrevia. Minha intuição era de que teria acontecido algo terrível. Mas era provável que eu estivesse apenas sendo dramático diante da exata situação que ela descrevera.

— E... tudo bem — disse Karen. — Francamente. No começo é assim mesmo. Vamos tomar logo esses chopinhos e você volta pra casa, e talvez a gente possa sair de novo outro dia. Supondo que você queira, né?

— Quero, sim, com toda certeza.

— Bom.

Ela me encarou, olho no olho, e o espaço que nos separava parecia estar repleto de possibilidades. Percebi que naquele momento poderia tentar beijá-la, e que ela deixaria. Que ambos fecharíamos os olhos enquanto nossos lábios se tocassem, e que o beijo seria tão suave como uma simples respiração. Eu também sabia que, se não tomasse a iniciativa, um de nós teria de desviar o olhar. Mas o instante chegaria, e nós dois saberíamos disso, e em algum momento aconteceria de novo.

Que fosse agora, então.

E eu estava prestes a fazer exatamente isso, quando meu celular tocou.

Cinquenta e um

Era de tarde, e ele e o pai estavam voltando da escola. Normalmente era a mãe que o buscava naquele dia, porque era um dos dias em que o pai ficava trabalhando, mas não foi o que aconteceu.

O pai ganhava a vida escrevendo histórias, e as pessoas pagavam para ler o que ele escrevia, o que Jake considerava uma coisa muito maneira. E o pai, às vezes, concordava que fosse mesmo. Para começo de conversa, ao contrário do que acontecia com tantos outros pais, ele não era obrigado a usar terno, a ir a um escritório todos os dias e ficar obedecendo às ordens de alguém. Mas o trabalho não era fácil, porque, na opinião de muita gente, aquilo não era emprego.

Jake não entendia bem a situação, mas percebia que, em algum momento, o trabalho tinha causado problema entre seus pais, porque o pai ficava encarregado de levá-lo e buscá-lo, e isso o impedia de escrever muitas histórias. A solução foi que a mãe passou a buscá-lo com mais frequência. Aquele era um dos dias em que a mãe deveria ter ido buscá-lo. Mas o pai apareceu e disse que a mãe não estava se sentindo bem, e por isso ele tinha sido obrigado a vir.

Foi isso mesmo que ele disse. Que *tinha sido obrigado* a vir.

— Está tudo bem com ela? — perguntou Jake.

— Está — disse o pai. — Ela só estava meio tonta, quando voltou do trabalho, e por isso resolveu se deitar.

Jake acreditou nele, porque, com certeza, a mãe estaria bem. Mas o pai parecia estar mais tenso que de costume, e Jake se perguntou se não estaria tendo dificuldade com a história que escrevia naquele momento, e se o fato de ser obrigado a pegá-lo na escola não seria... ora... algo que o deixava ainda mais azedo?

Muitas vezes, Jake se achava um problema para o pai. Achava que as coisas seriam mais fáceis, se ele, Jake, não existisse.

No carro, o pai fez as perguntas de sempre: como tinha sido o dia, o que ele tinha feito. Como sempre, Jake fez o possível para não responder. Não havia nada muito interessante para contar, e, de qualquer jeito, Jake nem achava que o pai estivesse muito interessado.

Estacionaram em frente de casa.

— Posso ir logo ver a mamãe?

Ele até esperava que o pai dissesse não, embora não soubesse por quê — talvez porque fosse algo que ele queria muito fazer, e o pai diria não só para contrariar. Mas a expectativa dele se mostrou injusta, porque o pai apenas sorriu e brincou com o cabelo dele.

— Claro, parceiro. Vá devagar com ela, certo?

— Pode deixar.

A porta da rua estava destrancada, e Jake entrou correndo em casa, sem tirar os sapatos. Normalmente, a mãe lhe daria uma bronca, porque gostava de manter a casa limpa e arrumada, mas os sapatos não estavam sujos, e ele queria vê-la o quanto antes e ajudá-la a se sentir melhor. Jake correu pela cozinha até a sala.

E então parou.

Porque alguma coisa estava errada. A cortina da sala estava aberta, e o sol da tarde entrava enviesado, iluminando a metade do ambiente. Tudo parecia estar calmo e silencioso demais. Esse era o problema. Mesmo quando alguém brincava de esconde-esconde, era possível sentir a presença da pessoa escondida, porque, de algum modo, a pressão do local se alterava. Naquele momento, não havia na casa nenhuma sensação assim.

A sensação era de vazio.

O pai ainda estava lá fora, provavelmente fazendo alguma coisa no carro. Jake atravessou a sala, bem devagar, mas era como se a sala estivesse passando por ele. O silêncio era tão grande que era como se fosse ser capaz de feri-lo, se ele não se cuidasse.

Ao lado da janela, a porta estava aberta. Ela dava acesso a uma pequena área ao pé da escada. À medida que se aproximava, Jake enxergava melhor a cena.

A vidraça marmorizada da porta dos fundos.

O único som agora era o das batidas do seu coração.

O papel de parede branco.

Ele se aproximava tão devagar que quase não se movia.

O corrimão de madeira torneada.

Ele olhou para o chão.

— *Mamãe...*

— *Papai!*

Jake gritou a palavra antes mesmo de acordar. Em seguida se enfiou embaixo das cobertas e gritou de novo, o coraçãozinho disparado.

Não tinha aquele pesadelo desde que deixaram a antiga casa, e o impacto causado pelo sonho se intensificara.

Ele aguardou.

Não sabia que horas eram, nem por quanto tempo tinha dormido, mas com certeza o pai já teria voltado. No instante seguinte, ouviu passos firmes subindo a escada.

Jake arriscou uma espiada. A luz do corredor continuava acesa, e uma sombra se estendeu pelo quarto enquanto alguém entrava.

— Ei — falou o homem, baixinho. — O que houve?

Pete, Jake se lembrou. Jake gostava bastante de Pete, mas o fato era que Pete não era seu pai, e ele queria e precisava de seu pai naquele momento.

Pete era idoso, mas se sentou em posição de lótus ao lado da cama, com um movimento ágil e determinado.

— O que há de errado?

— Eu tive um pesadelo. Cadê o papai?

— Ele ainda não voltou. Pesadelos são horríveis, né? Como foi esse?

Jake fez que não com a cabeça. Jamais contara o sonho ao pai, e duvidava que um dia o fizesse.

— Tudo bem. — Pete assentiu. — Também tenho pesadelos, sabe? Muitas vezes, pra ser sincero. Mas eu acho que é até bom ter pesadelos.

— Como é que pode ser bom?

— Porque, às vezes, coisas ruins acontecem com a gente, de verdade, e a gente não gosta de falar nelas; então, elas ficam escondidas lá no fundo da cabeça.

— Como músicas chiclete?

— É... acho que sim. Mas, um dia, elas têm que sair. E os pesadelos podem ser um jeito que nosso cérebro arruma pra lidar com essas coisas ruins, quebrando tudo em pedacinhos, até não sobrar mais nada.

Jake pensou nisso. O pesadelo tinha sido mais assustador do que nunca; portanto, a sensação era de que sua mente estava construindo algo, e não destruindo tudo em pedacinhos. Mas o fato era que o sonho sempre acabava no mesmo ponto, antes que ele pudesse ver a mãe estendida no chão. Talvez Pete estivesse certo. Talvez sua mente estivesse tão amedrontada que precisasse construir aquela visão antes de ser capaz de destruí-la.

— Eu sei que o que vou falar não ajuda muito — disse Pete —, mas, sabe de uma coisa? Um pesadelo não pode fazer nenhum mal pra gente. Não há por que ter medo.

— Eu sei — disse Jake. — Mas eu quero o papai.

— Ele já vai voltar; tenho certeza.

— Eu preciso dele agora. — Com a volta do pesadelo, e o alerta feito pela menina mais cedo, Jake tinha absoluta certeza de que algo estava errado. — Você pode telefonar e pedir pra ele voltar pra casa?

Pete ficou calado por um instante.

— Por favor? — disse Jake. — Ele não vai se importar.

— Eu sei que ele não vai — concordou Pete, pegando o celular.

Jake observou ansiosamente Pete acionar o celular, fazer a ligação e levar o aparelho ao ouvido.

No andar de baixo, a porta da frente se abriu.

— Ah, olha teu pai aí. — Pete desligou. — Está tudo bem, então. Você pode ficar sozinho aqui um instante, enquanto vou lá embaixo chamá-lo?

Não, Jake pensou. *Não posso.* Não queria ficar nem mais um segundo ali no escuro sozinho. Mas pelo menos o pai estava em casa agora, e Jake sentiu uma onda de alívio.

— Tudo bem.

Pete se levantou e saiu do quarto; Jake ouviu a escada ranger sob seus passos, e ouviu-o chamando o nome do pai.

Jake fitou a parte do corredor que estava iluminada, além da porta do quarto, e apurou o ouvido. Durante alguns segundos, o silêncio foi total. Mas então ele ouviu algo que não foi capaz de identificar. Um movimento, como se algum móvel estivesse sendo empurrado. E gente falando, mas por meio de barulhos, em vez de palavras, como quando alguém se esforça para fazer algo, e o esforço obriga a pessoa a produzir algum ruído.

Outro barulhão. Algo pesado caindo.

E então, novamente, silêncio.

Jake pensou em chamar pelo pai, mas seu coração voltara a disparar, com uma intensidade semelhante àquela do momento em que ele despertara do pesadelo, e o silêncio assobiava tão alto que era como se ele estivesse outra vez lá dentro, de volta à sala da antiga casa.

Ele fitou o corredor vazio, aguardando.

Poucos segundos depois, um novo ruído. Mais uma vez, passos na escada. Alguém estava subindo, mas o movimento era lento e cauteloso, como se a pessoa também estivesse com medo do silêncio.

E então alguém sussurrou seu nome.

Cinquenta e dois

— Tenho certeza de que está tudo bem.

Apertando o passo atrás de mim, Karen tentava me tranquilizar. E, sem dúvida, estava certa. Com toda certeza, minha reação era exagerada, mas eu caminhava tão depressa que ela mal conseguia me acompanhar. Karen me seguira sem que precisássemos debater a questão. Porém, se não estivesse me seguindo, eu já estaria correndo naquele momento. Isso porque, embora ela tivesse razão, e provavelmente não houvesse por que me preocupar, eu tinha uma forte premonição. A certeza de que algo muito grave estava acontecendo.

Peguei o celular e tentei ligar pro meu pai. Ele me telefonara enquanto eu estava no pub, mas a ligação tinha caído antes que eu pudesse atender. O que significava que alguma coisa teria acontecido. Mas, quando retornei a chamada, ele não tinha atendido.

Agora, o celular chamava e chamava.

Ele continuava sem atender.

— Merda.

Cancelei a ligação no momento em que chegamos ao começo da minha rua. Talvez meu pai tivesse apertado o botão de ligar sem querer, ou achado que não precisasse mais falar comigo. Mas eu me lembrei de como ele tinha se mostrado zeloso, e da satisfação contida que demonstrara ao ser chamado para cuidar de Jake e entrar na nossa intimidade, ainda que tão discretamente. Ele não teria me telefonado, se pudesse evitar. A menos que fosse algo importante.

O campo à direita estava imerso na escuridão da noite. Aparentemente, não havia ninguém ali, mas estava escuro demais para enxergar ao longe. Comecei a andar ainda mais depressa, ciente de que, na visão de Karen, estava agindo como um lunático. Mas o pânico começava a me dominar, por mais irracional que fosse essa reação, e isso era mais importante.

Jake...

Cheguei à entrada de veículos.

A porta da rua estava aberta, e um facho de luz surgia enviesado pela calçada.

Se a porta aberta você deixar...

E então, comecei a correr.

— Tom...

Alcancei a porta, mas parei à soleira. Havia pegadas de sangue pelo assoalho ao pé da escada.

— Jake? — gritei.

A casa estava em silêncio. Entrei com cautela, meu coração batendo forte e pulsando em meus ouvidos.

Karen havia me alcançado.

— O quê...? Ai, meu Deus...

Olhei à direita, para dentro da sala, e a visão que ali me aguardava não fez o menor sentido: meu pai deitado de lado, com as costas para mim, o corpo em posição fetal no chão junto à janela, como se tivesse pegado no sono ali mesmo. Mas estava cercado de sangue. Sacudi a cabeça. Havia muito sangue ao lado do corpo dele. E o sangue já formava uma poça à altura da cabeça. Ele estava totalmente imóvel. Por um instante, incapaz de processar aquela visão, também fiquei imóvel.

Ao meu lado, em estado de choque, Karen inspirou fundo. Olhei de relance e notei que ela havia empalidecido. Seus olhos estavam arregalados, e ela cobria a boca com uma das mãos.

Jake, pensei.

— Tom...

Mas não ouvi mais nada, porque a lembrança do meu filho me trouxe de volta à vida, levando-me a agir. Passei por Karen e subi a escada o mais depressa possível. Rezando. Pensando: *Por favor!*

— Jake!

Havia sangue também no patamar superior da escada, grudado no carpete pelos sapatos do indivíduo que cometera a atrocidade no andar de baixo. Alguém tinha atacado meu pai, e então tinha subido para, para...

O quarto do meu filho.

Entrei. A colcha estava bem dobrada. Jake não estava no quarto. Não havia ninguém no quarto. Fiquei parado por alguns segundos, congelado, o pavor formigando em minha pele.

No andar de baixo, Karen falava ao telefone descontroladamente. Ambulância. Polícia. Urgente. Uma confusão de palavras que não faziam o menor sentido para mim naquele momento. A sensação era de que minha mente iria parar de funcionar — como se meu crânio tivesse se aberto, expondo o cérebro a um vasto e incompreensível caleidoscópio de horror.

Fui até a cama.

Jake não estava lá. Mas aquilo não era possível, porque Jake não poderia ter desaparecido.

Aquilo não estava acontecendo.

A Bolsinha de Coisas Especiais jazia no chão ao lado da cama. Foi na hora que peguei a Bolsinha, sabendo que ele jamais sairia sem levá-la consigo, que a realidade da situação me atingiu com toda a força.

A Bolsinha estava lá, mas Jake, não.

Aquilo não era um pesadelo. Estava, de fato, acontecendo.

Meu filho tinha desaparecido.

Foi então que tentei gritar.

QUINTA PARTE

Cinquenta e três

As primeiras quarenta e oito horas seguintes ao desaparecimento de uma criança são cruciais.

Quando Neil Spencer desapareceu, as primeiras duas horas tinham sido desperdiçadas, porque ninguém havia notado sua ausência. Com Jake Kennedy, a investigação teve início minutos após o pai do menino chegar em casa acompanhado de uma amiga. Naquele momento, Amanda estava com Dyson em uma delegacia policial a oitenta quilômetros de distância. Os dois tinham regressado a Featherbank o mais rapidamente possível.

Agora, parada do lado de fora da casa de Tom Kennedy, ela verificou o relógio. Alguns minutos depois das dez da noite. Todo o aparato que entrava em ação sempre que uma criança desaparecia já havia sido acionado. A casa meio sinistra estava bastante iluminada, em plena atividade, com sombras deslizando pelas cortinas, enquanto rua acima e rua abaixo viam-se policiais nas varandas das casas interrogando vizinhos. Holofotes varriam o campo situado do outro lado da rua. Depoimentos eram colhidos; imagens de câmeras de segurança eram coletadas; varreduras externas já estavam em curso.

Em circunstâncias normais, Pete estaria integrando as equipes de busca. Mas não naquela noite, obviamente. Tentando manter a calma, Amanda pegou o celular e ligou para o hospital, solicitando um boletim; então ouviu o resultado, com a máxima objetividade que era capaz de exibir. Pete continuava inconsciente, e seu estado era crítico. Meu Deus. Amanda se lembrou de como ele era forte para um homem de sua idade, mas forma física não o ajudara muito naquela noite. Talvez ele estivesse momentaneamente distraído e fora pego de surpresa; havia poucos ferimentos que sugerissem uma tentativa de defesa, mas inúmeros talhos provocados por facadas nos flancos, no pescoço e na cabeça. O ataque tinha sido exagerado, desesperado — nitidamente, uma tentativa de homicídio, e as horas seguintes demonstrariam se a tentativa fora bem-sucedida. Amanda foi informada de que não havia como prever se Pete sobreviveria àquela noite. Ela só esperava que, ao contrário do que acontecera no início da noite, o bom preparo físico o ajudasse agora.

Você vai se safar, Pete, ela pensou.

Ele sairia dessa. Tinha de ser assim.

Ela encerrou a chamada e verificou on-line o arquivo de dados sobre o caso, em busca de novidades. Nada de novo ainda. Policiais já haviam recolhido depoimentos de Tom Kennedy e da mulher que o acompanhava, Karen Shaw. Amanda reconheceu o nome; Shaw era uma repórter local, que cobria casos de homicídio. De acordo com as declarações colhidas, os dois tinham se encontrado para tomar um drinque, na condição de amigos. Os filhos deles estavam na mesma série na escola; portanto, era provável que fossem mesmo apenas amigos, mas, pelo bem de todos, Amanda esperava que Shaw fosse mais confiável do que a maioria de seus colegas jornalistas. Sobretudo agora.

Porque Amanda ainda não sabia o motivo da presença de Pete naquela casa.

Ela se lembrou de como ele se mostrara animado durante a tarde, lendo a mensagem que tinha recebido, e tomando algumas providências. No momento em que ele recebera a mensagem, Amanda pensou que se tratasse de algum encontro romântico. Na realidade, o encontro teria sido aquele — e fosse lá o que fosse, o fato era que Pete estava envolvido no caso, e não deveria ter ido àquele local no seu tempo de folga. Ele infringiu a ética profissional.

E o que mais a incomodava era a lembrança de que *ela* tinha dado força para ele comparecer ao tal encontro. Queria que ele se sentisse feliz. Se não o tivesse pressionado, ele ainda estaria vivo.

Ele ainda está vivo.

Era preciso se apegar a esse fato. Mais do que tudo, naquele momento, era preciso manter o profissionalismo e o foco. Ela não poderia deixar que suas emoções tomassem conta. Culpa. Medo. Raiva. Uma vez à solta, qualquer dessas emoções arrastaria consigo as demais, feito cães atrelados à mesma corrente. E isso seria péssimo.

Pete ainda estava vivo.

Jake Kennedy ainda estava vivo.

Amanda não ia perder nenhum dos dois. Mas, por ora, só poderia fazer algo por um deles.

Então, por fim, fechou o arquivo do caso e saiu do carro.

Dentro da casa, Amanda cuidou para não pisar nas pegadas de sangue seco ao pé da escada, e então entrou na sala, com toda cautela, preparando-se para a visão que a aguardava.

Vários peritos trabalhavam no recinto, medindo, analisando detalhes, fotografando, mas ela os ignorou, concentrando-se na mesa de centro revirada e, inevitavelmente, no sangue lambuzado nos móveis e empoçado no piso. Havia tanto sangue que o cheiro pairava no ar. A carreira já colocara Amanda diante de cenas piores que aquela, mas, sabendo que Pete tinha sido atacado ali, ela encarava aquela cena como algo impossível de aceitar.

Em seguida observou o trabalho dos peritos. A atividade pericial ali era tão sombria, tão esmiuçada, que a impressão era de que o local já estivesse sendo tratado como cena de homicídio. Como se todos ali já soubessem de uma verdade que ela desconhecia.

Amanda se dirigiu ao quarto de hóspedes. As paredes estavam forradas de prateleiras, e havia diversas caixas pelo chão, ainda por abrir. Tom Kennedy andava de um lado para o outro entre as caixas, seguindo um caminho tortuoso, feito um animal que gasta o solo de uma jaula. Karen Shaw estava sentada em uma cadeira diante da mesa do computador, olhando fixamente para o chão, apoiando o cotovelo com uma das mãos e tapando a boca com a outra.

Tom viu Amanda e parou. Ela reconhecia a expressão estampada no rosto dele. As pessoas lidavam com situações como aquela de maneiras diferentes — algumas aparentavam uma calma quase sobrenatural, outras procuravam se distrair com algum movimento, alguma atividade —, mas, em todos os casos, o comportamento era motivado por transferência. Naquele instante, Tom Kennedy estava em pânico, e fazia o máximo possível para se conter. Já que não podia se deslocar em direção ao filho, precisava se movimentar, como se estivesse indo a algum lugar. Depois que ele parou, seu corpo começou a tremer.

— Tom — disse ela —, eu sei que é difícil. Eu sei que você deve estar apavorado. Mas eu preciso que você me ouça, e que acredite em mim. Nós vamos encontrar o Jake. Eu prometo.

Ele a encarou. Era evidente que não acreditava nela, e talvez ela não pudesse cumprir essa promessa. Mas tinha falado sério. A obstinação ardia dentro dela. Amanda não pararia, não sossegaria, enquanto não localizasse Jake e pegasse o homem que o raptara. Que raptara Neil Spencer antes de Jake. Que tanto ferira Pete.

Não vou perder mais uma criança no meu turno.

— Nós acreditamos que sabemos quem levou o Jake, e vamos encontrar o cara. Como eu falei, você tem a minha palavra de honra. Todos os policiais disponíveis estão concentrados na caça a esse sujeito e na localização do teu filho. A gente vai trazer ele de volta pra casa são e salvo.

— Quem é o sujeito?

— Neste momento, eu não posso te dizer.

— Meu filho está sozinho com ele.

A julgar pelo semblante de Tom, Amanda sabia que, naquele instante, ele visualizava as piores possibilidades — que um filme dos piores horrores imagináveis passava em sua mente.

— Eu sei que é difícil, Tom — disse ela. — Mas eu quero que você se lembre de que, supondo que esse seja o homem que raptou Neil Spencer, Neil foi bem tratado no começo.

— E depois assassinado.

Amanda não tinha como rebater esse comentário. Em vez disso, ela pensou no apartamento abandonado que visitara horas antes, e na maneira como Francis Carter havia recriado a decoração do anexo da casa do pai. Ainda criança, Francis teria visto os horrores lá dentro e, aparentemente, jamais escapara daquele local — uma parte dele parece ter ficado presa lá dentro, incapaz de seguir adiante. Sim, Neil Spencer tinha sido bem cuidado, durante algum tempo. Mas então algum impulso tenebroso havia emergido, e não havia motivos para crer que o assassino fosse conter um impulso desses diante de Jake, assim como não o fizera diante de Neil. Na realidade, o oposto seria esperado: uma vez rompida a represa, a tendência era acelerada.

Porém, naquele momento, ela não estava preparada para considerar esse pensamento.

Tom, é claro, não podia se dar ao luxo de evitá-lo.

— Por que o Jake?

— A gente não sabe muito bem. — O desespero da pergunta era bastante familiar para Amanda. Diante de tragédias e horrores, é natural buscar explicações: razões pelas quais a tragédia não pôde ser evitada, para diminuir o sentimento de culpa; providências que teriam impedido a perpetração do horror, para atiçar a culpa. — A gente acha que o suspeito tinha algum interesse nesta casa, como no caso do Norman Collins. É provável que ele tenha descoberto que teu filho morava aqui, e tenha identificado o menino como alvo, justamente por isso.

— Obcecado por ele, você quer dizer.

— É.

Alguns segundos de silêncio.

— Como está ele? — perguntou Tom.

Amanda pensou que Tom ainda se referisse a Jake, mas então notou que ele dirigia o olhar para a sala, e compreendeu que a pergunta dizia respeito a Pete.

— Ele está no CTI — disse ela. — Foi a última notícia que eu tive. A condição dele é crítica, mas... bem... o Pete é um guerreiro. Ele vai sair dessa.

Tom assentiu, como se, de algum modo, as palavras o tocassem. O que não fazia sentido, visto que ele mal conhecia Pete. Novamente, Amanda se lembrou da satisfação de Pete naquela mesma tarde. Como ele se animara de repente.

— Por que ele estava aqui? — perguntou ela. — Ele não deveria estar.

— Ele estava tomando conta do Jake.

— Mas, por que o Pete?

Tom se calou. Ela o observou. Era óbvio que ele avaliava o que haveria de dizer, escolhendo cuidadosamente as palavras. E, de repente, ela se deu conta de que já tinha visto esse trejeito antes. A maneira como Tom Kennedy inclinava a cabeça. O ângulo do maxilar. A expressão grave. Agora, diante dela, Tom Kennedy, com a fisionomia inexpressiva iluminada pela luz do teto, demonstrava grande semelhança com Pete.

Meu Deus, ela pensou.

Mas então ele sacudiu a cabeça e mudou de posição, e a semelhança desapareceu.

— Ele tinha deixado o cartão comigo. Disse que, se eu precisasse de alguma coisa, era só entrar em contato. E ele e o Jake... bem, o Jake gostava dele. Um gostava do outro..

A explicação era capenga, e Amanda continuou a encará-lo. Embora não conseguisse mais enxergar a semelhança, a impressão não tinha sido apenas fruto de sua imaginação. Ela poderia insistir, mas decidiu que o fato não teria importância — não naquele momento. Se a impressão tivesse fundamento, as implicações poderiam ser consideradas posteriormente.

Por enquanto, na verdade, ela precisava voltar à delegacia, e trabalhar o máximo para cumprir a promessa feita.

— Certo — disse ela. — O que vai acontecer agora é que eu vou sair daqui, vou encontrar teu filho e vou trazer ele de volta pra casa.

— O que *eu* vou fazer?

Amanda olhou para trás, em direção à sala. Era desnecessário dizer que Tom não poderia passar a noite ali.

— Você não tem parentes na área, tem?

— Não.

— Você pode ficar comigo — disse Karen. — Não tem problema.

Ela não tinha dito nada até então.

Amanda olhou para Karen.

— Tem certeza?

— Tenho.

Examinando a expressão no rosto de Karen, Amanda constatou que ela compreendia a gravidade da situação. Tom permaneceu calado por um instante, considerando a oferta. Apesar das reservas que tinha para com a jornalista, Amanda pedia a Deus que Tom aceitasse. Ela não precisava da dor de cabeça que seria alojá-lo novamente no esconderijo naquelas circunstâncias. E era evidente que ele queria aceitar — tratava-se de um homem à beira de um colapso nervoso. Então Amanda resolveu dar um empurrãozinho.

— Então, está bem — disse ela, entregando seu cartão. — Aqui tem o número do meu telefone. Linha direta. Amanhã cedo, vou designar pro caso um policial especializado em apoio à família. Mas, por ora, se precisar de alguma coisa, é só me telefonar. E eu tenho teu número. Surgindo qualquer novidade, inclusive sobre o Pete, eu entro em contato contigo na mesma hora.

Ela hesitou, e então baixou um pouco o tom de voz.

— No mesmo segundo, Tom. Eu te prometo.

Cinquenta e quatro

O dia estava morto, e a noite, fria.

O homem permanecia no caminho de acesso a veículos em frente à casa, aquecendo as mãos em uma caneca de café. Atrás dele, a porta da frente estava aberta, e o interior, escuro e silencioso. O mundo estava tão quieto que ele achava que podia ouvir a fumaça quente emergindo da caneca.

Ele estabelecera residência em uma rua isolada de uma vizinhança hostil, na periferia de Featherbank, em parte por motivos financeiros, mas sobretudo por questão de privacidade. Uma das casas vizinhas estava desocupada, e os residentes da outra eram discretos, mesmo quando não bebiam. A cerca viva situada em ambos os lados do acesso à garagem fazia tempo que não era aparada, o que escondia suas idas e vindas, e nunca havia tráfego local. Ninguém visitava aquela rua, e ninguém precisava passar por ela a caminho de lugar nenhum. Resumindo, tratava-se de uma área que era evitada.

Francis gostava de pensar que sua presença ali havia contribuído para isso. Que se por acaso alguém passasse de carro por ali, perceberia, instintivamente, que não era um local onde convinha se demorar.

Muito semelhante à residência anterior de Jake Kennedy, é claro.

A casa sinistra.

O homem lembrava daquela monstruosidade de quando era criança. As crianças sabiam que a propriedade era perigosa, embora nenhuma delas tivesse a menor ideia de por quê. Algumas diziam que a casa era mal-assombrada; outras afirmavam que ali tinha morado um assassino. Tudo sem fundamento, é obvio. A fama da casa decorria exclusivamente do seu aspecto. Se as crianças não tratassem Francis com esse mesmo tipo de mentalidade, ele teria explicado o verdadeiro motivo de a casa ser assustadora. Mas ele não tinha com quem falar.

A impressão era de que muito tempo havia se passado. Ele se perguntava se a polícia teria encontrado vestígios de sua vida pregressa. Mesmo que tivesse, não faria grande diferença; ele deixara pouco rastro, além de poeira. Ele se lembrou de como tinha sido fácil — como tinha sido simples tornar-se outra pessoa. A aquisição da nova identidade, por intermédio de um sujeito que morava a cerca de cem quilômetros ao sul de Featherbank, custara menos de mil libras. A partir de então, ele vinha construindo uma espécie de concha em volta de si, algo que lhe possibilitasse dar início à sua transformação, assim como uma lagarta emerge do casulo, vibrante, forte e irreconhecível.

No entanto, perduravam traços daquele menino assustado e revoltado que ele tinha sido. Fazia anos que seu nome já não era Francis, mas era assim que ainda se reconhecia. Ele se lembrava de que o pai o forçava a ver o que fazia com aqueles meninos. Considerando o olhar estampado no rosto do pai, Francis entendia muito bem que o pai o odiava, e que faria o mesmo com Francis se pudesse. Os meninos que o pai matava não passavam de substitutos da criança que ele mais desprezava. Francis sempre soube que era considerado absolutamente desprezível.

Ele não pôde salvar os meninos cujos assassinatos testemunhara anos atrás, assim como não pôde ajudar ou consolar a criança que tinha sido. Mas poderia fazer reparações. Isso porque havia muitas crianças como ele no mundo, e não era tarde demais para resgatá-las e protegê-las.

Ele e Jake fariam bem um ao outro.

Francis bebericou o café, e então contemplou o céu noturno e os padrões de constelações que não faziam o menor sentido. Seu pensamento foi desviado para a violência que perpetrara lá na casa. A pele ainda fervilhava em consequência de toda aquela excitação, e ele sabia que se tratava de uma sensação que deveria evitar. Porque, embora soubesse de antemão que aquela noite prometia um confronto físico, foi surpreendente como o momento, em si, pareceu tão natural. Foi tão fácil matar o garoto. Era como se o que ele fora obrigado a fazer com Neil houvesse acionado uma chave interior, libertando desejos dos quais ele mal se dera conta anteriormente.

Tinha sido uma sensação agradável, não tinha?

O café escorreu pela sua mão; ele olhou e percebeu que a mão estava meio trêmula.

Forçou-se a se acalmar.

Mas, em parte, não queria se acalmar. Era bem mais fácil se lembrar agora do que fizera com Neil Spencer, e não poderia negar a satisfação que o homicídio lhe propiciara. Simplesmente, até agora, ele tivera medo de admitir isso. Recordou-se de ter imaginado que o pai estava presente ao seu lado.

Observando.

Fazendo que sim com a cabeça num gesto de aprovação.

Agora você entende, não é, Francis?

Sim. Agora ele entendia por que o pai o havia odiado tanto. Por ter sido uma criatura tão desprezível. Mas isso ele já não era, e agora se perguntava como seria olhar nos olhos do pai. Ele se perguntava se poderiam perdoar um ao outro pelo que tinham sido, levando em conta o que ambos haviam se tornado.

Eu sou como você... está vendo?

Você não tem mais por que me odiar.

Francis sacudiu a cabeça. Meu Deus, que pensamentos eram aqueles? O que acontecera com Neil tinha sido um erro. Agora precisava manter o foco, porque precisava cuidar de Jake.

Garantir sua segurança. Amá-lo.

Porque isso era tudo que as crianças queriam e de que precisavam, não era? Elas desejavam ser queridas e amadas pelos pais. Esse pensamento provocou nele um aperto no coração.

Elas queriam isso mais do que tudo.

Francis deu o último gole no café e fez uma careta. O líquido tinha esfriado; ele descartou os resquícios de pó sobre uma moita ao lado do degrau da porta e voltou para dentro da casa, trocando o mundo silencioso externo pelo mundo silencioso interno.

Estava na hora de desejar boa noite ao menino.

Bastava de erros.

Porém, enquanto subia para ver Jake, ele pensava no assassinato de Neil Spencer e na sensação que o ato lhe proporcionara.

Eu sou como você... está vendo?

E se perguntou se, no fim das contas, o erro teria sido, de fato, tão grave assim.

Cinquenta e cinco

Quando se acorda de um pesadelo, em geral fica tudo bem.

Não desse jeito.

Assim que abriu os olhos, Jake ficou confuso. O quarto estava claro demais. A luz estava acesa, e aquilo era estranho. Então percebeu que aquele não era o seu quarto, mas o de alguma outra criança, e aquilo também era estranho. Mas estava tão atordoado que não entendeu nada, apenas sentiu um peso no coração, pressentindo algo errado. O mundo à sua volta girou quando ele se sentou. E então uma lembrança lhe veio à mente, e a ansiedade aumentou, lançando uma onda de pânico por todo o seu corpo.

Ele deveria estar em casa. E ele estava em casa antes. Mas então o homem tinha subido a escada, entrado em seu quarto, e colocado alguma coisa sobre seu rosto. E então...

Nada.

Até ele acordar ali.

Ele tinha acordado havia uns dez minutos. De início, ele tinha pensado que fosse outro pesadelo — um novo pesadelo —, porque a sensação era a de um sonho ruim. Porém, mesmo antes de se beliscar num ato de desespero, ele sabia que aquilo era real demais para ser um sonho. O medo era grande demais. Se ele estivesse dormindo, o medo já o teria despertado. Ele se lembrou de ter ouvido falar do homem que raptara Neil Spencer e o matara, e então se perguntou se aquilo não seria um pesadelo, no fim das contas, só que do tipo do qual não se consegue acordar. O mundo estava cheio de homens perversos.

Cheio de sonhos ruins que não aconteciam apenas quando a pessoa dormia.

Então olhou para o lado.

A menina estava ali com ele!

— Você...

— Shhh. Fala baixo. — Ela passeou o olhar pelo quartinho e engoliu em seco. — Ele não pode saber que eu estou aqui.

Evidentemente, não estava mesmo — disso, no fundo, ele sabia. Mas ficou tão feliz ao vê-la que não pensaria nisso. Porém, ela estava certa. Não seria bom que o homem o surpreendesse falando com alguém. Seria...

— Muito ruim? — sussurrou ele.

Ela fez que sim, com um ar grave.

— Onde é que eu estou? — perguntou ele.

— Eu não sei onde você está, Jake. Você está onde está, e então é onde eu também estou.

— Isso porque você não sai de perto de mim?

— Eu nunca vou sair de perto de você. *Nunca*. — Ela voltou a olhar à sua volta. — E vou fazer o possível pra te ajudar, mas não posso te proteger. A situação é muito séria. Você sabe disso, né? Muito, muito longe de ser certo você estar aqui.

Jake assentiu. Estava tudo errado, e ele corria perigo; de repente, a situação pareceu demais para ele.

— Eu quero o papai.

Talvez aquela fosse uma afirmação patética, mas, depois de pronunciada, ele não pôde mais se conter. Portanto repetiu-a diversas vezes, e então começou a chorar, pensando que se a gente desejasse muito determinada coisa, a coisa acontecia. Mas não foi o caso. A sensação era de que seu pai estava do outro lado do mundo naquele momento.

— Por favor, tente não fazer barulho. — Ela pousou a mão no ombro dele. — Você precisa ser corajoso.

— Eu quero o papai.

— Ele vai te encontrar. Você sabe que vai.

— Eu quero o papai.

— Jake, por favor. — A mão dela pressionou o ombro dele, expressando algo entre ânimo e medo. — Você precisa se acalmar.

Ele tentou parar de chorar.

— É melhor assim.

Ela retirou a mão e ficou calada por um instante, apurando os ouvidos.

— Acho que, por ora, está tudo bem. Então o que a gente precisa é descobrir que lugar é esse. Porque isso pode nos dar uma dica pra sair daqui, certo?

Ele fez que sim. Continuava com medo, mas o que ela dizia fazia sentido.

Ele se levantou e correu os olhos pelo quarto.

A parede lateral subia até a altura do peito, e então se inclinava para dentro, como se fosse um telhado; portanto, provavelmente, ele estava em um sótão. Nunca estivera em um sótão. Sempre imaginava que sótãos fossem locais escuros, empoeirados, com piso de madeira, caixas de papelão e aranhas. Mas aquele era todo acarpetado, e as paredes tinham sido pintadas de branco-neve, com folhas de relva desenhadas na base, e abelhas e borboletas voando. Seria até bonito, se não fosse iluminado por uma lâmpada forte pendurada no teto, dando a tudo um aspecto irreal, como se partes do desenho pudessem adquirir vida a qualquer momento. Encostado na parede inclinada havia um baú aberto, cheio de bichinhos de pelúcia. Na outra parede havia um pequeno armário. Jake olhou para trás. A cama estava forrada com lençóis dos *Transformers*, que pareciam velhos e surrados.

Ou seja, ele estava no quarto de alguma criança. Mas a sensação ali não era natural, como se o local não fosse destinado ao uso de um menino de carne e osso.

Na parede oposta havia uma porta. Jake foi até lá e abriu-a, nervoso. Uma pequena privada e uma pia. Uma toalha pendia de uma argola, e tinha sabonete na pia. Jake fechou a porta. Dando meia-volta, viu um corredor estreito saindo de um dos cantos do quarto, mas logo adiante havia outra parede. Ele deu um passo à frente e se viu no topo de uma escada escura. Ao pé da escada, uma porta fechada.

Um corrimão de madeira preso à parede...

De repente, Jake recuou, antes de enxergar claramente o pé da escada. Correu de volta para o quarto e para a cama.

Não, não, não.

A escada era quase idêntica à da antiga casa onde eles moravam.

E isso queria dizer que ele não deveria ver o que estava...

Seu coração tinha disparado.

Ele mal conseguia respirar.

— Pode se sentar, Jake. — Ele sequer era capaz de se sentar. — Está tudo bem — disse a menina, com ternura. — É só você respirar.

Ele fechou os olhos e se concentrou. No início, foi difícil, mas então o ar começou a entrar em seus pulmões, e a pulsação desacelerou.

— Pode se sentar.

Ele obedeceu, e então ela voltou a apoiar a mão em seu ombro, sem dizer nada, apenas produzindo com os lábios um som agradável, para tranquilizá-lo. Quando a respiração dele voltou a se estabilizar, ela retirou a mão, ainda sem falar. Jake sabia que ela queria que ele descesse e tentasse abrir a porta, mas não havia a menor chance de ele fazer isso. Jamais. A escada estava fora de cogitação. Não adiantava, mesmo que...

— Deve estar trancada, no fim das contas — disse ela.

Jake concordou, sentindo-se aliviado — porque ela estava certa, e então ele não precisava descer até lá. Mas e se o homem o obrigasse? Era demais pensar naquilo agora. Pavoroso demais. Não teria forças, e achava que aquele homem não o carregaria no colo.

— Você se lembra do que teu pai te escreveu daquela vez? — perguntou a menina.

— Lembro.

— Então diga.

— Mesmo quando a gente discute, a gente ainda se ama muito.

— É verdade — disse ela —, mas esse homem... ele é diferente.

— Como assim?

— Eu acho que você precisa se comportar muito bem. Eu acho que você não pode discutir com ele.

Ela estava certa, ele pensou. Ali, se ele se comportasse mal, não seria como com seu pai, com quem tudo se ajeitava depois. Se o Homem-Sussurro ficasse zangado com ele, a coisa acabaria mesmo muito pior.

De repente a menina se levantou.

— Pra cama. Depressa!

Ela parecia estar tão assustada que ele viu que não haveria tempo para perguntar por quê. Jake levantou as cobertas e se enfiou na cama. No instante em que se deitou naquela caminha estranha, ouviu uma chave girar na fechadura ao pé da escada.

O homem vinha subindo.

— Feche os olhos — disse ela, alarmada. — Finja que está dormindo.

Jake cerrou os olhos. Geralmente, era fácil fingir que estava dormindo — costumava fazer isso em casa, porque sabia que o pai voltaria diversas vezes ao seu quarto enquanto ele estivesse acordado, e não queria dar trabalho. Era mais difícil ali; porém, ao ouvir os degraus rangendo, forçou-se a respirar lenta e sistematicamente, feito alguém adormecido, e relaxou um pouco as pálpebras, porque quem dorme não aperta os olhos, e então...

E então o homem entrou no quarto.

Jake ouviu o som de uma respiração suave, e sentiu a terrível presença do homem perto de si. O rosto começou a coçar, e ele sabia que o homem estava bem ao lado da cama, olhando para ele. Olhando fixamente para ele. Jake manteve os olhos fechados. Se estivesse dormindo, não poderia se comportar mal, poderia? Não haveria perigo de uma discussão. Ele teria ido para a cama feito um bom menino, sem precisar ser mandado.

Alguns segundos de silêncio.

— Veja só você... — sussurrou o homem.

A voz expressava espanto, como se, por algum motivo, ele não esperasse encontrar um menino no sótão. Jake se forçou a não se contrair quando uma mecha de cabelo foi afastada de seu rosto.

— Tão perfeito.

A voz era conhecida, não era? Jake achava que sim, mas não tinha certeza. E jamais abriria os olhos a fim de descobrir. O homem se levantou, e então se afastou, em silêncio.

— Eu vou cuidar de você, Jake.

Ouviu-se um clique, e a escuridão em volta de seus olhos fechados tornou-se profunda.

— Você agora está seguro. Eu prometo.

Jake continuou a respirar lenta e ritmadamente quando o homem desceu a escada, a porta foi fechada e a chave girou na fechadura. Mesmo depois disso, ele não se atreveu a abrir os olhos. Pensou no que a menina dissera sobre seu pai. Que ele iria encontrá-lo.

Mesmo quando a gente discute, a gente ainda se ama muito.

Jake acreditava nisso. Era uma das razões por que não importava muito quando discutiam. O pai o amava e prezava por sua segurança e, por mais zangados que ficassem, sempre se reconciliavam, como se nada tivesse acontecido.

Porém, uma pequena parte sua sabia que ele tornava a vida do pai muito difícil. Que muitas vezes era uma distração e não uma ajuda. Ele se lembrou de que, naquela noite, o pai tinha saído sem ele. E se perguntava se o pai, onde quer que estivesse naquele momento, não estaria aliviado por não ter mais o incômodo da sua presença.

Não.

O pai o encontraria.

Por fim, abriu os olhos. O quarto estava agora totalmente às escuras, exceto pela menina, perfeitamente iluminada e de pé ao lado da cama. Ela reluzia como a chama de uma vela, mas a luz não ia além da silhueta, nem se irradiava pelo quartinho do sótão.

— O que a gente está fazendo, Jake? — sussurrou ela.

— Não sei.

— O que a gente está sendo?

Agora ele entendeu.

— *Corajoso* — sussurrou ele, em resposta. — A gente está sendo corajoso.

Cinquenta e seis

Acordei com um sobressalto, desorientado e aturdido diante do ambiente em que me vi. O cômodo estava escuro, era desconhecido e repleto de sombras estranhas. Onde eu estava? Não fazia a menor ideia, apenas que ali não era o meu lugar. Que, fosse qual fosse aquele recinto, eu deveria estar em outro local, e que precisava, desesperadamente...

A sala da casa da Karen.

Então me lembrei. Jake havia desaparecido.

Inerte, eu me sentei um instante no sofá, o coração acelerado.

Meu filho tinha sido sequestrado.

Eu sabia que era verdade, mas a ideia parecia ser irreal, e a irradiação de pânico por ela provocada foi como uma injeção de adrenalina, afastando de vez os resquícios do sono. Como eu tinha conseguido dormir nessas circunstâncias? Estava exausto, mas o pavor que zumbia dentro de mim agora era quase insuportável. Talvez eu estivesse tão cansado e exaurido que meu corpo, simplesmente, tinha desligado por um tempo.

Verifiquei meu celular. Eram quase seis horas da manhã; portanto eu não tinha dormido por muito tempo. Karen tinha ido para a cama de madrugada. Decidira ficar acordada, ao meu lado, esperando notícias, mas estava tão estressada pelos eventos da noite que eu finalmente consegui convencê-la de que um de nós precisava descansar. Antes de subir, ela me pediu que a chamasse, se surgisse qualquer novidade. Não tinha havido nenhuma mensagem, nem chamadas não atendidas, desde então. A situação não tinha mudado.

Mas Jake já estava algumas horas a mais com a pessoa que o raptara.

Eu me levantei, acendi a luz e comecei a andar de um lado para o outro da sala. Se não me movimentasse, eu tinha certeza de que os sentimentos acabariam comigo. A dor e a necessidade de estar com Jake se chocavam com a constatação de que eu não tinha como alcançá-lo, e a tensão era tamanha que meu coração se contorcia dentro de mim.

Eu visualizava o rosto dele, e a imagem era tão nítida que, fechando os olhos, eu imaginava ser capaz de esticar a mão e tocar a pele macia do rosto dele. Àquela altura, estaria muito assustado, eu bem sabia. Estaria se sentindo perdido, confuso, apavorado. Ele se perguntaria onde eu estava e por que ainda não o havia encontrado.

Se é que ele ainda existia.

Sacudi a cabeça. Não podia pensar esse tipo de coisa. Na noite anterior, a investigadora Beck me dissera que ele seria encontrado, e eu precisava me permitir acreditar nela. Porque se não — se ele estivesse morto —, nada mais restaria. Seria o fim do mundo: uma martelada na cabeça da vida, esmigalhando todo e qualquer pensamento coerente. Depois de algo assim, existiria apenas som de estática.

Ele está vivo.

Imaginei que ele me chamava e que, de algum modo, eu podia ouvi-lo em meu coração. Mas não parecia se tratar de algo imaginado; era como se fosse a voz dele, me chamando por meio de uma onda sonora que eu quase conseguia sintonizar. Ele estava vivo. Eu não tinha como saber se isso era verdade. Mas, recentemente, tinham ocorrido tantos eventos inexplicáveis que talvez não fosse impossível?

E não importava se fosse.

Ele estava vivo. Eu ainda podia senti-lo; portanto, ele tinha de estar.

E então, formulei a frase em minha mente, com clareza e precisão, e a lancei pelo universo, com o maior ímpeto possível, na esperança de que a mensagem o alcançasse. Que ele a recebesse em seu coração e sentisse a verdade das palavras.

Eu te amo, Jake.

E vou te encontrar.

Pouco depois, a casa deu sinal de vida.

Karen tinha dito que eu poderia me servir do que quisesse na cozinha. Eu estava apoiado no balcão, tomando café puro e vendo a luz da alvorada marcando o horizonte, quando o piso do andar superior começou a ranger. Coloquei mais água para ferver na chaleira elétrica. Poucos minutos depois, Karen desceu, já vestida, mas ainda parecendo exausta.

— Alguma novidade? — perguntou ela.

Fiz que não com a cabeça.

— Você não telefonou pra eles?

— Ainda não. — Eu relutava em fazê-lo. Antes de mais nada, se eu não os incomodasse, eles poderiam se concentrar no trabalho de localizar Jake. Além disso, não telefonar significava não ter de ouvir a resposta que eu não queria. — Eu vou telefonar, mas, se houvesse alguma coisa, eles já teriam me ligado.

A chaleira desligou automaticamente. Karen pôs café solúvel dentro de uma caneca.

— O que você falou pro Adam? — perguntei.

— Nada. Ele sabe que você está aqui, e que dormiu no sofá, mas eu não falei mais nada.

— Vou ficar fora do caminho.

— Não será preciso.

Mesmo assim, fiquei na cozinha depois que Adam desceu. Karen preparou o café da manhã, e ele comeu diante do televisor, na sala. Do outro lado da janela da cozinha, o dia já estava claro. Uma outra manhã. Desanimado, fiquei escutando o programa transmitido pela televisão na sala, perplexo ao constatar que a vida seguia normalmente. Como sempre acontece. Só percebemos como isso é assombroso quando uma parte de nós fica para trás.

Karen me entregou uma chave antes de sair com Adam.

— A que horas o policial especializado em apoio à família vai chegar? — perguntou ela.

— Não sei.

Ela encostou a mão no meu braço.

— Ligue pra eles, Tom.

— Vou ligar.

Ela olhou para mim por um instante, com uma expressão triste e grave; então se inclinou e me deu um beijo no rosto.

— Vou sair de carro. Volto já.

— Certo.

Quando a porta da rua foi fechada, desabei no sofá. Meu celular estava à mão e, sim, eu poderia telefonar para a polícia, mas eu tinha certeza de que a investigadora Beck teria ligado se houvesse alguma novidade, e não me interessava ouvir algo que já sabia.

Que Jake ainda estava desaparecido.

Que ainda corria perigo.

Portanto, em vez de telefonar, recorri ao item que trouxera de casa comigo. A Bolsinha de Coisas Especiais de Jake.

Embora não pudesse estar com meu filho, fisicamente, eu poderia, pelo menos, me sentir perto dele. Eu estava ciente do valor e da importância do que tinha nas mãos. Jake nunca dissera que eu não podia examinar o conteúdo da Bolsinha, e nem precisava dizer. A coleção era para ele, não para mim. Jake tinha idade suficiente para ter direito à privacidade. E assim, por mais tentado que, às vezes, eu me sentisse, nunca traí sua confiança.

Me desculpe, Jake.
Abri o fecho.
Eu só preciso te sentir perto de mim.

Cinquenta e sete

Quando Francis acordou, a casa estava silenciosa.

Durante algum tempo, ele ficou na cama, imóvel, fitando o teto e apurando os ouvidos. Nada de sons. Nada de movimentos, pelo menos que ele pudesse detectar. Mas sentia a presença do menino, diretamente acima de seu quarto, e, como resultado, a casa parecia estar mais habitada. As expectativas eram promissoras.

Tem uma criança lá em cima.

A paz e o silêncio eram animadores, porque, evidentemente, deveria ser assim mesmo. Isso queria dizer que Jake compreendia a situação, e com ela se contentava. Talvez estivesse até entusiasmado com a nova casa.

Francis se lembrou de que o menino tinha se acomodado facilmente na noite anterior, e que já dormia a sono solto quando ele subiu para vê-lo. Com Neil Spencer, no início, o choro e a gritaria tinham sido tão intensos que, pensando nos vizinhos que possuía ou não, Francis se sentiu aliviado por haver instalado um isolamento acústico nas paredes do sótão. Com Neil, ele tinha sido paciente demais, justificando aquele período inicial como fricote de criança, mas agora entendia que Neil se comportara mal desde o começo, e que não tinha havido a menor chance de a coisa acabar bem.

Talvez Jake fosse mesmo diferente.

Não é, não, Francis.

Era a voz de seu pai.

São todos iguais.

Todos uns filhos da mãe que sempre decepcionam a gente no fim.

Talvez isso fosse verdade, mas ele afastou o pensamento por ora. Precisava dar uma chance a Jake. Não daria tantas chances como fizera com Neil Spencer, é claro, mas ofereceria ao menino uma oportunidade de desfrutar e reconhecer o lar feliz onde seria bem cuidado e verdadeiramente amado.

Francis foi tomar uma chuveirada, o que sempre lhe causava uma sensação de vulnerabilidade. Com a porta fechada e o barulho da água, era impossível ouvir o resto da casa e, quando fechava os olhos, imaginava algo invadindo o banheiro e se posicionando do outro lado da cortina do boxe. Nessas ocasiões, com gestos bruscos, ele removia a espuma do rosto, abria os olhos e ficava olhando a água escorrer pelo ralo. Tinha sido necessário desentupir aquele ralo depois que agiu com Neil. Poderia desentupi-lo novamente, se necessário.

Você sabe o que deseja fazer.

Seu coração estava um pouco acelerado.

No andar de baixo, fez café e preparou algo para comer; em seguida completou a chamada telefônica necessária, e então improvisou algo para o café da manhã de Jake. Limpou migalhas que estavam sobre a bancada com o antebraço, e pôs duas fatias de pão na torradeira. As fatias estavam velhas, com mofo nas bordas, mas dariam para o gasto. Francis não fazia ideia do que Jake gostava de beber, mas havia uma garrafinha com refrigerante de laranja, que Neil Spencer abriu mas não teve tempo de beber até o fim, e aquilo também daria para o gasto.

Comece com o pé direito.

Subiu com o prato e a garrafinha de plástico, e então parou no patamar da escada, encostando o ouvido à porta do sótão.

Silêncio.

Mas ele ficou na dúvida. Teve a impressão de ouvir algo. Jake estaria sussurrando com alguém? Se estivesse, falava tão baixo que era impossível discernir as palavras. Impossível até ter certeza de ouvir sussurros.

Francis apurou os ouvidos.

Silêncio.

E então, novamente, os sussurros.

Aquilo lhe provocou um arrepio na nuca. Não havia ninguém ali — ninguém com quem Jake pudesse falar; no entanto, Francis sentiu um medo repentino e irracional de que talvez houvesse alguém. Que ao trazer aquela criança para dentro de casa, teria trazido alguém, ou algo, junto com ela. Algo perigoso.

Talvez ele estivesse falando com Neil.

Mas aquilo era tolice; Francis não acreditava em fantasmas. Quando criança, ele se aproximava da porta do anexo da casa do pai às vezes, e imaginava um dos meninos, do outro lado, todo pálido, esperando pacientemente. Houve ocasiões em que chegou a achar que ouvia a respiração de alguém através da madeira. Mas nada daquilo era real. Fantasmas só existiam na cabeça das pessoas. Falavam através das pessoas, e não com as pessoas.

Francis destrancou e abriu a porta; em seguida, subiu a escada lentamente, sem querer assustar o menino. Mas os sussurros tinham parado e isso o incomodou. Não gostava de pensar que Jake escondia coisas dele.

No sótão, o menino estava sentado na cama, as mãos apoiadas nos joelhos, e Francis ficou satisfeito ao ver que ele tinha se vestido, recorrendo às roupas encontradas nas gavetas. Mas ficou menos satisfeito ao constatar que, aparentemente, o baú de brinquedos permanecia intocado. Será que o menino achava que os brinquedos não eram bons? Francis guardava aqueles brinquedos havia muito tempo, e todos eram importantes para ele; o menino deveria ser grato pela oportunidade de brincar com eles. Francis procurou pelo pijama que Jake usava, e viu que estava bem dobrado em cima da cama. Muito bom. Aquele pijama seria necessário, quando ele fosse devolver o menino.

— Bom dia, Jake — disse ele, sorridente. — Estou vendo que você já se vestiu.

— Bom dia. Não achei a minha roupa de ir à escola.

— Eu acho que você não precisa ir à escola hoje.

Jake assentiu.

— Que bom. Meu pai vem me buscar?

— Bem, essa pergunta é meio complicada. — Francis se aproximou da cama. O menino aparentava uma calma quase assustadora. — E acho que você não precisa se preocupar com isso por enquanto. Tudo o que você precisa saber é que agora está seguro.

— Certo.

— E que eu vou cuidar de você.

— Obrigado.

— Com quem você estava falando?

O menino pareceu ficar confuso.

— Com ninguém.

— Estava, sim. Quem era?

— Com ninguém.

Francis sentiu um impulso de esbofetear o menino, com toda sua força.

— Nessa casa não se mente, Jake.

— Não estou mentindo. — Jake desviou o olhar e, por um instante, Francis teve a estranha impressão de que o menino ouvia uma voz ausente. — Acho que eu estava falando sozinho. Peço desculpas. Às vezes, quando estou pensando em alguma coisa, isso acontece. Eu me distraio.

Francis se calou, avaliando a resposta. Fazia algum sentido. Às vezes, ele mesmo se rendia a um mundo onírico. Isso queria dizer que Jake se parecia com ele, e, em certo sentido, isso era bom, porque era algo a ser corrigido.

— A gente vai poder trabalhar juntos nisso aí — disse ele. — Olha só... eu te trouxe um café da manhã.

Jake pegou o prato e a garrafinha e agradeceu, espontaneamente, o que também era bom. Pelo jeito, o menino tinha sido bem educado por alguém. Mas olhou para o prato e não começou a comer. O mofo permanecia visível, Francis reparou. Evidentemente, o menino achava que não podia comer aquilo.

Mas Francis tinha comido pão mofado quando criança.

— Você não está com fome, Jake?

— Agora não.

— Você precisa comer, pra crescer e ficar forte. — Francis sorriu, com paciência. — O que você gostaria de fazer depois?

Jake ficou calado por um instante.

— Não sei. Acho que gostaria de desenhar um pouco.

— A gente pode desenhar! Eu te ajudo.

Jake sorriu.

— Obrigado.

Mas, em seguida, ele disse o nome de Francis, e Francis ficou paralisado. O menino o reconhecera, obviamente, mas um bom lar não era lugar para informalidades. Crianças precisam de disciplina. Era preciso haver uma hierarquia muito bem delineada.

— Senhor — disse Francis. — É assim que você vai me chamar aqui. Entendeu?

Jake fez que sim.

— Porque nesta casa é preciso respeitar os mais velhos. Entendeu?

Jake voltou a assentir.

— E é preciso ser grato por aquilo que alguém faz para nós. — Francis apontou para o prato. — Eu tive um trabalhão. Come as tuas torradas, por favor.

Por um momento, a calma assustadora estampada no semblante de Jake se desfez, e ele dava sinais de estar prestes a chorar. Mais uma vez, desviou o olhar.

Francis cerrou o punho.

Vai, me desobedece uma vezinha só, ele pensou.

Uma vezinha só.

Mas então Jake olhou para ele, novamente calmo, e pegou uma das torradas. À luz do quarto, o mofo nas bordas era visível.

— Sim — disse ele —, senhor.

Cinquenta e oito

Parecia até uma transgressão, abrir a Bolsinha e vasculhá-la.

Ali havia vários papéis e miudezas, muitas das quais pertencentes ao meu próprio passado e às minhas próprias lembranças. A primeira coisa que vi foi uma pulseira colorida, com o fecho plástico meio forçado, pois Rebecca a retirara do punho sem cortá-la. Era de um festival de música ao qual tínhamos ido no início do nosso relacionamento, muito antes de Jake ter sido planejado, quanto mais gerado. Na ocasião, Rebecca e eu acampamos com amigos — que aos poucos, com o passar dos anos, haviam se afastado de nós — e passamos o fim de semana bebendo e dançando, sem ligar para a chuva e para o frio. Éramos jovens e despreocupados; olhando para ela agora, a pulseira parecia ser um talismã de um tempo mais feliz.

Excelente escolha, Jake.

Reconheci um pacotinho marrom, e minha visão ficou ligeiramente turva quando o abri e o esvaziei na palma da mão. Um dente, tão incrivelmente pequeno que era como ar em contato com minha pele. O primeiro de Jake que havia caído, não muito depois da morte de Rebecca. Naquela noite, enfiei uma nota de dinheiro embaixo do travesseiro dele e um bilhete da fada dos dentes dizendo que queria que ele guardasse o dentinho, porque se tratava de algo especial. Eu nunca mais tinha visto aquilo até agora.

Com cuidado, devolvi o dente ao pacotinho, e em seguida desdobrei uma folha de papel, um desenho que eu tinha feito para ele: um esboço tosco de nós dois, lado a lado, com uma frase embaixo.

Mesmo quando a gente discute, a gente ainda se ama muito.

Diante disso, fui às lágrimas. Tivemos tantas discussões ao longo dos anos. Nós dois sendo tão parecidos e, ao mesmo tempo, com tamanha dificuldade de entender um ao outro. Nós dois buscando uma aproximação, e sempre falhando. Mas, meu Deus, era verdade. Eu o amei cada segundo mesmo assim. Eu o amava tanto. Eu só queria que ele soubesse disso, onde quer que estivesse naquele momento.

Examinei os outros itens. Pareciam sagrados, mas, às vezes, enigmáticos e misteriosos. Havia outros papéis e, embora alguns fossem óbvios — por exemplo, um dos poucos convites de festa que ele recebera —, a maioria era incompreensível para mim. Havia ingressos e recibos desbotados, bilhetes rascunhados por Rebecca, tudo supostamente tão desprovido de significado que eu não saberia dizer por que teriam sido considerados especiais. Talvez Jake gostasse mesmo da aparente insignificância deles. Eram coisas de adulto, que ele não tinha experiência para decifrar. Mas a mãe as apreciara o bastante para guardá-las, e então, talvez, se ele as examinasse detidamente, pudesse entendê-la melhor.

Havia também uma folha de papel bem mais antiga, arrancada de um caderno espiral, de maneira que uma das laterais estava serrilhada. Desdobrei-a e reconheci imediatamente a letra da Rebecca. Um poema que ela copiara, provavelmente na adolescência, a julgar pela tinta desbotada. Comecei a ler.

Se a porta aberta você deixar, o sussurro por ela vai entrar.
Se brincar sozinho lá fora, periga ser levado embora.
Se esquecer a janela destrancada, vai ouvir no vidro uma pancada.
Se à tristeza e à solidão você se entrega, o Homem-Sussurro vem e te pega.

Reli o poema enquanto a sala girava à minha volta; então examinei a caligrafia, mais uma vez, para me certificar. Era de Rebecca — eu tinha absoluta certeza. Uma versão menos amadurecida da letra que me era mais familiar, mas eu conhecia a grafia de minha mulher.

Naquele papel, Jake aprendera os versos.

Sua mãe lhe ensinara.

Rebecca aprendera o poema quando jovem e o copiara. Fiz os cálculos e constatei que ela teria treze anos na época dos crimes cometidos por Frank Carter. E é provável que os crimes que ele praticara tivessem sido o tipo de coisa que teria atraído a atenção de uma menina daquela idade.

Mas aquilo não esclarecia exatamente onde ela teria ouvido esses versos.

Deixei o papel de lado.

A Bolsinha guardava diversas fotos, todas tão antigas que provavelmente teriam sido tiradas com uma câmera obsoleta. Eu me lembrei de que, quando eu era criança, na época das férias, minha mãe e eu costumávamos fazer o mesmo que Rebecca e seus pais fizeram com aquelas fotos: anotar a data e incluir uma breve descrição no verso.

2 de agosto de 1983 — dois dias de vida.

Olhei para a fotografia e vi uma mulher sentada em um sofá ninando um bebê. A mãe de Rebecca. Eu a conheci brevemente: mulher vibrante, dotada de um espírito aventureiro que foi legado à filha. Na foto, aparentava estar absolutamente exausta, mas também empolgada. A bebê estava dormindo, embrulhada em uma manta de lã amarela. Pela data eu sabia que tinha de ser Rebecca, mesmo que fosse difícil crer que ela um dia tenha sido tão pequenina.

21 de abril de 1987 — jogando Poohsticks.

Esta mostrava o pai de Rebecca em uma ponte de madeira, cercada de uma vegetação frondosa e verde, segurando-a no colo para que ela pudesse lançar um pequeno galho no riacho que por ali corria. Rebecca olhava para a câmera, exibindo um largo sorriso. Não tinha sequer quatro anos de idade, mas já era possível vislumbrar a mulher que ela se tornaria. Já naquela época, era dotada do sorriso que eu preservava com tanta nitidez em minha mente.

3 de setembro de 1988 — primeiro dia de aula.

Ali estava Rebecca, menininha, vestindo suéter azul e saia plissada cinza, orgulhosamente diante da...

Escola Rose Terrace.

Examinei a foto durante vários segundos.

A escola já me era bem familiar a essa altura, e a foto com certeza era de Rebecca — mas as duas coisas não faziam sentido juntas. E, no entanto, não havia dúvidas sobre o que eu via. A mesma grade, os mesmos degraus. A palavra MENINAS aparecia talhada em pedra negra acima da porta. E lá estava minha mulher, ainda criança, diante da entrada.

Primeiro dia de aula.

Rebecca tinha morado em Featherbank.

Fiquei atônito com essa descoberta. Como era possível eu não saber disso? Tínhamos visitado os pais de Rebecca no litoral sul diversas vezes antes de eles falecerem, e, embora eu tivesse conhecimento de que a família se mudara quando ela era criança, o litoral sul era por ela considerado sua *terra natal.* Mas talvez esse sentimento existisse porque no litoral sul, enquanto adolescente, Rebecca teria vivenciado uma época e um local marcantes — de onde amigos e histórias seguiram com ela até a vida adulta. Porque as evidências estavam diante dos meus olhos. Rebecca tinha morado em Featherbank na infância — ou, pelo menos, perto o suficiente para frequentar uma escola local.

Perto o suficiente para ter ouvido os versos sobre o Homem-Sussurro.

Eu me lembrei de como Jake havia focado na nossa casa nova no meu iPad — como todas as outras tinham ficado invisíveis depois que ele viu as fotos dela on-line. Não poderia ser coincidência. Rapidamente, olhei as outras fotos por ele guardadas. A maioria tinha sido tirada em viagens de férias, mas alguns locais eram mais conhecidos: Rebecca tomando sorvete em New Road Side. Balançando-se no parque da cidade. Andando de triciclo na calçada da rua principal.

E então...

E então, a nossa casa.

A visão era tão incongruente quanto a da fotografia da escola. Rebecca em um local onde, simplesmente, não deveria, não poderia estar. Mas lá estava ela, na calçada, em frente à nossa casa nova, com um dos pés no caminho de entrada de veículos. A construção logo atrás, com seus ângulos estranhos e janelas mal distribuídas, parecia algo apavorante elevando-se por trás da menina, que transpusera suficientemente os limites da propriedade para merecer a glória da ousadia.

A casa sinistra da cidade. As crianças desafiavam umas às outras para ver quem se atrevia a chegar perto. A fim de tirar fotos e coisa e tal.

Por isso a propriedade captou a atenção de Jake assim que ele a viu. Porque já tinha visto aquela casa, com sua mãe diante dela.

E então olhei bem para Rebecca na foto. Ela parecia estar com uns sete ou oito anos, e usava um vestido de xadrez azul e branco, curto o bastante para expor um arranhão no joelho. E devia estar ventando naquele dia, porque seu cabelo estava todo para um dos lados do rosto.

Era a menina que Jake tinha desenhado ao seu lado à janela.

Tive de conter as lágrimas, pois, finalmente, entendi.

Por mais ridículo que fosse, eu quase tinha começado a acreditar que, em relação à amiga imaginária, havia algo mais do que a inventividade de meu filho. E acho que havia mesmo. Só que ele não estava enxergando fantasmas, nem espíritos. A amiga imaginária era só a mãe cuja ausência ele tanto sentia, transformada em uma menina da idade dele. Alguém que brincasse com ele, como ela sempre fizera. Alguém que o ajudasse a seguir pelo mundo novo e terrível em que ele se via.

Olhei o verso da foto.

1 de junho de 1991 — Sendo corajosa.

Eu me lembrei de que, logo que nos mudamos, ele correu de cômodo em cômodo, como se procurasse por alguém, e senti um aperto no coração. Eu não tinha dado a ele o devido apoio. Para Jake, aquela situação seria sempre difícil, mas eu poderia, deveria, ter feito mais para ajudá-lo. Deveria ter sido mais atencioso, mais presente, menos encapsulado no meu próprio sofrimento. Mas não tinha feito nada disso. E então ele foi obrigado a se consolar com uma lembrança.

Larguei a fotografia.

Perdão, Jake.

Em seguida, examinei o restante do material por ele guardado. Foi doloroso ver cada um dos itens. Isso porque agora eu tinha certeza de que havia perdido meu filho para sempre, e que toda e qualquer proximidade com ele estaria limitada àquela Bolsinha, ao longo do que restava da minha vida.

Mas então desdobrei a última folha de papel. E quando vi o que havia ali, fiquei novamente paralisado. Foi preciso um instante para que eu pudesse entender o que via, e o significado do que via.

Então peguei o celular, já a caminho da porta da rua.

Cinquenta e nove

— Fale mais devagar — disse Amanda. — O que foi que você encontrou?

Amanda tinha trabalhado sem parar, a noite inteira, e agora — já quase nove horas da manhã — sentia o peso de cada minuto do plantão. O corpo estava mais do que exausto. Os ossos doíam e os pensamentos corriam alvoroçados e desconexos. A última coisa de que ela precisava era receber um telefonema de Tom Kennedy tagarelando sem parar, ainda mais porque ele aparentava estar tão incoerente e desnorteado quanto ela.

— Eu já falei — disse ele. — Um desenho.

— Um desenho de uma borboleta.

— É.

— Você pode, por favor, falar mais devagar e explicar o que isso significa?

— O desenho estava na Bolsinha de Coisas Especiais do Jake.

— Na... o quê?

— Ele coleciona coisas... e guarda. Coisas que têm algum significado pra ele. O desenho estava lá dentro. É de uma daquelas borboletas que estavam na garagem.

— Certo.

Amanda percorreu o olhar pela sala de operações. Naquele momento, o local parecia estar tão caótico quanto o conteúdo de sua mente. *Mantenha o foco.* O desenho de uma borboleta. Obviamente aquilo tinha algum significado para Tom Kennedy, mas ela ainda não fazia ideia por quê.

— Foi o Jake que fez o desenho?

— Não! Essa é a questão. É elaborado demais. Parece coisa de adulto. Mas ele *estava* desenhando borboletas na noite do primeiro dia de aula. Eu acho que alguém deu esse desenho pra ele copiar. Porque, como ele poderia ter visto aquelas borboletas? Elas estavam dentro da garagem, certo?

— A garagem.

— Então, ele deve ter visto aquele tipo de borboleta em algum outro lugar. E deve ter sido nesse desenho. Alguém fez esse desenho pra ele. Alguém que tivesse visto as borboletas.

— Alguém que esteve na garagem de vocês?

— Ou na casa. Foi isso que você disse, né? Que havia mais gente como Norman Collins que sabia que o corpo estava lá. Que você acha que o homem que levou o Jake é uma dessas pessoas.

Amanda ficou calada por um instante, avaliando a situação. Sim, era aquilo mesmo que a polícia pensava. E embora a descoberta feita por Kennedy provavelmente não significasse nada, o trabalho realizado durante a noite também não resultara em qualquer novidade.

— Quem fez o desenho? — perguntou ela.

— Não sei. Parece algo recente; então talvez seja alguém da escola. Jake trouxe o desenho pra casa depois do primeiro dia de aula, e foi por isso que ele estava fazendo a cópia.

A escola.

Nos dias subsequentes ao desaparecimento de Neil Spencer, a polícia havia interrogado todos os indivíduos que tinham contato com o menino, inclusive o corpo docente. Mas nada suspeito tinha sido constatado. E, é claro, Jake havia frequentado a escola durante poucos dias apenas. O desenho, supondo que tivesse alguma relevância, poderia ter vindo de qualquer outro lugar.

— Mas você não tem certeza?

— Não — disse Tom. — Mas tem mais uma coisa. Naquela noite, o Jake ficou falando com alguém invisível. Ele costuma fazer isso, sabe? Ele tem amigos imaginários. Só que daquela vez ele disse que era "o menino no chão". Então, como ele poderia saber disso, e das borboletas, a menos que alguém tivesse falado pra ele?

— Não sei.

Ela resistiu ao impulso de dizer que poderia ser mera coincidência, e que, mesmo se não fosse, não havia motivo para priorizar a escola. Em vez disso, concentrou-se em algo que lhe parecia ser muito mais relevante naquele momento.

— Não te ocorreu mencionar isso antes?

O telefone ficou mudo. Talvez aquilo fosse um golpe baixo: afinal, o filho do sujeito estava desaparecido, e algumas coisas só faziam sentido vistas em retrospectiva. Desenhos e amigos imaginários. Monstros sussurrando através da janela. Os adultos nem sempre prestavam a devida atenção às crianças. Mas, se Tom Kennedy houvesse relatado isso antes, e se ela tivesse prestado atenção ao relato, a situação agora talvez fosse outra. Ela não estaria ali, exaurida, com Pete hospitalizado e Jake Kennedy desaparecido. Foi impossível evitar o tom de acusação.

— Tom? Por que você não falou nada?

— Eu não sabia o que aquilo significava — disse ele.

— Bem, talvez não signifique nada, mas... Ah, que merda! Espere um instante.

Um alerta surgira na tela. Amanda abriu a mensagem. Liz Bamber, a policial encarregada de oferecer apoio psicológico à família, tinha chegado à casa de Karen Shaw, mas ninguém abrira a porta. Amanda franziu o cenho e levou o fone ao ouvido. Agora que Tom tinha parado de falar, ela ouvia um ruído de tráfego de veículos.

— Onde você está? — perguntou ela.

— A caminho da escola.

Meu Deus. Ela se inclinou para a frente, com um senso de urgência.

— Não faça isso, por favor.

— Mas...

— Mas... nada. Não vai ajudar.

Amanda fechou os olhos e esfregou a fronte. O que raios ele estaria pensando? Mas, obviamente, o filho dele tinha desaparecido e, portanto, ele não poderia estar pensando com clareza.

— Escute aqui — disse ela. — Escute bem. Eu quero que você volte pra casa da Karen Shaw. Tem uma policial, a sargento Liz Bamber, esperando por você lá. Eu vou pedir pra ela te trazer aqui pra delegacia. A gente fala sobre o desenho aqui, certo?

Tom não respondeu. Amanda imaginou que ele estivesse refletindo sobre a questão. Dividido entre a decisão de ajudar Jake e a autoridade presente em sua voz.

— Tom? Não vamos piorar as coisas.

— Certo.

Ele desligou.

Porra. Ela não tinha certeza se acreditava nele, mas supôs que não poderia fazer nada a respeito por enquanto. Nesse ínterim, respondeu à mensagem enviada por Liz, retransmitindo instruções, e então se reclinou na cadeira e esfregou as bochechas para se revigorar um pouco.

Mais um relatório foi entregue em sua mesa. Ela reabriu os olhos e se deparou com mais depoimentos inúteis fornecidos por testemunhas. Nenhum dos vizinhos tinha visto ou ouvido nada. De algum jeito, Francis Carter — ou David Parker, ou fosse qual fosse o nome por ele adotado agora — tinha entrado na casa, tentado assassinar um policial experiente, sequestrado uma criança e sumido sem despertar a atenção de ninguém. Era uma sorte do capeta. Literalmente.

Mas não era apenas sorte, é claro. Vinte anos atrás talvez ele fosse um menino frágil, vulnerável, mas era óbvio que no decorrer dos anos havia se transformado em um homem desequilibrado e perigoso. Um homem que sabia muito bem agir sem ser notado e detectado.

Ela suspirou.

A escola, então, mesmo achando que não daria em nada...

Vamos dar mais uma olhada.

Sessenta

Volte pra casa da Karen Shaw.

Por um momento, pensei em voltar. Afinal, a investigadora Beck era da polícia, e meu instinto era obedecer à polícia. E as palavras dela tinham me magoado. Somado a todos os meus fracassos, havia tudo o que eu não informara à polícia, e o fato de eu querer proteger Jake à época não alterava o fato de que eu poderia ter evitado tudo isso.

Ou seja, ele havia desaparecido por minha culpa.

Sendo assim, eu não poderia culpar a investigadora Beck por não me levar a sério, mas ela não tinha visto o desenho de Jake. Alguém tinha feito aquele desenho para ele copiar, e isso tinha acontecido recentemente.

Então, por que Jake teria guardado o desenho?

O que haveria de especial nele?

Eu me lembrei do que tinha acontecido depois daquele primeiro dia de aula. Da discussão que tivemos. Das palavras que ele tinha lido na tela do meu computador. Da distância que se instalou entre nós. Só me ocorria uma explicação do motivo pelo qual o desenho tinha ido parar na Bolsinha de Coisas Especiais: Jake resolvera guardá-lo porque alguém dedicara a ele a ternura e o apoio que eu deixara de dedicar.

E foi esse pensamento que me fez tomar a decisão.

Cheguei à escola no momento certo. As portas ainda estavam abertas, e alguns pais e crianças circulavam pelo pátio. Eu tinha a intenção de ir à coordenação — e teria feito isso, se necessário —, mas a coordenação tinha uma porta de segurança que a isolava do restante da escola. Então eu seguiria diretamente até a sala da turma de Jake.

Com o coração acelerado, entrei correndo pelo portão e passei por Karen, que estava saindo.

— Tom...

— Só um minuto...

A Sra. Shelley estava de pé diante da porta aberta, enquanto as últimas crianças entravam na escola. Pareceu assustada ao me ver. Suponho que meu semblante estivesse tão frenético quanto meu estado de espírito.

— Sr. Kennedy...

— Quem fez este desenho? — Desdobrei a folha de papel e mostrei a ela o desenho da borboleta. — Quem fez este desenho?

— Eu não...

— Jake está *desaparecido* — falei. — A senhora entendeu? Alguém sequestrou meu filho. Jake chegou em casa com este desenho depois do primeiro dia de aula. Eu preciso saber quem desenhou isto.

A professora sacudiu a cabeça. Eu estava despejando mais informações do que ela era capaz de processar, e tive de conter o ímpeto de agarrá-la e sacudi-la para forçá-la a compreender a importância daquilo. E então percebi que Karen estava ao meu lado, apoiando a mão no meu braço delicadamente.

— Tom. Tente se acalmar.

— Eu estou calmo. — Meu olhar se mantinha cravado na Sra. Shelley enquanto eu tamborilava com os dedos o desenho da borboleta. — Quem fez este desenho pro Jake? Foi alguma outra criança? Algum professor? Foi a senhora?

— Eu não sei! — Ela ficou exasperada; eu a amedrontava. — Não tenho certeza. Pode ter sido o George.

Segurei a folha de papel com mais força.

— George?

— É um dos nossos auxiliares de turma. Mas...

— Ele está aqui agora?

— Deveria estar.

Ela olhou para trás e, no mesmo segundo, passei por ela e segui pelo corredor adiante.

— Sr. Kennedy!

— Tom...

Ignorei as duas, olhei para a área onde eram pendurados os casacos, vi colegas de Jake deixando lá suas coisas — era para Jake estar ali naquele momento —, e saí correndo; adiante, dobrei no corredor e entrei no largo corredor principal, repleto de crianças a caminho de suas respectivas salas de aula. Eu me esquivei das crianças e parei no meio do ambiente, que parecia girar enquanto eu olhava para um lado e para o outro, sem saber qual seria a sala da turma de Jake, nem onde George estaria. Eu estava me encrencando; no fundo, sabia disso, mas não me importava. Porque se eu não encontrasse Jake, minha vida estaria acabada, e se George estivesse ali, não estaria fazendo mal ao...

Adam.

Reconheci o filho de Karen guardando a garrafinha de água num carrinho ao fundo do corredor e entrando por uma porta. Corri e avistei uma das recepcionistas e um idoso, que era o zelador, vindo por um dos corredores menores em direção ao corredor principal. A Sra. Shelley deve ter pedido ajuda. Um intruso na escola justificaria um pedido desses, foi o que imaginei.

— Sr. Kennedy! — gritou a recepcionista.

Mas cheguei à sala de aula antes que eles me alcançassem e entrei correndo, valendo-me do mínimo autocontrole que me restava a fim de não empurrar algumas crianças para que saíssem do caminho. A sala era uma cacofonia de cores, com paredes pintadas de amarelo e enfeitadas com centenas de folhas laminadas: tabuadas, desenhos de frutas e números; figurinhas humanas realizando tarefas, com legendas que identificavam as respectivas ocupações. Corri os olhos pelo mar de mesinhas e cadeiras, procurando um adulto. Uma senhora estava de pé ao fundo da sala, me olhando, perplexa, segurando a folha de chamada presa a uma prancheta; até onde pude ver, era a única pessoa adulta na sala.

E então senti um toque no meu braço.

Eu me virei e vi o velho zelador ao meu lado, com uma fisionomia resoluta.

— O senhor não pode ficar aqui.

— Tudo bem.

Resisti ao impulso de me desvencilhar da mão dele. Não adiantava — fosse George quem fosse, não estava ali. Por fim, a frustração que senti diante dessa constatação fez com que eu me desvencilhasse da mão dele.

— Tudo bem.

Quando saímos da sala, o zelador fechou a porta. A Sra. Shelley veio caminhando em minha direção, segurando o celular. Fiquei me perguntando se ela já teria chamado a polícia. Em caso afirmativo, talvez agora começassem a me levar a sério.

— Sr. Kennedy...

— Eu sei. Não posso ficar aqui.

— O senhor invadiu a nossa propriedade.

— Pode me colocar no sinal amarelo, então.

Ela começou a dizer algo, mas parou. De fato, parecia estar preocupada.

— O senhor falou que o Jake desapareceu?

— Sim — falei. — Foi sequestrado ontem à noite.

— Sinto muito. Não posso nem imaginar... com certeza, entendo que o senhor esteja transtornado.

Tinha minhas dúvidas se ela entendia. Dentro de mim, o pânico era como um fio desencapado.

— Eu preciso encontrar o George — falei.

— Ele não está aqui.

Era a recepcionista. Estava ali, de braços cruzados, e se mostrava bem menos compreensiva que a Sra. Shelley.

— Cadê ele? — perguntei.

— Bem, eu acho que está em casa. Ele telefonou há pouco tempo dizendo que está doente.

Meu alarme interno subiu um grau na escala de alerta, porque aquilo não poderia ser coincidência. E queria dizer que ele estava com Jake *naquele instante*.

— Onde ele mora?

— Não tenho autorização para dar esse tipo de informação sobre funcionários.

Pensei em passar por ela e invadir a sala da coordenação. O zelador estava posicionado de modo a impedir meu avanço, mas era sexagenário, e eu poderia tirá-lo do caminho, se quisesse. A polícia seria acionada e um boletim de ocorrência seria registrado contra mim, mas valeria a pena, se eu conseguisse vasculhar os arquivos e encontrar a informação que desejava. No entanto, para mim, a ação não teria muita utilidade caso eu não descobrisse o que precisava descobrir. E também não teria muita utilidade para Jake se eu fosse preso.

— Você pode dar essas informações para a polícia? — perguntei.

— Claro.

Eu me virei e atravessei o corredor, voltando pelo caminho por onde tinha vindo. Eles me seguiram para garantir que eu iria embora. Assim que saí, a porta foi fechada e trancada. O pátio estava agora quase vazio, mas Karen me aguardava no portão, com um ar de ansiedade estampado no rosto.

— Porra, que alívio! — disse ela. — Você sabe que poderia ter sido preso?

— Eu preciso encontrar ele.

— Esse tal de George? Quem é esse cara?

— Auxiliar de turma. Ele fez um desenho pro Jake copiar... uma borboleta. Uma daquelas que eles encontraram junto ao corpo do garoto dentro da garagem.

Karen aparentava incredulidade. E, ao ouvir minhas próprias palavras, não pude culpá-la por isso. Mas, a exemplo do que acontecera com Beck, era impossível fazer com que terceiros entendessem. O indivíduo que raptara Jake tinha conhecimento das ossadas; portanto, saberia da existência das borboletas e do menino no chão. Meu filho não era vidente. Era vulnerável e solitário, e não teria como saber desses detalhes se alguém não lhe tivesse dito. Alguém que tivesse acesso a ele.

Alguém que tivesse acesso a ele naquele mesmo instante.

— E a polícia? — perguntou Karen.

— Não acredita em mim.

Ela suspirou.

— Pois é... — falei. — Mas eu sei que estou certo, Karen. E preciso encontrar o Jake. Não posso nem pensar na hipótese de fazerem mal a ele. De ele não ficar comigo. De tudo isso ser culpa minha. Eu *preciso* encontrar ele.

Ela permaneceu calada por um instante, refletindo. E então, suspirou novamente.

— George Saunders — disse ela. — É o único George que consta do site da escola. Consegui o endereço dele enquanto você estava lá dentro.

— Meu Deus!

— Eu te falei — disse ela. — Sou boa em descobrir coisas.

Sessenta e um

— Eu acho que você não deveria desenhar isso aí.

A menina parecia estar nervosa. Andava de um lado para o outro pelo quartinho do sótão. De vez em quando, parava e olhava para o desenho. Até então não tinha dito nada, pois Jake estava desenhando a casa e o jardim, que era o que deveria fazer, copiando a cena detalhada que George desenhara para ele. Ela só falou quando, em dado momento, ele desistiu daquela cena e começou a desenhar uma batalha.

Círculos e mais círculos.

Campos de força. Ou portais. Jake não sabia exatamente o que seriam, mas não tinha importância. Algo que servisse de proteção, ou de fuga: tanto fazia. Qualquer coisa que lhe trouxesse segurança, ou pudesse tirá-lo dali, da companhia de George, daquela presença terrível que ele sentia pulsar fora de seu campo de visão, ao pé da escada. Jake não tinha certeza se George trancara a porta mais cedo ao sair do quartinho, e achava que a menina queria que ele descesse até lá para verificar. De jeito nenhum. Mesmo com o caminho livre até a porta da rua, nao tinha a menor...

— Pare, Jake, por favor.

E ele parou. A mão tremia tanto que ele mal conseguia segurar a caneta. A pressão sobre a caneta era tamanha que os traços do portal começavam a rasgar o papel.

— Eu já fiz o máximo que eu pude — disse ele. — Não dá pra fazer melhor.

George lhe dera quatro folhas, e ele já utilizara três tentando copiar o desenho da casa e do jardim. Mas era complicado demais. Em parte, ele achava que George tinha feito aquilo de propósito — que era um teste, igual àquele café da manhã nojento. Nos testes da escola, os professores queriam que os alunos fossem aprovados, mas Jake achava que George não queria nada disso. Quando a Sra. Shelley o penalizara com o sinal amarelo no primeiro dia de aula, Jake pensou que, provavelmente, ela nem quisesse fazer aquilo. Mas acreditava que George se valeria de qualquer desculpa para penalizá-lo diretamente com o sinal vermelho.

Então, ele tinha tentado. Tinha se esforçado ao máximo. E como havia sobrado uma folha, estava desenhando a batalha. Era bom ser criativo, não era?

O pai sempre gostava dos desenhos que ele fazia.

Mas, naquele momento, não queria pensar no pai. Recomeçou a desenhar. Círculos e mais círculos. E talvez a menina estivesse certa, mas ele não conseguia parar. O desenho era o que o impedia de entrar em pânico, embora sua mão parecesse estar totalmente fora de controle. Então, talvez ele já estivesse em pânico, no fim das contas...

A porta ao pé da escada se abriu.

Círculos e mais círculos.

O som dos passos dele subindo.

E então havia tanta quantidade de tinta na folha que o papel rasgou. O desenho se destacou do papel.

Agora você está seguro, Jake pensou.

Em seguida George entrou no quartinho.

Estava sorrindo, mas o sorriso errado. Jake pensou que era como se George estivesse fantasiado de pai, mas a fantasia era incômoda, e não lhe cabia direito, e que ele gostaria mesmo era de se livrar daquilo o mais rapidamente possível. Jake não queria ver o que estava por baixo do disfarce. Ele se levantou, o coração tremendo tanto quanto o corpo.

— Então! — George se aproximou. — Vejamos como você se saiu.

Parou a meia distância. Dali podia ver o desenho.

O sorriso desapareceu.

— Que porra é essa?

Jake pestanejou ao ouvir o palavrão. E logo se deu conta de que estava com os olhos cheios de lágrimas. Tinha começado a chorar sem perceber, e a vontade de se render — de cair em prantos — era tremenda. Somente o olhar de George o impediu de fazer isso. George não ia gostar de ver demonstrações de emoção. Se Jake caísse em prantos, George simplesmente aguardaria até ele parar, e então lhe daria motivo para chorar de verdade.

— Não foi isso que eu te mandei desenhar.

— Mostre os outros pra ele — falou depressa a menina.

Jake esfregou os olhos e então apontou para os desenhos que obedeciam à ordem dada.

Eu quero o papai.

As palavras borbulhavam dentro dele, ameaçando transbordar.

— Eu fiz o máximo que eu pude — disse ele. — Não deu pra fazer melhor.

George baixou a vista, examinando os desenhos, o rosto inexpressivo. O quartinho ficou em silêncio por alguns segundos, o ar zumbindo perigo.

— Estes desenhos não estão bons.

Apesar de todo o nervosismo, Jake ficou magoado com o comentário. Sabia que não desenhava bem, mas o pai sempre dizia que gostava dos desenhos, porque...

— Eu fiz o meu melhor.

— Não, Jake. É claro que você *não fez*. Porque você desistiu, né? Você tinha mais uma folha pra treinar, e resolveu desenhar... isto aqui. — George fez um gesto de desprezo, indicando a cena da batalha. — As coisas nesta casa custam dinheiro. Aqui não se desperdiça nada.

— Peça desculpas — disse a menina.

— Me desculpe, senhor.

— Não basta pedir desculpa, Jake. Não basta mesmo.

George o encarou, carrancudo. Parecia estar tentando se controlar, porque as mãos não paravam de tremer. E Jake sabia que o desenho não passava de uma desculpa. No fundo, George queria ficar zangado com ele. As mãos tremiam porque ele estava avaliando se aquela transgressão justificaria sua fúria.

Ele, então, decidiu.

— E por isso você tem que ser castigado.

Em seguida, George ficou absolutamente imóvel. A fantasia foi despida. Jake viu toda a bondade e ternura indo embora, como se não tivessem passado de fingimento, coisas que poderiam ser descartadas com a facilidade de quem tira uma camisa. Diante dele surgiu um monstro.

Jake estava ali sozinho com o monstro.

E o monstro ia fazer mal a ele.

Jake recuou até que as panturrilhas encostaram na cama.

— Eu quero o papai.

— O quê?

— O papai! Eu quero o papai!

George começou a avançar, mas Jake deu um pulo ao ouvir um alarme qualquer disparando lá embaixo. George parou onde estava. Lentamente, ele girou a cabeça e olhou em direção à escada, mantendo o resto do corpo virado para Jake.

Não era um alarme, Jake se deu conta.

Alguém estava tocando a campainha.

Sessenta e dois

No andar inferior ao sótão, Francis, espumando de raiva, entrou depressa em seu quarto e vestiu um robe branco. Afinal, era para estar doente. E se forçou a se acalmar o suficiente para dominar a fúria que sentia. Mas seria bom mantê-la à flor da pele. Acessível. Talvez precisasse dela.

A porra da campainha.

Ainda tocando. Ele desceu. Não seria a polícia, ele concluiu. Se alguma coisa, algum dia, trouxesse a polícia à sua porta, a chegada seria bem menos civilizada que aquela. Ele olhou pelo olho mágico da porta da rua, com a campainha soando forte e incessantemente em seus ouvidos. A lente exibia uma visão tipo olho de peixe dos degraus e do jardim, e ele viu Tom Kennedy com o dedo na campainha, uma expressão resoluta e feroz no rosto. Francis recuou um pouco. Como aquele filho da puta o teria encontrado? Quem o teria levado até ali, se não a polícia?

E por que ele haveria de querer o filho de volta?

Francis se afastou da porta. Não havia por que abrir — com certeza, Kennedy logo iria embora. Era loucura pensar que permaneceria ali por muito tempo.

Mas a campainha seguia tocando.

Francis pensou no olhar estampado naquele semblante, e se perguntou se Kennedy não seria, de fato, louco. Talvez a perda de um filho, mesmo um filho que era tão evidentemente malcuidado como Jake, deixasse um homem naquele estado.

E se perguntou se não teria avaliado mal a situação.

Francis encostou a testa na porta, a poucos centímetros do homem que estava do lado de fora, sentindo a presença de

Kennedy como um formigamento na fronte. Será que, no fim das contas, Jake era amado? Será que o pai gostava tanto dele que o sequestro o teria levado a esse extremo? Esse pensamento provocou nele uma explosão de sentimentos de perda e desesperança. Não seria justo, se fosse verdade. Nada daquilo era justo. Meninos não despertavam um interesse desse tamanho em ninguém. Ele sempre soubera disso, no fundo, mas agora tinha mais certeza do que nunca. Eram todos desprezíveis. Não mereciam nada além de...

A campainha continuava tocando.

— *Um momento* — gritou ele.

Com certeza Kennedy ouviu, mas não tirou o dedo. Francis foi depressa até a cozinha, pegou uma faquinha afiada que estava no secador de louça e enfiou-a no bolso do robe. Finalmente, a campainha parou de tocar. Francis engoliu a sensação de perda e permitiu que a raiva ressurgisse, mantendo-a bem à flor da pele.

Livre-se dele.

Fique com o menino.

Então adotou sua melhor cara de paisagem e voltou à porta.

Sessenta e três

— *Um momento.*

Fiquei tão surpreso quando ouvi a voz através da porta que esqueci de retirar o dedo da campainha.

Eu já tinha até desistido de esperar que alguém abrisse a porta. Àquela altura, minha insistência decorria dos fatos de eu não ter outro lugar para estar, nem outra coisa para fazer. Eu sequer sabia há quanto tempo estava ali. Meu foco tinha sido em tocar aquela campainha, como se ao fazê-lo pudesse, de algum modo, salvar Jake.

Dei um passo atrás, e então me virei e olhei para Karen. Ela esperava no carro, me vigiando atentamente, o celular encostado na orelha. Karen havia insistido em chamar a polícia, então passei para ela o cartão da investigadora Beck. E agora me fitava, fazendo que não com a cabeça.

Eu me virei de novo para a porta, sem ter a menor ideia do que aconteceria a seguir. Depois de ter examinado o conteúdo da Bolsinha de Coisas Especiais, eu vinha funcionando à base de adrenalina e, agora que estava ali, não fazia ideia do que raios iria dizer a George Saunders, ou mesmo de como proceder.

Uma chave na fechadura.

A lembrança de meu pai na noite anterior voltou à minha mente. A lembrança dos ferimentos que ele sofrera. Era um homem forte e com um ótimo preparo físico, mas foi facilmente dominado por quem o atacou. Estava desarmado e foi surpreendido, mas, mesmo assim... o que *eu* conseguiria fazer?

Eu não havia planejado bem a coisa.

A porta se abriu.

Minha expectativa era de que houvesse uma corrente, e que Saunders espiasse pela fresta, talvez com uma expressão de culpa. Mas ele escancarou a porta, cheio de confiança, e fiquei perplexo diante do que vi. O aspecto era absolutamente comum, em todos os sentidos, e embora eu achasse que tivesse vinte e poucos anos, ele aparentava bem menos. Havia algo meigo, infantil nele. Achei que nunca tinha visto ninguém que parecesse tão inofensivo.

— George Saunders? — perguntei.

Ele fez que sim, com cara de sono, e então se embrulhou mais no robe branco. O cabelo preto estava todo despenteado, e a expressão era de quem acabara de acordar e, por isso, aparentava estar um tanto desnorteado e irritado.

— Você trabalha na Escola Rose Terrace, certo?

Ele semicerrou as pálpebras.

— Trabalho. Certo.

— Meu filho estuda lá. Eu acho que você é professor dele.

— Ah... bem, não. Eu não sou professor. Sou só o auxiliar de turma.

— Terceira série. Jake Kennedy.

— Certo. É. Acho que ele está na minha turma. Mas o senhor tem que falar com a professora dele. — Ele franziu o cenho, exprimindo mais sonolência do que desconfiança, como se tivesse acabado de pensar em algo. — E tem que ser na escola. Como foi que o senhor conseguiu meu endereço?

Olhei para ele. Estava pálido e tremia um pouco, apesar do calor da manhã. De fato, *parecia* estar doente. E, sim, um tanto perturbado com a visita, mas não com a minha presença, especificamente. Apenas desconcertado porque um pai surgira em sua porta.

— Não é sobre o rendimento dele na escola — falei.

— Então é sobre o quê?

— Jake está desaparecido.

Saunders sacudiu a cabeça, sem parecer compreender.

— Ele foi *sequestrado* — falei. — Como o Neil Spencer.

— Ai, meu Deus. — Ele pareceu realmente chocado ao ouvir o que eu disse. — Eu sinto muito. Quando foi que isso...?

— Ontem à noite.

— Ai, meu Deus — repetiu ele; em seguida, fechou os olhos e esfregou a testa. — Que coisa horrível. *Horrível.* Não tive muito contato com o Jake, mas ele parece ser um menino tão bom.

Ele é, pensei.

Mas também notei que Saunders empregou o verbo no presente, e comecei a duvidar da minha própria suspeita. As evidências que tinham me levado até ali eram frágeis, e Saunders, ao vivo, aparentava ser alguém incapaz de fazer mal a um inseto. Literalmente, até. E se mostrava sinceramente surpreso com o desaparecimento de Jake — era visível que a notícia o abalara.

Mostrei o desenho da borboleta.

— Foi você que desenhou isto pra ele?

Saunders olhou para o desenho.

— Não. Nunca vi este desenho.

— Não foi você que fez este desenho?

— Não.

Ele deu um passo atrás. Eu mantinha erguida a folha de papel, com a mão trêmula, e ele reagia como qualquer pessoa que visse um homem no meu estado à sua porta.

— E o menino no chão? — perguntei.

— O quê?

— O *menino no chão.*

Ele me encarou, nitidamente apavorado. Era o tipo de pavor decorrente de uma acusação flagrante e inesperada. E se ele estivesse fingindo, era um ator fenomenal.

Estou enganado, pensei.

Mas, mesmo assim...

— Jake! — gritei.

— O que o senhor...?

Inclinei-me porta adentro, quase encostando meu peito no de Saunders, e gritei mais uma vez.

— *Jake!*

Nenhuma resposta.

Após alguns segundos de silêncio, Saunders engoliu em seco. O som foi tão alto que deu para ouvir.

— Sr... Kennedy?

— Sim.

— Eu entendo que o senhor esteja transtornado. Entendo *mesmo*. Mas o senhor está me assustando. Eu não sei o que está acontecendo, mas acho que o senhor deve se retirar.

Olhei para ele. O medo estampado em seus olhos era evidente, e julguei que fosse autêntico. De súbito, o corpo dele ficou todo contraído. O tipo de homem frágil, capaz de se sentir intimidado diante do simples tom de voz elevado de alguém, e eu já o intimidara o suficiente.

Saunders estava falando a verdade.

Jake não estava ali, e eu...

E eu...

Sacudi a cabeça e dei um passo atrás.

Estava perdido. Totalmente perdido. Ir até ali tinha sido um erro. Eu precisava obedecer e voltar à casa de Karen, antes de cometer mais erros. Antes de fazer mais merda do que já tinha feito.

— Me desculpe — falei.

— Sr. Kennedy...

— Me desculpe. Eu já estou indo...

Sessenta e quatro

— *Espere aqui.*

Que opção ele teria? Nenhuma.

Jake ficou sentado na cama, agarrando-se ao estrado. Ao sair, George tinha trancado a porta ao pé da escada. A campainha ainda estava tocando naquele momento. O som tinha continuado por, mais ou menos, um minuto, antes de parar, e Jake supôs que George tivesse aberto a porta e que ainda estivesse falando com o visitante. Caso contrário, com certeza, já não teria subido? Para fazer o que pretendia, antes de ser interrompido pelo tal visitante.

Talvez ele não faça aquilo, se eu me comportar, ele pensou.

Talvez, se esperasse ali, George voltaria a gostar dele.

— Você sabe que isso não é verdade, Jake.

Ele virou a cabeça. A menina estava sentada na cama, ao seu lado, e voltara a exibir uma fisionomia grave. Mas agora era uma expressão diferente. Aparentava estar com medo, mas também calma e decidida.

— Ele é um homem mau — disse ela —, e quer te maltratar. E vai te maltratar, se você deixar.

Jake teve vontade de chorar.

— Como é que eu vou me defender?

Ela sorriu, com ternura, como se ambos soubessem a resposta àquela pergunta. *Não, não, não.* Jake olhou para o canto do quartinho, onde o pequeno corredor dava acesso à escada. Jamais desceria por ali. Não conseguiria confrontar o que poderia estar esperando por ele lá embaixo.

— Eu não posso fazer isso!

— Mas e se for teu pai que está lá na porta?

E era exatamente nisso que Jake vinha evitando se atrever a pensar. Que talvez o pai estivesse querendo encontrá-lo, no fim das contas, e que, de algum jeito, o tivesse encontrado, e que estava lá embaixo naquele momento.

Era bom demais para ser verdade.

— Papai viria aqui em cima me buscar.

— Só se ele souber que você está aqui. Pode ser que ele não tenha certeza. — Ela refletiu. — Talvez você precise ir até a metade do caminho.

Jake fez que não com a cabeça. Era pedir demais.

— Eu não vou conseguir descer até lá.

A menina ficou calada por um instante. E então:

— Me conte o pesadelo — disse ela.

Jake fechou os olhos.

— Tem a ver com quando você achou sua mãe, né?

— É.

— E você nunca contou pra ninguém, nem pro teu pai. Porque morre de medo. Mas, agora, pode contar pra mim.

— Não consigo.

— Consegue, sim — sussurrou ela. — Eu te ajudo. Você entra na sala, e parece que a casa está vazia. Seu pai não está ali, né? Ficou lá fora. Então, você atravessa a sala.

— Chega — disse Jake.

— Está fazendo sol.

Ele fechou os olhos, com toda a força, mas não adiantou. Era capaz de se lembrar do ângulo que o sol entrava pela janela de trás.

— Você segue devagar, porque sente que tem alguma coisa errada. Alguma coisa está faltando. De algum jeito, você já sabe.

E agora ele visualizava a porta dos fundos, a parede e o corrimão.

Tudo revelado aos poucos.

E então...

— E então você vê sua mãe — disse a menina. — Não é?

Aquilo não era um pesadelo; portanto, não seria possível despertar e impedir que a imagem dela surgisse em sua mente. Sim, era sua mãe. Estendida ao pé da escada, a cabeça virada de lado, a face colada ao carpete. O rosto estava pálido, meio azulado, e os olhos, fechados. Tinha sido um infarto, conforme o pai, mais tarde, lhe dissera, o que não fazia sentido, porque isso era coisa que só acontecia com gente velha. Mas o pai dissera que, às vezes, acontecia com gente jovem também, se o coração da pessoa fosse...

E então o pai tinha parado de falar. Os dois choraram.

Mas aquilo tinha sido depois. No momento da descoberta, ele ficara imóvel, contemplando a visão sem que sua mente pudesse entendê-la, porque os sentimentos eram intensos demais.

— Eu vi — disse ele.

— E, então?

— E era a mamãe.

Era apenas sua mãe. Não um monstro. Monstruosos eram o sentimento provocado e o que aquilo significava. Naquele momento, parecia que uma parte dele estava estirada ali no chão, e que ele jamais encontraria palavras para descrever o mundo de emoções que explodiam dentro dele, uma explosão tão grandiosa como a criação do universo pelo Big Bang.

Mas era apenas sua mãe. Ele não precisava ter medo.

— A gente tem que descer agora. — A menina colocou a mão no ombro dele. — Você não precisa ter medo.

Jake abriu os olhos e a encarou. Ela continuava ali, e mais real do que nunca, e ele pensou que nunca tinha visto alguém que o amasse tanto.

— Você vai comigo? — perguntou ele.

Ela sorriu.

— Claro que vou. *Sempre*, meu menino lindo.

Então ela se levantou e o segurou pelas mãos, ajudando-o a ficar de pé.

— O que nós estamos sendo? — perguntou ela.

Sessenta e cinco

— Me desculpe. Eu já estou indo...

Eu mal sabia a quem pedia desculpas. Ao Saunders, supostamente, por eu ter ido bater na porta da casa dele, por tê-lo acusado, intimidando-o sem provas concretas. Mas o pedido de desculpas ia mais fundo. Destinava-se a Jake. A Rebecca. Até a mim mesmo. De algum modo, eu havia falhado com todos nós.

Eu me virei e olhei para Karen. Ela continuava com o celular ao ouvido e, mais uma vez, fez que não com a cabeça.

— Escute aqui — disse Saunders, medindo as palavras —, está tudo bem. Como eu falei, eu sei que o senhor está transtornado. E nem posso imaginar a situação que o senhor está passando. Mas...

Ele parou de falar.

— Eu sei — falei.

— Estou à disposição da polícia. E espero que o senhor encontre ele. Teu filho. Espero que isso tudo não passe de um mal-entendido.

— Obrigado.

Cumprimentei-o com um gesto de cabeça, e estava prestes a voltar ao carro quando ouvi um barulho dentro da casa. Parei. E me virei de volta para Saunders. Era um ruído distante, feito marteladas, e alguém gritava, embora os gritos mal fossem audíveis.

Saunders também escutara. A expressão em seu rosto havia se alterado depois que eu me virei, e ele já não dava sinais de estar tão doente, nem de ser amável, ou inofensivo. Era como se a condição de ser humano fosse apenas um disfarce, agora removido, e eu estivesse diante de uma criatura totalmente alienígena.

Saunders se pôs a fechar a porta de repente.

— Jake!

Consegui subir os degraus diante da porta a tempo de enfiar uma das pernas pela fresta. A porta bateu com força no meu joelho, mas ignorei a dor lancinante e empurrei-a, mantendo uma das mãos na maçaneta interna e fazendo o máximo de força que podia. Saunders grunhia do outro lado, resistindo à pressão que eu fazia. Mas eu era maior que ele, e o ímpeto provocado pela adrenalina aumentava minha força.

Jake estava dentro daquela casa e, se eu não o alcançasse, Saunders o mataria. Eu sabia que Saunders não tinha como fugir. Sequer tentaria fugir. Mas, se conseguisse impedir a minha entrada, poderia fazer mal ao meu filho.

— *Jake!*

De repente, a resistência cedeu.

Saunders tinha se afastado. A porta se abriu de supetão, e eu fui projetado para dentro da sala, esbarrando nele e tombando. Ele me golpeou de leve na lateral do corpo no momento em que nos chocamos, e então tropeçou para trás e ambos desabamos no chão, eu por cima, ele com a cabeça virada de lado, colada ao piso, eu com o antebraço direito esmagando seu maxilar. Minha mão esquerda tentava imobilizar o braço direito dele, na altura do cotovelo, pressionando-o contra o piso. Ele erguia o corpo, tentando se desvencilhar de mim, mas como eu era maior que ele, logo vi que poderia contê-lo.

Mas então ele deu uma guinada para cima e eu senti sua mão no mesmo ponto em que ele havia me golpeado de leve antes, só que agora registrei a dor ali. Não era uma dor insuportável, mas nauseante. Profunda, interna, estranha. Olhei para baixo e vi o punho dele pressionado contra meu corpo, e então o sangue começou a encharcar o robe branco que ele usava.

A faca que ele segurava estava fincada dentro de mim e, quando ele reagiu tentando se levantar, urrando de ódio, meu mundo inteiro urrou com ele.

— *Jake!*

Eu não sabia se havia gritado, ou apenas pensado que tivesse gritado.

Saunders arreganhava os dentes, a poucos centímetros do meu rosto, cuspindo e tentando me morder. Mantive a pressão sobre ele, embora o contorno da minha visão começasse a se desfazer em pequenas estrelas. E então, quando ele se projetou para cima mais uma vez, a lâmina se mexeu também, e as estrelas explodiram. Agora, se eu o deixasse se levantar, ele me mataria, e depois mataria Jake; portanto aumentei a pressão, e a faca se mexeu de novo, e a explosão de estrelas se transformou em uma luz branca que, aos poucos, preencheu minha visão. Mas eu não poderia deixar que ele se levantasse. Eu o manteria no chão até que ele me matasse.

Jake.

As marteladas e os gritos continuavam a ecoar acima de mim. Agora eu conseguia entender algumas palavras. Meu filho estava lá em cima, e chamava por mim.

Jake.

As estrelas desapareceram e a luz me dominou.

Me desculpe.

Sessenta e seis

Adrenalina era capaz de despertar uma pessoa.

Francis Carter, Amanda pensou.

Ou David Parker, ou fosse qual fosse o nome por ele adotado agora.

De volta à delegacia, ela examinou os registros dos funcionários da escola em busca de um homem de vinte e muitos anos. Quatro homens trabalhavam na escola, incluindo o zelador, e só um deles se encaixava nessa faixa etária. George Saunders tinha vinte e quatro, ao passo que Francis Carter estaria agora com vinte e sete. Mas, quando se comprava identidade falsa, bastava uma idade aproximada.

Saunders tinha sido interrogado após o desaparecimento de Neil Spencer, mas o depoimento não havia disparado nenhum alarme. Amanda tinha lido a transcrição. Saunders se expressara com desenvoltura e firmeza. Não tinha álibi para o momento exato do sequestro, mas isso não causara muita surpresa. Ficha limpa. Nada suspeito. Nada a investigar.

A não ser o fato de que uma busca recente revelara que o verdadeiro George Saunders tinha falecido três anos antes.

A realidade pesou no momento em que Amanda, conduzindo a viatura, chegou ao local de destino. Estacionou mais acima, diante de um imóvel aparentemente abandonado, um pouco antes da casa visada, e um furgão parou atrás do carro dela, enquanto outras duas viaturas se aproximavam pela direção oposta, estacionando mais adiante na ladeira. Todos se mantiveram fora do campo de visão da casa, de maneira que, se olhasse pela janela, Saunders não os veria. Isso era importante. A última coisa que eles queriam era vê-lo entrincheirado, fazendo o menino de refém.

Mas a situação não chegaria a esse ponto, ela pensou. Se fosse encurralado, Saunders simplesmente mataria Jake Kennedy.

O celular tinha tocado durante todo o trajeto. Ela pegou o aparelho agora. Quatro chamadas não atendidas. As primeiras três eram de um número desconhecido. A quarta era do hospital. O que significava que havia notícias de Pete.

Amanda foi tomada por uma sensação de desânimo. Ela se lembrou de como estivera animada na noite anterior — acreditando que não perderia Pete, que localizaria Jake Kennedy. Era tolice pensar assim. Mas afastou esses pensamentos e se recompôs, porque agora só poderia fazer alguma coisa a respeito de uma dessas duas questões.

Não vou perder mais uma criança no meu turno.

Ela saiu do carro.

A rua estava silenciosa. O local se mostrava totalmente deserto, uma área da cidade que agonizava enquanto dormia. Ela ouviu a porta lateral do furgão sendo aberta, e então o ruído de passos no asfalto. Ao pé da ladeira, policiais se agrupavam na calçada. O plano era que ela se aproximaria como se estivesse sozinha e tentaria convencer Francis a abrir a porta, permitindo sua entrada na casa. Naquele momento, todos entrariam em ação, e ele seria dominado em questão de segundos.

Mas então Amanda viu o carro de Karen Shaw estacionado adiante. Enquanto avançava pela rua, constatou que a porta da casa de George Saunders estava aberta e começou a correr.

— *Todo mundo, avançar!*

Eles invadiram o jardim à frente da casa, correram pela entrada, cruzaram a porta e chegaram à sala. Havia um caos de corpos pelo chão e sangue por toda parte, mas não ficou imediatamente claro quem estava ferido e quem não estava.

— Socorro, por favor.

A voz era de Karen Shaw. Amanda se aproximou dela. Shaw estava ajoelhada sobre um dos braços de Francis Carter, tentando imobilizá-lo. Entre os dois, Tom Kennedy se esforçava para manter Carter colado ao chão. Este tinha sido imobilizado e, com os olhos fechados, tentava desesperadamente se mexer, embora o peso somado dos dois o impedisse.

De algum ponto do andar de cima, Amanda ouviu pancadas e uma gritaria.

— *Papai! Papai!*

Policiais passaram correndo por ela, uma dezena de colegas ocupando a cena.

— Não toquem nele! — gritou Karen. — Ele foi esfaqueado.

Amanda viu a mancha de sangue ensopando o robe que Carter usava. Tom Kennedy estava totalmente inerte. Ela não tinha como saber se ele estava vivo ou morto.

Se tivesse perdido ele hoje também...

— *Papai! Papai!*

Quanto a isso, pelo menos, ela ainda poderia fazer algo.

Correu em direção à escada.

SEXTA PARTE

Sessenta e sete

Pete se lembrava de ter ouvido alguém dizer que, na hora da morte, a vida da pessoa passa diante dos olhos feito um filme.

Era verdade, agora ele sabia, mas isso também acontecia continuamente ao longo da vida. Com que *rapidez* o tempo passava, pensou. Quando criança, ele costumava se admirar com a expectativa de vida das borboletas e libélulas, que viviam apenas alguns dias, ou até só algumas horas, algo aparentemente inimaginável. Mas agora percebia que isso se aplicava a tudo — que era só uma questão de perspectiva. Os anos se acumulavam cada vez mais depressa, como amigos que entrelaçam braços formando um círculo cada vez maior, girando em crescente velocidade à medida que a meia-noite se aproxima. E então, de repente, tudo se acaba.

Desenrolando-se para trás.

Passando diante dos olhos, como acontecia com ele naquele momento.

Pete olhou e viu uma criança dormindo em paz num quarto iluminado indiretamente pela luz suave que vinha do corredor. O menino estava deitado de lado, o cabelo atrás da orelha e as mãos juntas diante do rosto. Tudo estava calmo. Uma criança, protegida e amada, dormia em segurança e sem medo. No chão, ao lado da cama, via-se um velho livro, aberto e com as páginas à mostra.

Teu pai gostava desses livros quando era criança.

E o local era uma pacata ruela do interior. Era verão, e o mundo inteiro florescia. Ele contemplou a cena, piscando os olhos. As cercas vivas, em ambos os lados do asfalto quente, estavam viçosas e cheias de vida, e as copas das árvores se tocavam, as folhas formando um toldo que coloria o mundo em tons de verde e amarelo-limão. Borboletas voavam pelos campos. Que lugar lindo. Pete estivera focado demais para perceber tudo aquilo antes — ocupado demais, olhando sem ver. Agora enxergava com tanta clareza que se perguntava como pôde ter ficado tão distraído a ponto de não ter se dado conta daquele cenário.

De repente, um flash: uma cena tão abominável que sua mente se recusava a aceitá-la. Pete ouviu o zumbido nasalado das moscas se projetando a esmo pelo ar que cheirava a vinho, e viu um sol carrancudo encarando crianças que não eram mais crianças; e então, de algum modo, misericordiosamente, a volta no tempo foi acelerada. Ele deu um passo atrás. Uma porta se fechou. Um cadeado se trancou.

Ninguém deveria ter a visão do inferno, nem uma só vez.

Não havia necessidade de espiar lá dentro nunca mais.

Agora, uma praia. A areia que roçava suas pernas era macia e fina feito seda, aquecida pelo sol brilhante e branco que parecia ocupar todo o firmamento. Diante dele, o mar era uma espuma de penas prateadas. Uma mulher estava sentada tão perto dele que os pelinhos do braço dela roçavam em sua pele. Com a outra mão, ela segurava uma máquina fotográfica, apontando para os dois. Ele esboçou seu melhor sorriso, com os olhos semicerrados diante da luz. Como estava feliz naquele momento — não se dera conta disso, mas estava! Ele a amava profundamente mas, por algum motivo, jamais soubera como expressar esse amor. Agora sabia; era tão simples. Depois que a foto foi batida, ele se virou para a mulher e se permitiu sentir as palavras, no momento em que as pronunciava.

"*Eu te amo.*"

Ela sorriu para ele.

Agora, uma casa. Era atarracada, feia e pulsava com ódio, tanto quanto o homem que ele sabia residir ali; embora não quisesse entrar, não teve opção. Ele era pequeno — uma criança novamente — e aquela era sua casa. A porta da frente rangia e o carpete expirava poeira sob seus pés. A atmosfera era pesada e sombria, de tanto ressentimento. Na sala, um velho amargurado estava sentado em uma poltrona diante da lareira, a pança tão estufada sob o suéter sujo que chegava a pender sobre as coxas. O semblante do homem exibia uma expressão de deboche. Era sempre aquela expressão, quando havia alguma expressão.

Que decepção ele era. Para si mesmo, era evidente o quanto ele era inútil, e que nada que fizesse era bom o suficiente.

Mas isso não era verdade.

Você não me conhece, ele pensou.

Nunca me conheceu.

Quando ele era criança, seu pai tinha sido um idioma que ele não falava, mas no qual agora se tornara fluente. O homem queria que ele fosse outra pessoa, e isso muito o perturbara. No entanto, agora era capaz de ler o livro do pai, do começo ao fim, e sabia que nada ali tinha a ver com *ele*. Seu próprio livro era outro, e sempre tinha sido. Desde sempre, tudo de que precisava era ser ele mesmo, e somente com o tempo — bastante tempo — pôde compreender isso.

Agora, um quarto de criança, sem janelas e pequeno, cuja largura era apenas o dobro de uma cama de solteiro.

Ele estava deitado, inspirando profundamente o cheiro conhecido dos lençóis e do travesseiro. As laterais do cobertorzinho estavam enfiadas entre o colchão e o estrado. Instintivamente, ele pegou o cobertorzinho, levou ao rosto a ponta do tecido macio, fechou os olhos e inalou.

Aquilo era o fim, ele percebeu. O emaranhado de sua vida tinha sido desfeito e exibido diante dele feito uma tapeçaria, e ele agora enxergava e compreendia tudo claramente, tudo tendo se tornado tão óbvio, em retrospectiva.

Bem que gostaria de ter mais uma chance.

Agora, uma porta se abria. Uma nesga de luz vinda do corredor sombrio atingiu Pete, e então um homem entrou no quarto, hesitante, avançando lenta e cautelosamente, mancando um pouco, como se estivesse ferido e sentisse dores pelo corpo. O homem se aproximou da cama e, com dificuldade, ajoelhou-se ao seu lado.

Depois de ficar algum tempo observando Pete dormindo, sem saber como proceder, o homem finalmente tomou uma decisão. Inclinou-se e fez o máximo para conseguir abraçá-lo.

E embora, àquela altura, já estivesse perdido em seus sonhos profundos, Pete sentiu o abraço ou, pelo menos, imaginou que sentia, e, por um instante, sentiu-se compreendido e redimido. Como se um ciclo se completasse, ou algo fosse encontrado.

Como se a peça que faltava no seu ser houvesse, finalmente, sido devolvida a ele.

Sessenta e oito

A carta estava à sua espera quando Amanda chegou em casa, mas ela não a abriu imediatamente.

Pelo carimbo da Penitenciária Whitrow, ficou óbvio quem seria o remetente, e ela não estava disposta a lidar com aquilo naquele momento. Frank Carter havia assombrado Pete ao longo de vinte anos — provocando-o, brincando com ele —, e ela jamais se prestaria a ler a vanglória de Carter no dia em que Pete tinha morrido. Não que Carter, ao postar a carta, soubesse de antemão qual seria a data fatídica, mas a impressão era de que, de algum jeito, aquele homem sabia de tudo.

Ele que se foda. Amanda tinha coisas melhores, mais importantes, a fazer.

Deixou a carta sobre a mesa da sala de jantar, serviu-se de uma dose dupla de vinho, e então ergueu a taça.

— A você, Pete — disse ela, em voz baixa. — Boa viagem.

Em seguida, sem conseguir se conter, começou a chorar — o que era ridículo. Ela nunca chorava. Sempre se orgulhara de ser calma e fria. Mas aquela investigação tinha mexido com ela. E não havia ninguém ali para vê-la naquele momento; portanto, concluiu que poderia se soltar. Foi uma sensação boa. Logo constatou que não estava chorando por Pete, mas deixando extravasar toda a emoção reprimida no decorrer dos últimos meses.

Pete, sim.

Mas também Neil Spencer. Tom e Jake Kennedy.

A coisa toda.

Era como se tivesse prendido a respiração durante semanas a fio, e o choro aos soluços agora fosse a expiração desesperada e necessária.

Bebeu o vinho e voltou a encher a taça.

Depois de falar com Tom e de saber o que agora sabia, ela supunha que uma bebedeira não seria o que Pete esperaria dela. Mas ele entenderia a situação. Na realidade, ela era capaz de imaginar o olhar compreensivo que ele exibiria se pudesse vê-la naquele momento — um olhar idêntico a tantos outros já dirigidos a ela. Um olhar que diria: *Eu sei, por experiência própria, e entendo, mas não dá pra gente falar no assunto, né?*

Ele entenderia, com certeza. O caso do Homem-Sussurro tinha ocupado os últimos vinte anos da vida de Pete. Depois de tudo o que aconteceu, Amanda supunha que, se não cuidasse, o mesmo poderia acontecer com ela. Mas talvez isso não fosse de todo ruim — talvez devesse ser assim. Algumas investigações permaneciam para sempre, fincando as garras, te obrigando a arrastá-las contigo, por mais que tentasse se livrar delas. Antes daquele caso, ela se considerava imune a esse tipo de coisa — seria uma carreirista, como Lyons, sem se deixar paralisar, como Pete —, mas agora se conhecia um pouco melhor. Haveria de levar consigo aquele caso durante muito tempo. Tinha a ver com o tipo de tira que ela se tornara. Longe de ser o tipo de tira sensato.

Então, que assim seja.

Esvaziou a taça e encheu uma terceira.

Obviamente, havia pontos positivos aos quais se agarrar e, apesar de tudo, isso era importante. Jake Kennedy fora encontrado a tempo. Francis Carter estava na cadeia. E ela seria sempre a mulher que o prendera. Quase se matara de trabalhar, esforçando-se ao máximo, e correspondera às expectativas. Chegada a hora, toda a porra do seu esforço fora recompensado.

Por fim, criou coragem e abriu o envelope. Já estava tão bêbada que não se importaria com o que Frank Carter tinha a dizer. Que importância teria? O filho da mãe que escrevesse o que quisesse. As palavras apenas ricocheteariam nela, ele seguiria apodrecendo no local onde estava, e ela seguiria livre. Não seria como no caso de Pete. Carter não exercia sobre ela nenhum poder. Não tinha como atingi-la.

Uma única folha de papel, quase vazia.

Então, as palavras escritas por Carter:

Se o Peter ainda puder ouvir, agradeça a ele por mim.

Sessenta e nove

Francis aguardava sentado em sua cela.

Tinha passado as últimas duas semanas na maior expectativa, mas algo no mundo foi acionado naquele dia, e ele constatou que, finalmente, chegara o momento. Depois que as luzes foram apagadas, ele se sentou na cama, no escuro, ainda vestido, as mãos apoiadas nas coxas. Aos poucos, os ecos metálicos e os gritos isolados de outros detentos diminuíam. Quase cego, ele fitava a alvenaria tosca da parede à sua frente.

E aguardava.

Era um homem feito, e não estava com medo.

Tinham feito o máximo para amedrontá-lo, obviamente. Logo que ele chegou à prisão, os guardas agiram com profissionalismo, mas não tinham conseguido, ou mesmo pretendido, disfarçar o ódio que sentiam por ele. Afinal de contas, Francis havia assassinado um menino e — o que talvez fosse ainda pior, na visão deles — um policial. A revista íntima tinha sido das mais rigorosas. Por ser reincidente, fora separado dos demais condenados, mas a porta de sua cela era frequentemente esmurrada e chacoalhada, e ameaças eram sussurradas no corredor externo. Além de uma eventual ordem para que essas práticas fossem interrompidas, os guardas davam sinais de tédio e pouco faziam para que o comando fosse cumprido. Francis achava que eles se divertiam com aquilo.

Que se divirtam.

Ele aguardava. Fazia calor na cela, mas ele sentia calafrios, e seu corpo tremia um pouco. Mas não de medo.

Porque era um homem feito. E não estava com medo.

Tinha visto o pai pela primeira vez uma semana antes, no refeitório da penitenciária. Até durante as refeições, Francis era mantido isolado dos demais detentos; portanto, estava sentado sozinho, sob vigilância de um carcereiro, e comia a gororoba fornecida. Acreditava que o que lhe estava sendo servido era o que havia de pior no cardápio diário, mas, sendo isso verdade, ele riria por último. Afinal, já havia comido coisa muito pior. E já tinha sobrevivido a tratamento muito pior também. Na ocasião, engolindo uma colherada de purê de batata frio, ele repetia consigo mesmo, pela centésima vez, que aquilo não passava de um teste. Aguentaria tudo o que fizessem contra ele. Conquistaria...

E, então, ele tinha se virado e visto o pai.

Frank Carter entrara no refeitório como se fosse o dono da penitenciária, baixando ligeiramente a cabeça; de pronto, sua presença se fez gigantesca no recinto. Uma montanha de homem. Os guardas, em sua maioria, vinte centímetros mais baixos que ele, mantinham uma distância respeitosa. Um grupo de detentos o escoltava, todos trajando o uniforme alaranjado típico de presidiário, mas seu pai se destacava, sendo indiscutivelmente o líder. Não aparentava ter envelhecido. Na visão de Francis, o tamanho e a força do pai eram quase sobrenaturais, como se, caso assim desejasse, ele pudesse atravessar as paredes da prisão e sair ileso do outro lado, só coberto de poeira.

Como se pudesse fazer qualquer coisa.

— Come logo, Carter. — O carcereiro cutucou-lhe as costas.

Francis comeu o purê, pensando que, em breve, o guarda talvez se arrependesse daquele gesto. Porque seu pai era rei ali, e isso tornava Francis parte da família real. Enquanto comia, olhou várias vezes de soslaio para a mesa em que o pai se reunia com a corte. Os internos riam, mas estavam longe demais para que Francis pudesse isolar o barulho do ambiente e ouvir o que diziam. Mas seu pai não estava rindo. E embora Francis achasse que alguns dos outros, em dados momentos, olhassem para ele, o pai jamais o fez. Não, Frank Carter se limitava a comer sem perder tempo, de vez em quando limpando a barba com um guardanapo, olhando sempre para a frente enquanto mastigava, como se refletisse sobre algum assunto grave.

— Já falei... *come logo.*

Desde aquele dia, Francis tinha visto Carter algumas vezes, e fora a mesma coisa. Sempre se impressionava com o tamanho dele — sempre bem maior que as figuras que o acompanhavam, como se fosse um pai cercado pelos filhos. E sempre ignorara totalmente a presença de Francis. Ao contrário do contingente de bajuladores que o seguiam, ele sequer olhava em direção a Francis. Mas Francis *sentia* sua presença constantemente. À noite, deitado sozinho em sua cela, sentia a presença do pai, pulsando em algum ponto além da porta pesada e dos corredores de aço.

A expectativa aumentara continuamente, até que, naquele dia, Francis sentiu que tinha chegado o momento.

Sou um homem feito, Francis pensou.

E não estou com medo.

A penitenciária atingira naquele instante o máximo de silêncio noturno. Ainda havia ruídos ao longe, mas na cela de Francis o silêncio era tamanho que ele conseguia ouvir sua própria respiração.

E aguardava.

E aguardava.

Até que, finalmente, ouviu passadas se aproximando pelo corredor externo e provocando um ruído que denotava, ao mesmo tempo, cautela e ansiedade. Francis se levantou, o coração pulsando esperançoso, apurando o ouvido. Era mais de uma pessoa. Ouviu-se uma risadinha abafada, seguida por um chiado de quem pede silêncio. Um tintilar de chaves. O que fazia sentido — seu pai teria acesso a tudo o que desejasse ali dentro.

Mas havia também algo quase zombeteiro nos ruídos.

Do lado de fora da cela, alguém sussurrou seu nome.

Fraaaaancis.

Uma chave girou na fechadura.

E então, a porta se abriu.

Frank Carter entrou na cela, seu corpo preenchendo todo o espaço da porta. Havia pouca luz, mas Francis pôde ver o rosto do pai, pôde ver a expressão ali estampada, e...

E...

Ele voltou a ser criança.

E ficou apavorado.

Porque se lembrava perfeitamente bem daquela expressão no rosto do pai. Era o olhar que ele sempre exibia quando entrava no quarto de Francis no meio da noite e ordenava que se levantasse e descesse, porque havia algo que ele precisava ver. No passado, o ódio que ele enxergava era contido e dirigido a terceiros. Mas agora, ali, finalmente, não havia mais necessidade de contenção.

Socorro, Francis pensou.

Mas ali não havia quem o socorresse. Assim como não tinha havido tantos anos atrás. Não havia quem pudesse ser chamado. Jamais tinha havido.

O Homem-Sussurro se aproximou dele, devagar. Com as mãos trêmulas, Francis pegou a barra da camisa de malha.

E então a ergueu, cobrindo o rosto.

Setenta

— Está tudo bem, papai?

— O quê?

Sacudi a cabeça. Eu estava sentado junto à cama de Jake, com o exemplar de *O Poder dos Três* aberto na última página, olhando para o vazio. Tínhamos acabado de ler o livro, e eu me distraíra. Perdido em pensamentos.

— Tudo bem — falei.

A julgar pela expressão no rosto de Jake, era evidente que não acreditava em mim — e ele estava certo, claro. Eu estava longe de me sentir bem. Mas não queria falar sobre minha experiência de ter visto meu pai pela última vez no hospital naquele dia. Com o tempo, talvez falasse, mas ainda havia tanta coisa que Jake desconhecia, e eu não sabia se teria as palavras certas para explicar nada daquilo, ou para fazê-lo entender.

Nada nunca mudava nesse nível.

— É este livro... — Fechei o volume e, pensativo, passei a mão pela capa. — Não leio este livro todo desde quando eu era criança, e acho que ele me trouxe recordações. Me fez sentir como se tivesse a tua idade.

— Não acredito que um dia você teve a minha idade.

Eu ri.

— É incrível, né? Abraço?

Jake afastou o lençol e saiu da cama. Larguei o livro, no momento em que ele se sentou no meu joelho.

— *Cuidado.*

— Desculpe, papai.

— Sem problema. Só estou te lembrando.

Já fazia quase duas semanas desde que eu tinha sido ferido por George Saunders, o sujeito que, conforme eu agora sabia, se chamava Francis Carter. Mas eu ainda não sabia quão perto da morte tinha chegado naquele dia. Mal me lembrava de grande parte do que acontecera. Muita coisa que ocorrera naquela manhã formava uma espécie de borrão, como se o pânico tivesse apagado a cena e me impedido de fixá-la na memória. O primeiro dia no hospital foi a mesma coisa; só muito lentamente minha vida voltou a adquirir foco. Agora, de tudo aquilo, sobraram para mim curativos na lateral do corpo, uma dificuldade de apoiar o peso naquele lado e um punhado de sensações como se fossem lembranças de um sonho: Jake gritando por mim; o desespero que senti; a *necessidade* de chegar até ele.

O fato de eu estar disposto a morrer por ele.

Ele agora me abraçava, delicadamente. Mesmo assim, tive de me concentrar para não me contrair todo. Felizmente, eu não precisava carregá-lo escada acima e abaixo naquela casa. Depois de tudo o que tinha acontecido, fiquei com medo de ele ficar mais assustado do que nunca, e de o comportamento anterior retornar, mas a verdade foi que ele lidou com os horrores daquele dia bem melhor do que eu tinha imaginado. Talvez até melhor que eu.

Eu o abracei, da melhor maneira que pude. Era o máximo que eu poderia fazer. E então, depois que ele voltou para a cama, fiquei no vão da porta, observando meu filho por um instante. Ele parecia estar tão tranquilo, confortável e seguro, a Bolsinha de Coisas Especiais no chão ao seu lado. Eu não tinha contado para ele que, naquela manhã, eu havia examinado o conteúdo da Bolsinha, nem o que encontrara lá dentro; também não falei a verdade sobre a menina. Essa era outra questão para a qual — por ora, pelo menos — me faltavam palavras.

— Boa noite, parceiro. Eu te amo.

Ele bocejou.

— Também te amo, papai.

Ainda era difícil, para mim, descer escada; portanto, depois que apaguei a luz, fui até o meu quarto esperar que Jake pegasse no sono. Eu me sentei na cama e abri o laptop, localizei o arquivo mais recente e li o conteúdo.

Rebecca.

Eu sei exatamente o que você acharia disso, porque você sempre foi muito mais pragmática do que eu. Você iria querer que eu seguisse em frente com a minha vida. Que eu fosse feliz...

E assim por diante. Demorei um pouco para compreender o que havia escrito, porque não tinha aberto o documento desde aquela última noite no esconderijo, algo que agora parecia pertencer a um outro tempo. As palavras se referiam a Karen — expressavam minha culpa pelo que eu sentia por ela. Mas isso também parecia pertencer a outro tempo. Karen tinha ido me visitar no hospital. Tinha levado Jake à escola para mim, e me ajudado a cuidar dele, enquanto eu me recuperava. Estávamos nos tornando cada vez mais íntimos. Os acontecimentos tinham nos aproximado, mas também nos desviaram do caminho mais previsível, e aquele beijo ainda não tinha acontecido. Mas eu sentia que estava perto... aguardando.

Que eu fosse feliz...

Sim.

Deletei tudo, exceto o nome de Rebecca.

Antes, minha intenção era escrever sobre minha vida com Rebecca, sobre a dor que senti com sua morte, e sobre como sua perda me afetara. Ainda pretendia fazer isso, porque achava que ela seria um componente importante em tudo o que eu escrevesse. Rebecca não tinha acabado quando sua vida acabou, porque, embora fantasmas não existam, não é assim que a coisa funciona. No entanto, agora eu constatava que havia muito mais, e que minha intenção era escrever sobre tudo. Sobre a verdade de tudo o que tinha acontecido.

O Senhor da Noite.

O menino no chão.

As borboletas.

A menina com aquele vestido esquisito.

E o Homem-Sussurro, é claro.

Tratava-se de um projeto intimidante, porque as lembranças eram um tanto confusas, e havia tanta coisa que eu não sabia, e talvez jamais soubesse. Mas talvez isso, por si só, não fosse um problema. A verdade sobre algo pode estar tanto no sentimento quanto no fato.

Encarei a tela.

Rebecca.

Apenas uma palavra, mas já estava errado. Jake e eu tínhamos nos mudado para aquela casa em busca de um novo começo, e, por mais que Rebecca fosse parte integrante da história, percebi que o relato não seria sobre ela. Essa era a questão central. Agora, meu foco precisava ser outro.

Deletei o nome dela. Hesitei, e então, digitei:

Jake.

Eu tenho tanta coisa para te dizer, mas a nossa conversa é sempre difícil, não é?

Então, prefiro escrever.

Foi então que ouvi Jake sussurrando.

Fiquei paralisado, ouvindo o silêncio que se instalou depois do sussurro, que agora dava sinais de preencher a casa de um modo mais assustador que nunca. Alguns segundos se passaram — tempo suficiente para eu achar que tivesse imaginado o ruído.

E, então, mais uma vez.

Em seu quarto, do outro lado do corredor, Jake falava baixinho com alguém.

Deixei o laptop de lado, me levantei devagar, e saí pelo corredor, tentando não fazer o menor barulho. Meu coração estava apertado. Nas duas últimas semanas, não tinha havido sinal da menina, nem do menino no chão, e, embora eu não quisesse reprimir Jake, aquilo fora um alívio para mim. Não me agradava a possibilidade de vê-los retornar agora.

Parei no corredor, escutando.

— Certo — sussurrou Jake. — Boa noite.

E então, nada.

Esperei um pouco mais, mas ficou evidente que a conversa tinha terminado. Passados alguns segundos, avancei pelo corredor e entrei no quarto dele. Atrás de mim, a luz era suficiente para revelar Jake deitado, quieto, completamente sozinho.

Eu me aproximei.

— Jake? — sussurrei.

— Oi, papai?

Ele estava quase dormindo.

— Com quem você estava falando?

Mas não houve resposta, apenas a serena oscilação da coberta e o som cadenciado de sua respiração. Talvez ele estivesse pegando no sono, pensei, e falando consigo mesmo.

Ajeitei a coberta, e já estava prestes a voltar em direção à porta quando ele falou novamente.

— Teu pai leu aquele livro pra você, quando você era criança.

Por um instante, não falei nada. Apenas olhei para Jake, deitado de costas para mim. O silêncio agora chegava a sibilar. De repente, a temperatura do quarto pareceu ter diminuído, e senti um calafrio.

É, pensei. *Ele, provavelmente, leu mesmo.*

Mas não tinha sido uma pergunta, e não havia como Jake saber aquilo. Eu sequer me recordava da experiência. Mas, obviamente, eu dissera a Jake que, na minha infância, aquele livro era um dos meus prediletos; portanto, a suposição seria algo natural. Não seria nada extraordinário.

— Leu, sim. — Olhei ao redor do quarto vazio. — Por que você disse isso?

Mas meu filho já sonhava.

Agradecimentos

É imensa minha gratidão para com diversas pessoas. Em primeiro lugar, minha agente, Sandra Sawicka, junto a Leah Middleton e toda a equipe da Marjacq. Joel Richardson é meu editor na Michael Joseph, e sua paciência e orientação ao longo do caminho foram inestimáveis. Quero agradecer também a Emma Henderson, Sarah Scarlett, Catherine Wood, Lucy Beresford-Knox, Elizabeth Brandon e Alex Elam pelo trabalho incansável e pelo apoio, a Shan Morley Jones por pegar meus erros, e Lee Motley pela bela arte da capa. Todos vocês me impactaram profundamente, e nunca serei capaz de agradecer o suficiente.

Além disso, a comunidade adepta da ficção policial é famosa por sua afetividade e generosidade, e sou sempre grato por desfrutar do apoio e da amizade de tantos escritores, leitores e blogueiros maravilhosos. Vocês são todos extraordinários. E quero erguer a taça — uma caneca, na verdade — aos Blankets. Vocês sabem a quem me refiro.

Por fim, agradeço a Lynn e Zack por simplesmente tudo — inclusive por me aguentarem. Este livro é dedicado a vocês dois, com muito amor.

Este livro foi composto na tipologia Adobe Garamond Pro,
em corpo 13,5/16, e impresso em papel offwhite,
no Sistema Cameron da Divisão Gráfica
da Distribuidora Record.